齐善鸿 中华三圣经典心读丛书

齐善鸿 著

坛经心读

品真性妙美

华夏出版社
HUAXIA PUBLISHING HOUSE

图书在版编目（CIP）数据

坛经心读：品真性妙美 / 齐善鸿著． -- 北京 ： 华夏出版社有限公司，2024.9

ISBN 978-7-5222-0701-8

Ⅰ．①坛… Ⅱ．①齐… Ⅲ．①《六祖坛经》－ 注释 Ⅳ．① B946.5

中国国家版本馆CIP数据核字（2024）第 085818 号

坛经心读：品真性妙美

作　　者	齐善鸿
责任编辑	黄　欣
责任印制	周　然
出版发行	华夏出版社有限公司
经　　销	新华书店
印　　装	河北宝昌佳彩印刷有限公司
版　　次	2024 年 9 月北京第 1 版 2024 年 9 月北京第 1 次印刷
开　　本	710mm×1000mm　1/16 开
印　　张	23.75
字　　数	344 千字
定　　价	98.00 元

华夏出版社有限公司　地址：北京市东直门外香河园北里 4 号　邮编：100028
网址：www.hxph.com.cn　　　　电话：（010）64618981
若发现本版图书有印装质量问题，请与我社营销中心联系调换。

总序

中华有"三圣":老子李耳、孔子仲尼、六祖惠能。代表他们智慧的《道德经》《论语》《坛经》,是中华优秀传统文化中的三部经典,它们犹如中华历史文化中的"北斗",为一代代华夏儿女照亮心路。

人首先是自然的,但其本质又是社会性的,人不是单独的个体,而是众生和天地万物的集合体。人生的本质,不是为自己谋取物质的私利,而是集合众生与天地万物的能量,构筑一个超级的自我——超我,并为现实中的众生创造价值与幸福,从而使自己成为有价值的人和幸福的人。这就是中华文化中"无我"的本质所在——无小我,造超我,福众生。由此让自己走向人生的富足和圆满,而让精神与心灵获得绝对的自由。

一、忧心与庆幸

可惜的是,现实中的一些人陷入了自我和自私的泥潭中。陷入自我的人,总是自以为是,总是在用个人的有限经验和知识去理解无限的世界和与自己不同的其他生命,甚至还会去诋毁别人、抬高自己。有的人还将这种思维方式和做法强加给自己的亲人、朋友、部下和整个社会。于是乎,他所到之处都是"要求、指责、抱怨和愤怒",一片乌烟瘴气,一片肮脏和混乱。为自己构筑出这样一个充满负面能量世界的人，当然过得并不快乐。令人唏嘘的是，在我们所处的这个时代，这样的人似乎有点多。正如一位觉者所说的那样，现今的人类正处在"科技文明日新月异与人文精神日落西山"这两种不同力量的反复绞杀中。值得庆幸的是，越是这样的局面，越容易促进人类的觉醒，也确实产生出一大批觉者。只是不知道，你是否是觉者之一？这是这个时代涉及每一个人利益的核心问题。

可惜的是，在教育普及率日益提高的当下，仅学习科学知识似乎无法让人们活得快乐和幸福。这就需要人生和人文智慧的教育，也就是说，在主流的科学教育体系中，需要加强人生与人文智慧教育比例。众所周知，知识不能等同于能力，能力不能等同于品德，科学知识不能等同于人生智慧，归根结底，对教育的检验是要看是能否有效促进人类自身的进化和增进人类福祉与促进文明的发展。

可惜的是，很多人被眼前的物质利益所迷惑，沉湎于物质享受中，从而沦为赚钱机器。正如圣人所警示的"君子役物，小人役于物"。世间还有一个很尴尬的景象：没有人想成为"小人"，但因为自己不明君子与小人的区别，在厌恶小人的同时，自己却成了小人。实际上，维持生命活动所需要的物质资源是极其有限的，如果物质资源的消费超过生命活动之所需，人就会生病，寿命就会缩短，精神生活就会变得空虚与扭曲，就会与自己的人生目标相背离，就会成为自己的敌人！于是乎，哲学家们提出了一个著名的论断：世间只有一个敌人，那就是迷失的自己。这也就意味着，人一旦迷失了精神方向，就会成为自己人生中的敌人，就会自我伤害，直至自我毁灭。经历过人间繁华的人会意识到，真正的人生不是物质的饕餮盛宴，而是精神对物质的胜利，是在战胜物质的同时，让自己的精神持续不断地成长和壮大！

值得庆幸的是，中华民族拥有一万年的文化史、五千多年的文明史，并且正处在国势国运上升的光明时期。正是因为拥有了这样悠久的文化与文明的历史，每个华夏儿女都先天拥有一座智慧的宝藏。只是要看谁能够打开这样一座宝藏的大门。纵观历史，我们不难发现，历朝历代，只有少数人才有机会进入文化传承的这座宝藏。现如今，随着知识形态和科技手段的日新月异，许许多多的人都拥有了这样的机会。拥有机会并不等同于掌控机会，更不等同于将智慧的宝藏变成自己的能量。若是忽视本民族的文化宝藏，只依靠个人经验和有限的科学知识，外加个人不断膨胀的物质欲望去为自己奋斗，无异于捧着金饭碗要饭吃，那可就成了人间最大的笑话。遗憾的是，很多人陷入了只重视科学知识、只相信个人经验、只为自己谋私利的危险漩涡中，甚至有人因此出现了中毒症状：用自己掌握的有限科学知识去排斥甚至诋毁悠久的文明传统；活在自己的认知中，不接受甚至排斥其他人的认知；只为个人私利而无视社会公益。也许，人们正在忘记人生的真实目的——人文精神也好，科技文明也罢，再加上自己个人的想法和追求，这一切都是为了让人活得明白、活得快乐和幸福，并能走向更加光明的未来。若是离开了这一目的，只沉迷于现在的认知与追求，就不可能找到人生幸福与健康发展的真正答案。

值得庆幸的是，我们这个时代出现了一大批觉醒了的智者，正在领导这个国家前行并日益强大。尤其值得注意的是，中华文明是一种追求真理的文明，因此是一种开放和不断吸纳、创新与持续壮大的文明。我们不仅尊重自己的历史，不仅在历史的基础上不断开拓创新，还同时保持着对人类一切先进文明的尊重、接纳、吸收、转化和凝练。众所周知的自强不息和厚德载物，正是华夏子孙自我建设和勇猛开拓的哲学与辩证的智慧信条。"为学日益，为道日损，损之又损，以至于无为，无为而无不为"，正是华夏儿女"去伪存真、去粗取精、纲举目张、透过现象看本质"之哲学智慧的体现。世间众生，人生万象，"若见一切法，心不染着，是为无念。用即遍一切处，亦不着一切处；但净本心，使六识出六门，于六尘中，无染无杂，来去自由，通用无滞，即是般若三昧，自在解脱，名无念行"，则为华夏儿女提供了"心不为奴，心定为主"这一人生功夫的秘诀。

令人忧心的是，无论是受过良好教育的社会精英，还是略有知识的普通百姓，已经有不少人陷入了焦虑、烦躁和抑郁中。这正说明：拥有知识不足以支撑人生，缺乏人生智慧，人生正能量不足，就很容易导致诸多病态现象的出现。许多人不知道的是，历史上的圣人智慧和现实中的觉者智慧，正可以解决这些问题。关键是"文化之药"就在那里，可很多人要么视而不见，要么听而不闻，总之就是够不到，因此也进不到心里。

令人欣喜的是，许许多多有志之士正在勤奋地学习圣贤智慧和当今的觉者智慧，并在不同程度上提高了自己的人生质量。一些觉醒了的家长，带领孩子学习圣贤智慧，让一个个小生命焕发出生命的力量。

说到圣人和圣人智慧，有人在问，难道他们说的就是真理吗？这个问题要是去问圣人，圣人肯定不会承认。真理一旦经由语言表达，就会因文字的局限性而生出障碍，以致无法淋漓尽致地表现出真意。同时，对于同样的文字，读者总是带着自己的主观局限性去理解，很少有人能把圣人智慧准确无误地吸纳进自己的生命。关键是，圣人智慧是引导众人接近真理的一座桥梁。这一点，恰恰被很多人忽视了。

可能有人会说，凡是人说的肯定有局限性，也免不了会有糟粕出现。这话不假。文化，是经历历史的洗礼而不断地推陈出新，但绝对不会因为有糟粕而全部被否定掉，就如同给孩子洗完澡时要把脏水倒掉，但不能把孩子一起倒掉一样。也就是说，对历史文化、圣人和经典进行全面的、绝对的肯定，显然是有违科学精神与追求真理的理性精神的。但同时，将某些自己还理解不了的思想斥为糟粕，甚至连同其思想体系也全面排斥，是过于武断和轻率的，也是不可取的。

更具普遍性的一个问题是，许多人将中华文化当成一种知识，并用自己的知识和经验去评价和审视之。虽然文化在形态上表现为一种文字与知识的形态，但其本质却是要用自己的人生和生命亲证的智慧体系。一定要明白的是，读圣贤书确实可以增加知识量，但并不能直接增加智慧。因为智慧是知识与实践结合后的体悟与提升，绝对是获得智慧过程中不可或缺的环节。若是离开了这条核心主线，仅仅用自己的知识和经验去评价中华文化，就很难得到什么益处。在三十多年的知识学习与人生修行历程中，我接触到很多修行者，那些不断地领悟智慧的人，都是将圣贤智慧与个人的人生与生命连续不断进行结合和验证的人，他们都从中获得了诸多益处。

在讨论上述问题时，曾经有修行者说出这样的话：先不论对自己的祖宗是否尊敬，那些以为自己可以评说圣贤的人，自己此生真的有把握成为高于圣贤的圣贤吗？换一种说法，若是承认圣贤智慧是产生自高维的智慧，那我们还处在低维状态的普通人又如何才能看清或者真正理解圣人的智慧呢？

二、中华三圣智慧的精髓

老子及《道德经》。老子用五千言的篇幅，阐释了道学智慧的核心思想：人的主观不能脱离客观事实与规律，人的主观活动必须依靠客观事实和规律。纵观人间所有的苦难与灾难，都与人的主观膨胀与自以为是有关，核心就是主观一旦膨胀或者以自我为中心，就会脱离客观规律和事实，就会制造灾难和痛苦。尤其是人类还创造了自己的知识体系、道德准则、权力与制度等，就更要小心和认真地审视这些人为的、主观的产物是否合于客观规律。否则，脱离了客观规律的主观认识，就一定会因为违背客观规律、对抗客观规律而让人的行动与结果出现错误。若是再将错误归于外界和他人，而死守着所谓正确的主观愿望与道理，那就无法从根本上解决问题，错误、痛苦与灾难就会持续不断。尤其要注意的是，人类时时刻刻都会产生出无数的念头和难以遏制的欲望，这些主观力量会将人诱导到偏离客观规律的方向上。若是不能解决这样的主观问题，若是不能通过修行升级自己的思维与观念而让自己脱离客观事实与规律，就极有可能理直气壮地犯错，以致害人害己。当然，老子不仅仅是对现实主观的批判者，更是给出解决问题"药方"的智者。"多言数穷，不如守中""致虚极，守静笃，万物并作，吾以观复，夫物芸芸，各复归其根。归根曰静，是谓复命，复命曰常，知常曰明，不知常，妄作凶"。老子的教导，就是告诉我们要不带任何偏见地接近客观事实，去洞察客观事实的规律，也就是贴近大道。同时，老子也在思维方法上给了我们很多指引：有无相生，难易相成。反者道之动,弱者道之用。知雄守雌,知白守黑,知强守弱。故贵以身为天下,若可寄天下;爱以身为天下,若可托天下。上善若水,水善利万物而不争,处众人之所恶,故几于道。善者不辩,辩者不善。天之道,利而不害。圣人之道,为而不争……老子也为人们提出了立世的坐标:上善若水,少私寡欲,虚极静笃,为道日损,玄德无我。如此这般,就可让真我中的道心呈现,就能去除主观干扰,就能与大道合一,就能时时刻刻按照大道的节律思考和行动。如此这般,就能将万物与众生视为大道的显形,就不会对这些显形的现象进行人为的、简单粗暴的指责、评价与判断,就能够以天道之心为万物与众生"代言",就能够达到"无为而无不为""不争而天下莫能与之争"的自由和逍遥的境界。

孔子及《论语》。在世人看来,孔子是一个年少时遭遇父母离世的可怜的孩子。但孔子关心的却不是自己的温饱,而是天下人的命运。固然,想重新回归周礼的愿望让人觉得有些"愿望主义"的迂腐,但孔子毕其一生与弟子们共同讨论人生各种问题背后的规则法则,为后世子孙留下了"向道宏愿""仁德之道""好学之道""内省之道""中庸之道""忠恕之道""君子之道"等思想,尤其是开创了私学教育的先河,打破了官学的垄断,为众多普通人提供了开化明智的机会,也因此被后世尊为"至圣先师"。孔子的"向道宏愿"以"朝闻道,夕死可矣"而名传于世。孔子所崇尚的"好学之道"也超越了一般的知识学习,进入了"参悟大道"的境界。孔子又将天道的法则演化成人间的"仁德之道",为人与人的关系确定了最高的价值准则。与此同时,孔子将"内省之道""中庸之道""忠恕之道"确立为红尘中人修习"君子之道"的基本方法,如此就能够领悟基于天道的人间智慧。人若是能够在现实中领悟天道在人间的运行规律,也就能修成人间的君子,甚至成为人间的圣人。

六祖惠能及《坛经》。六祖惠能童年时家道中落,没有机会读书认字,与老母亲相依为命。但其慧根甚利,听闻经书中充满智慧时心生向往,关键是其不俗的根性令五祖弘忍大师十分欣赏,进而生出怜惜、悯爱之意,收留其在东山道场做点杂役。是金子总会发光。人若有光明的向往,不管身在何处，不管做什么，总能接近大道。惠能在做杂役时，就表现出一心为道的可贵品质。在弘忍大师出题考弟子时，他以一首《菩提偈》——菩提本无树，明镜亦非台。本来无一物，何处惹尘埃——脱颖而出，表现出了不俗的领悟力，得到弘忍大师的认可，从而继承中华禅宗的衣钵。尤其是在继承衣钵的当晚，他顿然领悟"自性"，可谓是觉悟中的极致："何期自性，本自清净；何期自性，本不生灭；何期自性，本自具足；何期自性，本无动摇；何期自性，能生万法。"六祖对"自性"的顿悟，成了修行者觉醒的根本法则。六祖继承衣钵之后，面对所发生的是是非非，领悟到"衣钵之相"也是人间的祸端，于是，他弃"衣钵之相"而以智慧思想留世传承，后经弟子整理而成《坛经》。尤其难能可贵的是，惠能大师对当时世间传播的深奥的佛理进行了改造以适合平民学习参悟，使得深奥的智慧与人间的生活得以紧密连接，让人们懂得了"修行就在世间，生活就是修行"的妙理。

说起中华传统文化，往往离不开儒释道三家，无数受儒释道文化滋养的华夏儿女成为时代的觉者与精英，让中华文明代代相传，并不断创造出各种奇迹。儒家孔子发现了生命中的"仁心"，只要人能够以此心待人，就能够摆脱世俗功利和邪恶之心，就能够建立和谐的关系。道家老子发现了真命中的"道心"，这是联通天地万物和人间众生的关键法门，也是摆脱主观有限的认知，洞察天地万物与人类自身规律的心智节点。禅宗六祖惠能发现了生命中的"自性"，这是生命本自具足的核心能力，一旦自性觉醒，人就能摆脱一切外相的束缚，而见得万物与生命的真相，就能摆脱被幻相迷惑的幻觉，就能够了悟一切。这三家祖师和他们的智慧，在当世流行的科学与知识之外，为人们打开了一扇高维智慧的天窗。尤其重要的是，借助儒释道的智慧，人们能够破除对外部世界的迷惑和迷信，将心智的焦点转向自身，如此修行就能让自己成为真正的主人——既不是外物的奴隶，也不是自我中心的牺牲品。同时，儒释道的智慧也为人类的信仰提供了一个正确的方向，从过去久远的崇拜外物或者编造神灵并让自己匍匐在地的那种"神奴"幻象中走出来，懂得了人类这种高智能生命心智进化的方向：人不是做什么神灵的奴仆，而是要通过领悟大道让自己成为人生的主人。若是人间有神，那也是觉悟了的人，绝不是人造出来的虚幻的偶像。特别值得一提的是，历史上的圣人和大觉者，都反对人们将其作为神灵进行膜拜，只是世人大多痴迷，宁愿将觉者作为神灵膜拜，就是不愿意去遵循觉者的指引去悟道。这就是迷信——因为心智痴迷而将觉者作为神灵膜拜，就是不去参悟大道真理！

三、中华智慧破解人性之谜

人们总会提到人性，但对人性深入系统的思考却不多见，更多是对现实中的人性表现进行简单的概括，如"性善""性恶"之类的说法，但却没有真正深入到人性的本质中。可以这样说，人类生活中的很多认知，都离不开对人性的认识，对"人性"认知之正误，直接决定了对人生中很多现象的认识，而由这种认识所决定的行动及结果，就会决定人的命运！

用哲学的智慧看文化，透过现象看穿本质，透过文字洞察智慧。综合起来看，儒释道三家祖师的智慧为中华儿女揭示了"人性"的本质，破解了常规认识中对人性的错误认识，也让一些流行的"人的本质就是神的奴仆"和"人性就是自私"等论调成为被人唾弃的文化垃圾。马克思站在人类社会的角度，提出了"人性"的"二重性"——自然属性与社会属性，并揭示了人的自然属性是基础，但又附带着人类社会的社会属性，又是在社会属性的制约与引领下活动的。若是将人置于天地宇宙中，中华文化告诉了我们"人性"的进化系统：人性，是关于人之属性的总称，由三个阶段和它的动态进化组成。最低级的是人的"自然性"，准确说就是，人性最初始和最低级的状态，就是人的"动物性"，极端点就是"兽性"。随着成长与进化，就会进入一个中间的状态，这就是人在社会中发展出的"道德性"，是人在文明发展中被赋予的符合社会规范的自我与人际的关系之价值与行为属性。而人性最高级的形态，就是人的神圣性，也就是超越经验与知识、超越自我认知局限性、超越外部物质与世俗利益的高级心智状态。人生的本质，就是人性从自然性向道德性的进化，并以神圣性作为人生的最高追求。有的人更多地表现为自然性和动物性，这样的人连社会化的、起码的或者足够的道德属性都没有发展出来，因此很容易沦为社会中的落魄者和失败者。离开了向神圣性的进化，道德性也往往会成为内外不一、状态不稳定的生命属性与状态，在无关紧要时会表现出浅层的道德性，却在紧要关头又会失去道德性而退化到动物性。那些能够进化出足够强大的神圣性的人，会有彻底断绝退化到动物性的可能，也会让道德性在人间具有稳定性和深刻性，让自己的心灵彻底摆脱外物、主观、经验与知识的羁绊，得到真正的自由。正如人们所说的那样，真正的人生不是物质的饕餮盛宴，而是精神对物质的胜利。真正的人生不仅仅是对物质的胜利，还是对自我、经验与知识、科学局限性以及基于模糊认知的迷信的连续不断的超越，持续逼近真理。人性的这样一个进化的序列，才是人性动能的本质，也是主观能动性得以发挥的必然的轨道与方向。掌握了这样一个人性的动能体系，就可以理解和解释人世间各种各样的错误、痛苦和挫败。掌握了人性的这样一个规律体系，就可以为每个生命的人性进化找到一个光明而正确的方向。

四、从"传统文化"到"文化传统"

说起中华传统文化，人们往往会聚焦于古文化，但其本质上是一个民族"文化传统"的根基部分，又是代代相传中不断进化的鲜活的文明体系。若是孤立和静止地看待文化传统，就会失去对其文化"动能"的理解力。中华传统文化，是经历历史上无数人发现、提出、提炼并经过无数人验证，又被代代传承和发展，最终形成的民族文化之"道统"的文化精髓与文化基因，因为有传承的价值而成为文化道统的，这才是我们所说的传统文化之真谛，也就是从"传统文化"到"文化传统"的动态历程，也即鲜活的"文化道统"，这就是理解中华文化的历史与现在、内部与外部、现状与发展的关键所在。当然，各民族的文化，也是在与其他民族的各种形式的交流中相互交融、相互吸纳并不断推陈出新的。也就是说，任何一个民族的文化也是时刻处在发展过程中的，是一个开放性的文化发展系统。自然，强势的文化会吸纳或者最终同化弱势的文化，这也是文化发展中的一个客观规律。纵观中华民族文化的发展历程，就是一个不断吸纳、不断融合的过程。而经历了五千年人类历史检验、交流与融合的中华文化传统，是仍然具有强劲发展力的、具有鲜明优势的文化道统。

需要特别说明的是，"中华道统"包含着一万年前直至今日的所有经过历史检验的文明内涵。尤其特别值得注意的是，在"中华道统"传承中，近百年来由无数中华优秀儿女前赴后继，经历了艰苦卓绝的伟大奋斗所形成的伟大成果，也是中华道统在当代最鲜活的表现。众所周知，在近百年的历史发展中，一代代中华优秀儿女带领着广大的中国人民，引领中国从黑暗走向光明，从弱小走向强大，并一直保持着发展和前进的强劲动力。而一代代中华精英，也正是那些参悟了中华智慧道统的精英，他们是实事求是的精英、与时俱进的精英、不断进行自我革命和自我超越的精英、全心全意为人民服务的精英。同时，中华精英也是不断吸纳各民族先进文化、人类科技新文明，并推动中华文化传统不断发展的精英。由此可见，中华文化传统的发展，是"参悟中华文化传统＋不断进行自我革命并超越自我＋吸纳融合各民族先进文化＋掌握人类科技文明＋实践中不断验证与优化＋以无我境界全心全意为人民服务"的"六合一"的文明发展模式。中国近百年的国势逆转、复兴与腾飞，也充分证明了以中国共产党为核心的中华精英和广大中国人民所创立的新文明所具有的先进性。当今世界，身处百年未遇之大变局，世界格局正在发生剧烈的变化，这背后的力量，就是旧文明的不断腐朽与衰败，就是新文明对旧文明的替代，这就是我们有幸正在见证的人类新旧文明交替的伟大的时代。

落后的必然腐朽，落后的必然会被淘汰。即使一时先进的文明，也可能在发展变化中落后，或者在自我的停滞与倒退中走向衰败，这是人类文明兴衰的基本规律，也是文明的周期律。因此，充分、完整、准确地理解中华文化传统，紧紧把握文化发展的规律，始终保持中华文明在世界变局中的先进性和方向的正确性，让中华文化始终保持发展的动力，自信但永不自满，自豪但永不骄傲，这是让中华民族打破文化兴衰周期律的关键所在。

祝福祖国！祝福中华文明！致敬推动中华文明发展的所有使者们！

前言

《坛经》的神奇与朴实

《坛经》，无论是从历史还是现实的角度看，似乎都具有两个迥异的特质：神奇与朴实！

历史与现实中的传奇人物，往往也会展现出神奇与朴实这两个特质的融合。

"神奇"，指经历神妙而奇特，超越历史和现实，其魅力甚至可以跨越漫长的时空。

"朴实"，则以最不显眼的方式出现在生活中，"日用而不知"，就好比人每时每刻都在呼吸着空气，但鲜有人特意去描述空气的神奇。

君不见，历史上开创新时代的英雄豪杰，其人生经历被世俗津津乐道，赞美其"神奇"之处，进而代代流传，成为人们仰视的传奇。

君不见，历史和现实中许多不凡的人物，往往却有"不足"之处，如阳明之"迟语"，惠能之"不识字"。这些怎么看都不算幸运的特质，最后却成为他们人生神奇转折的契机。相比之下，那些天赋与生俱来、令人羡慕的早慧者，成年后却经常遭遇种种挫折，这样的人若是足够幸运，最后也会复归平静、质朴与朴实，就像那些"不足"之人最初经历的一样。神奇与朴实如同人生的密码，总会以各种不同的方式相互链接。

《坛经》又名《六祖坛经》，其内容出自一位极具传奇色彩的文化宗师——六祖惠能。

惠能大师是一位不识字的宗师，为何在众多修行资历远超于他的同门中，只有他被禅宗五祖弘忍大师选中传承衣钵？这在任何时代都不符合常识，简直匪夷所思。这也是一种"神奇"的经历，或许"神奇"在任何时代都意味着反常规吧。

惠能大师自己不识字，却能在经义上指导多年专心读经修行的无尽藏尼，这让当事人、时人与后世之人都感到不可思议。也许，人间真理的妙义，就蕴藏在不可思议之中。

惠能大师堪称禅宗的一代传奇，在高深奥妙的佛学思想中独开先河，是经师、学者和研究者的一盏明灯。历史上学养深厚的修行者不知凡几，但正如张岱年先生所说，学经注经者众多，创造者却十分罕见。也许正如老子所说，在我们的常识之外还有一个神奇的规律在发挥作用："为学日益，为道日损。"也许，那些学养并不深厚的人却有特殊的经历：因为世俗知识极少，生命中的灵性反而更能彰显，从而能够直入世俗知识无法解读的人生奥义。

惠能大师，将融入华夏子孙骨血的中华文化传统与外来佛学要义相结合，落脚于解析现实人生困苦，实践"以文化人"的文化使命，让人们在日常生活中体验高深智慧的平实，帮助现实中的人们升华看似平凡的生活，这是多么美妙又伟大的人生实践啊！

惠能大师的经历，似乎不可避免地暗合了那些不凡人物的人生轨迹。他原籍范阳，公元638年出生在广东新兴（当时叫新州）。父亲丢了官职，被流放到岭南，在惠能很小的时候就去世了。母子二人流落到南海，相依为命，靠惠能卖柴维持生计，饱尝人情冷暖。可惠能却神奇地完成了人生的逆袭，最终成为一代宗师。

惠能大师，作为中国禅宗第六代祖师，完成了一项历史性的壮举——将东传而来的佛学思想与中国传统文化进行历史性的结合。他自己也在影响中国文化的儒释道三家中，在中华文化的第一层格局中，成为与老子、孔子并列的"中华三圣"之一。

都说中华文化强大，原因之一就是，中华文化能够博采众长熔为一炉，不但没有被入侵的外来文化所蚕食，还能抽取并吸纳外来文化的优秀因子，足见生生不息的神奇。

将历史与现实打通，进行思考，就能理解中华文化背后的那种神奇的力量。

若是脱离历史和现实，只会望文生义或者孤立解读，是很难读懂中华经典的，更不用说理解中华文化。

在现实中，很多人很难分清楚佛学与禅宗。中国禅宗的出现，始于菩提达摩来中国弘传禅法，因此达摩大师被奉为中国禅宗的东土初祖。至于禅宗思想的发端，可以一直上溯至传佛心印的摩诃迦叶。据传，昔日在灵山法会上，大梵天王向释迦牟尼佛献上了一枝金色波罗花，世尊即"拈花示众"，但众人不解其意，皆默然无语。唯有佛陀的大弟子摩诃迦叶心领神会，"破颜微笑"。世尊便将"不立文字、教外别传、正法眼藏"的微妙法门传给了摩诃迦叶。这就是禅门著名的典故"拈花微笑"。整个禅宗法脉由此尊摩诃迦叶为禅宗初祖。在此后的禅宗传承中，历代祖师"以心传心"，传至菩提达摩为第二十八代。达摩来到东土以后，又依次传法于二祖慧可、三祖僧璨、四祖道信、五祖弘忍。在五祖弘忍门下悟得"无相真谛"的惠能，被视为禅宗正脉，是达摩以来"以心传心"的第六代祖师，世人称为"六祖"。

特别需要说明的是，惠能大师的佛学思想，从根本上认为每个人都具有觉悟的种子，都具有联通一切的潜能和智慧，每个人都是自己佛性的主人。明白了这一点，才能重新回归觉悟自性的正道，才能真正走上光明正道！

六祖惠能大师，其求法经历和开示话语，经后人整理成为《坛经》，分为行由、般若、决疑、定慧、坐禅、忏悔、机缘、顿渐、护法、付嘱十品。

虽然《坛经》有多个不同版本，也有一些争议，但学习者不必如研究者那样深入考据，只需沿着《坛经》核心思想脉络去探寻和领悟，开启智慧人生。

一、学习《坛经》，百转千回终于摸到门

三十年前开始接触《坛经》，那时的我还深陷在现代科学思维中。头脑中存储的大部分都是科学知识，但科学知识无法满足我对人生诸多问题的思索，难以给出关于人生的答案，所以我才会求助于中华经典。刚开始接触《坛经》，最突出的感觉是：穿过宗师智慧的大门，进入一个影响力跨越千年的思想宝库，但根本摸不着门路，只能硬着头皮去阅读，生硬地去思考那些文字与自己的关系，向往中带着惶恐，渴望中带着迷茫，坚持中伴随着各种消化不良的感觉。参悟了一段时间，似乎刚明白了一些道理，但转眼间它们又消失不见。我也一直纳闷：传承千年的经典不可能是没用的，应该是自己的功力还不够。在这种困惑和迷茫中，我又到处去请教，但能够"接得住"的部分还是很有限。

就这样，几十年来百转千回，我绕了很大的弯子，才终于摸到门。我们读中华传统经典时往往有个通病：试图用自己头脑中固有的低维知识和经验，去解读高维智慧，去理解圣贤的言行，这显然是十分困难的。于是，我就尝试开启一种不同于以往的心智状态：放空自己的心灵，让自己的意识穿越历史，到达圣贤所在的时空，走进圣贤的心灵世界，达到近乎无我的状态，才能知道在那样的历史时空中所发生的一切……

二、注解《坛经》的缘由

本书完成于五年前，期间又做了多次修改。

实际上，在这之前，我从来没有想过要去注解《坛经》。一是一直有个非常朴实的想法：此生能懂圣贤经典，吾心足矣，亦复何求？二是读经

前言 《坛经》的神奇与朴实

典，参悟圣贤智慧，本是每个人自己的精神生活，与别人无关，也不想向别人宣传。三是我作为红尘中人，自然不想让其他人产生不必要的误解，比如邀名图利。四是在参悟《坛经》的过程中，越深入，心中越没底，总觉得一旦写出来就落后了。

后来，交往密切的道友洞察了我的心思，直言我心中有障，竟然还有那么多自以为是的想法，可见还没进入无我无相的修行境界。我诚恳接受了批评，心中的杂念几乎瞬间就消失了。但依然感觉自己功力不够，还是有一些畏难情绪。过了一段时间，又遇到了那位道友，他又很直白地告诉我：即使错了，拿出你自己的错误来让别人批判，也能促进别人长进，你这是舍不得丢面子吗？

哈哈，话说到这里，我已经退无可退。

2019年的元旦，我与朋友在武当山和全国太极拳界一些著名掌门人共度盛会，之后，在1月4日傍晚回到位于天津的家里。回程时武汉突降暴雪，只能坐着绿皮火车晃悠悠地往家里赶。绿皮火车速度较慢，与我们今天的动车和高铁是没法比的。于是整个旅途中，我都躺在卧铺的上铺，一部分时间睡觉，另一部分时间看书。看着看着就睡着了，车一晃悠又醒过来，于是睡眼蒙眬地继续看书。就这样，我在车上度过了十几个小时。碰巧的是，当时我只带了一本书，就是《坛经》，就这么朦朦胧胧看了一路。

1月5日晨，我睡醒了，但似乎没有醒透，头脑依然晕乎乎的。于是爱人陪我在院子里散步，百余步后，我执意回家，因为似乎出现了一种"毛病"——幻听。回家后我直奔书房，开始在精神圣域中游历，十天后，便完成这部《坛经》的注解书稿。之后，整个人人如同耗尽了精力，精神活动几乎停滞，身体也几乎瘫软。

在这十天中，仿佛有一种说不清楚的力量一直指引着我去注解《坛经》这部书，有时会感觉到六祖大师在注视我，甚至就在我身边，使我不敢有丝毫的懈怠，在原始森林般的精神圣域里披荆斩棘，勇往直前。

这，就是这部书稿诞生的过程。

三、本书的特别之处

记得上中学时,偶然看到老师手里有一本特别的书,那是老师专用的教学辅导书,是我们学生通常看不到的。

等我注解完《坛经》,发现所成的书稿竟然和几十年前看到过的教学辅导书十分类似。我所注解的《坛经》,与以往的注本有着显著不同。也许,祖师觉得我的功力尚浅,于是借我之手推出这样一本教学辅导书,直接呈给有缘人去看,免得大家像初入门的学生那样不得要领。

这部书稿中,除了点明《坛经》的思想要点,还梳理了祖师的逻辑脉络,让人学起来既能抓住要点,又能体会思想脉络,这也算是本书最别致的地方!但愿能够帮助与《坛经》和惠能大师有缘的道友们。

注解《坛经》,是我一生的荣幸,也是一份圣缘,更让我收获了一份意想不到的人生大礼!我也曾将谦虚、自卑、妄自菲薄等混为一谈,如今,在求真悟道的道路上,已经没有这些杂乱的想法,"立正心,发宏愿",跟随圣贤去求真悟道,这是我此生矢志不移的宏愿!

我深知,求真悟道之路是没有尽头的,每一次悟道,只是登上了一个新的台阶,但绝不是顶峰,只是那顶峰上闪烁的光,一直在指引我向前、向上、向光明!

谨此!

目录

行由品第一 …………………………………… 001
    本品主题 …………………………………… 001
    人间惑问 …………………………………… 001
    内容解读 …………………………………… 002
    本品再思 …………………………………… 040
    经典名言 …………………………………… 042
    核心理论 …………………………………… 043
    本品总评 …………………………………… 059

般若品第二 …………………………………… 060
    本品主题 …………………………………… 060
    人间惑问 …………………………………… 060
    内容解读 …………………………………… 062
    经典名言 …………………………………… 081
    核心理论 …………………………………… 085
    本品总评 …………………………………… 089

疑问品第三 …………………………………… 091
    本品主题 …………………………………… 091
    人间惑问 …………………………………… 091
    内容解读 …………………………………… 092
    本品再思 …………………………………… 105
    经典名言 …………………………………… 106
    核心理论 …………………………………… 108
    本品总评 …………………………………… 113

定慧品第四 ······ 114
    本品主题 ······ 114
    人间惑问 ······ 114
    内容解读 ······ 115
    经典名言 ······ 124
    核心理论 ······ 125
    本品总评 ······ 132

坐禅品第五 ······ 134
    本品主题 ······ 134
    人间惑问 ······ 134
    内容解读 ······ 134
    经典名言 ······ 138
    核心理论 ······ 139
    本品总评 ······ 144

忏悔品第六 ······ 145
    本品主题 ······ 145
    人间惑问 ······ 145
    内容解读 ······ 146
    本品再思 ······ 163
    经典名言 ······ 164
    核心理论 ······ 167
    本品总评 ······ 177

机缘品第七 ······ 179
    本品主题 ······ 179
    人间惑问 ······ 180
    内容解读 ······ 180

经典名言 ·············· 231
　　核心理论 ·············· 236
　　本品总评 ·············· 244

顿渐品第八 ·············· 248
　　本品主题 ·············· 248
　　人间惑问 ·············· 248
　　内容解读 ·············· 249
　　经典名言 ·············· 269
　　核心理论 ·············· 271
　　本品总评 ·············· 282

护法品第九 ·············· 283
　　本品主题 ·············· 283
　　人间惑问 ·············· 283
　　内容解读 ·············· 284
　　经典名言 ·············· 291
　　核心理论 ·············· 292
　　本品总评 ·············· 300

付嘱品第十 ·············· 302
　　本品主题 ·············· 302
　　人间惑问 ·············· 302
　　内容解读 ·············· 303
　　经典名言 ·············· 331
　　核心理论 ·············· 335
　　本品总评 ·············· 342

《坛经》偈颂集锦 ·············· 344

行由品第一

以六祖求法于五祖、与五祖初见的精彩对话,神秀与惠能的偈语,五祖传授衣钵、摇橹送行,与惠明的遭遇、与猎人的相处、印宗拜师为主线,展现了六祖求法的历程。故名"行由品"。

本品主题

- 惠能初闻经典,下定决心奔赴五祖道场。
- 惠能与五祖初见对话,显现不凡佛性。
- 惠能以《无相偈》对神秀《有相偈》,奠定六祖地位。
- 五祖为惠能讲解《金刚经》,惠能当下大悟。
- 五祖连夜送走六祖,师徒船上"渡"与"度"的禅机。
- 六祖与惠明遭遇,度化了他。
- 六祖与猎人为伍,"吃肉边菜"。
- "风动幡动"的破解——仁者心动。
- 印宗帮六祖剃度并拜他为师,请教不二法门。

人间惑问

- 听说惠能不认字,却继承了五祖的衣钵,这是怎么回事?
- 为何看起来很有学问的神秀大师没有得到五祖的认可?
- 五祖所说的"逢怀则止,遇会则藏"这句话,背后有什么玄机吗?
- 为何惠能得到祖师衣钵后,没有马上去弘法布道,而是在猎人队

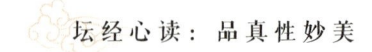

伍里隐藏了十几年？

❀ "风动幡动"的争论，风动幡动不是什么问题啊，为何六祖一句"仁者心动"让人们感动、惊讶？

❀ 为何六祖是由徒弟印宗为他剃度的？

内容解读

【原文】登坛弘法，讲述得法缘由

时，大师至宝林，韶州韦刺史与官僚入山，请师出。于城中大梵寺讲堂，为众开缘说法。

师升座次，刺史官僚三十余人，儒宗学士三十余人，僧尼、道俗一千余人，同时作礼，愿闻法要。

大师告众曰："善知识，菩提自性，本来清净，但用此心，直了成佛。善知识，且听惠能行由得法事意。"

【关键字词】

[时] 当时，指惠能到宝林寺的时候。也有解释说，这个"时"表示开始讲述这部经典。大师，指惠能。宝林，指宝林寺，曾名中兴寺、法泉寺，宋朝叫南华寺，在广东韶州（今韶关）南华山。

[韶州韦刺史] 指当时在韶州任地方行政官的韦璩，刺史是主管当地行政的官员的名称。

[大梵寺讲堂] 韶州有大梵寺，曾名开元寺、崇宁寺、天宁寺和报恩光孝寺等，惠能曾在此开山传法。讲堂即讲经说法的厅堂。

[开缘说法] 缘是梵语意译，即结缘、建立良好关系。惠能为大众说法，就让大众与佛教结了缘。

[儒宗学士] 儒家的读书人，学士是尊称。

[僧尼道俗] 僧和尼是佛教的男女信徒；道，指道教徒；俗，指信教而未出家的人。

[法要] 佛法的要义。

[善知识] 佛教术语，指信仰佛教、掌握佛理而一心向善的人。这里是对佛教信众的敬称。

[菩提] 梵语音译，旧译为道，新译为觉，即觉悟。

[自性] 即本性，禅宗认为每个人本来都有佛性。

[直了] 即顿悟，这是禅宗主张的修行觉悟法门。

【释义】

当时，大师到了宝林寺，韶州的韦刺史和官僚属员进山登门拜访，把大师请出来，在韶州城大梵寺的讲堂中，为大众开佛缘，讲说佛法。

大师登台就座，下面有刺史和官僚属员三十多人，儒家饱学之士三十多人，僧尼、道士和在家俗众一千多人，大家一齐向大师行礼，请求大师讲述佛法的微言大义。

大师对听众说："各位善知识，人人都有菩提本性，它本来就是清洁干净的，只要自己日用本心，就能够了悟成佛。善知识，你们先听听我惠能获得佛法的来龙去脉。"

【导读】

- 地点：韶州宝林寺、大梵寺。
- 事件：韦刺史邀请六祖给众人讲法。
- 人物：六祖大师，韶州韦刺史，官员、儒士、僧尼、道士和在家俗众。
- 人数：合计一千多人。
- 主题：惠能提出禅宗的十六字纲领："菩提自性，本来清净，但用此心，直了成佛。"
- 情节：
  - 六祖大师来到韶州宝林寺。
  - 韦刺史等进山登门拜访。
  - 请大师到城中大梵寺讲堂开讲。
  - 大师登台就座。

- 台下有听众一千余人。
- 大家向大师行礼，请求大师讲述佛法。
- 大师开口讲出禅宗的十六字纲领。

【赏析】

迷茫众生：在六祖那个时候，竟然有那么多各种各样的人，对佛法要义如此向往。而今，芸芸众生忙忙碌碌，为的却是名利。可是，人生最大的"名利"又是什么呢？

何处道场：如今的宗教道场数量远胜于那时，可迷茫的人却有增无减，何故？念经不解义，信佛不做佛！

谁悟自性：如今的人们，运用的是自己有限的知识、经验，又有几人知道，在这之上还有万事万物的总规律——自性？那么多聪明人中又有几人，在此生几十年中能明心见性，进而获得这份无上的智慧呢？

人生追求：如今的人着迷于成名成家、成为富翁、成为高官，又有几人知道，人生的最高境界是获得究竟的觉悟呢？

【原文】 闻道即喜，前往祖庭，参礼祖师

惠能严父，本贯范阳，左降流于岭南，作新州百姓。

此身不幸，父又早亡，老母孤遗，移来南海，艰辛贫乏，于市卖柴。

时有一客买柴，使令送至客店，客收去，惠能得钱，却出门外，见一客诵经。

惠能一闻经语，心即开悟。遂问客诵何经？客曰："《金刚经》。"复问从何所来，持此经典。客云："我从蕲州黄梅县东禅寺来，其寺是五祖忍大师在彼主化，门人一千有余，我到彼中礼拜，听受此经。大师常劝僧俗，但持《金刚经》，即自见性，直了成佛。"

惠能闻说，宿昔有缘，乃蒙一客，取银十两与惠能，令充老母衣粮，教便往黄梅，参礼五祖。

【关键字词】

[严父] 古时候说父严母慈，故称严父。

[本贯范阳] 范阳在今北京大兴、宛平一带。据敦煌本，"本贯"作"本官"，指惠能的父亲原本在范阳做官，但从《神会语录》开始，范阳被写成惠能的籍贯。

[左降] 被贬官降职。左和右表示尊卑之义，在各个历史时期含义有所不同，这里取左卑右尊之意，故称左降。岭南：五岭以南，即今广东地区。

[新州] 今广东新兴县。

[父又早亡] 据《景德传灯录》，惠能三岁时父亲就去世了。

[南海] 今广东佛山一带。

[金刚经] 一部佛经，汉语版《金刚经》历史上共有六个著名译本并传，最通行的是后秦鸠摩罗什于弘始四年译出的版本。

[蕲州] 今湖北蕲州西北。

[五祖忍大师] 惠能之师弘忍（602—675年），被后世禅宗尊为五祖，湖北黄梅人，一说江西浔阳（今九江）人，本姓周。

[主化]（用佛教）主持教化。

[取银十两] 敦煌本无客赠银两事，是"惠能闻说，宿业有缘，便即辞亲"，这有违于传统孝道，从惠昕本开始就加上了客赠银十两安置老母的情节。

【释义】

我父亲祖籍范阳，被贬职流放到岭南，成了新州的老百姓。

我很不幸，父亲早早去世，母亲年迈，带着我这个丧父的孤儿迁来南海，生活艰辛，贫苦匮乏，靠我打柴去市场卖来维生。

当时有个客人买柴，让我送到客店去，客人收了柴，我拿了钱，一出门，遇见一个客人正在念佛经。

我一听他念的经文，心里就有所感悟。我就问那个客人念的是什么经。那人回答："《金刚经》。"我又问他从哪儿来，怎么会修持这部经典。

那人回答:"我从蕲州黄梅县东禅寺来,那座寺院由五祖弘忍大师主持教化,门人有一千多人。我到寺院中敬礼朝拜,听讲领受了这部经典。大师经常劝谕僧俗两众,只要修持《金刚经》,就能够发现自己的佛性,当下就能顿悟成佛。"

我听他这样说,觉得自己与佛法宿世有缘,正好承蒙一位客人取了十两银子给我,让我拿去赡养老母,以便我前往黄梅,参拜五祖大师。

【导读】

◎ 主题:大师自述家世和佛缘。

◎ 人物:六祖大师,大师父母,买柴客人,念经客人。

◎ 情节:

- 惠能祖籍范阳的父亲被贬流放岭南。
- 父亲早逝,母亲年迈,生活清苦,靠大师打柴卖柴度日。
- 惠能卖柴给客人送货,出门时见一人念经,心中有所悟。
- 惠能问念经人念的是什么经,念经人回答:"《金刚经》。"
- 惠能又问念经人从何处来,怎么会修持金刚经。
- 念经人答:从蕲州黄梅县东禅寺来。
- 东禅寺是五祖弘忍的道场,门人有一千多人。
- 念经的客人聆听五祖教化:但持《金刚经》,即自见性,直了成佛。
- 有一人赞助十两银子给惠能安顿老母。
- 于是惠能径直前往黄梅,参拜五祖。

【赏析】

颓而不废,穷而有志:在一般人看来,一个家族正处在颓势、早年丧父、母亲又年迈的孩子,一个靠打柴卖柴为生的孩子,关注的应该是金钱才对啊!也许,真正的不凡,就是在困境中依然保持着不凡的追求!时至今日,我们的生活条件比惠能那时好了很多,但又有多少人对追求最高智慧和终极真理感兴趣呢?客观点来说,世上的人都是有追求的,但在方向、高度和内容上却存在着巨大的差距。实际上,一个人的追求决定了他生命的方向与高度，也由此决定了其灵魂的境界和最终的命运。不得不说，通过比较就会发现，人和人之间是有很大差别的！

勇结善缘，毅投祖师：惠能那样一个处在贫困中的孩子，在卖柴过程中竟然对别人念诵的佛经感兴趣，并且还会主动询问。尤其了不起的是，他下定决心便毅然决然去投奔禅宗的祖师。一般人处在贫困潦倒的状态时，内心往往也是很自卑的，总觉得不如别人，而惠能没有因为自己的贫穷就放弃对高尚目标的追求，遇到机会，就毫不犹豫地将其变成提升自己的机缘。这种勇气与行动力，值得我们思考。时至今日，超越卑微的生活现状去追求至高真理的人又有几个呢？

【原文】祖师放招，惠能接招

惠能安置母毕，即便辞违，不经三十余日，便至黄梅，礼拜五祖。

祖问曰："汝何方人？欲求何物？"

惠能对曰："弟子是岭南新州百姓，远来礼师，惟求作佛，不求余物。"

祖言："汝是岭南人，又是獦獠，若为堪作佛？"

惠能曰："人虽有南北，佛性本无南北，獦獠身与和尚不同，佛性有何差别？"

五祖更欲与语，且见徒众总在左右，乃令随众作务。

惠能曰："惠能启和尚，弟子自心常生智慧，不离自性，即是福田。未审和尚教作何务？"

祖云："这獦獠根性大利，汝更勿言，著槽厂去。"

惠能退至后院，有一行者，差惠能破柴踏碓。

【关键字词】

[獦獠] 音同"葛僚"，是当时对携犬行猎为生的南方人的一种蔑称。可能当时惠能的穿戴像这类人。

[和尚] 梵语音译，尚也写作上。中国佛教中，和尚是对僧人的尊称，泛指出家的佛教徒。

[作务] 干活，劳动。

[福田] 佛教认为，正如种田会有收获，信佛教、行善事也会有福报，故称福田。

[根性大利] 教化讲究慧根，即心性中有信佛的因子。大利，指领悟很快，这是赞美之语。也可能一语双关，既有赞赏之意，也有警告之意。

[行者] 方丈的侍者，也指游方僧人，这里指寺院内管理杂务的僧人。

[踏碓] 碓是过去舂米的器具，一般为石制，配有木槌，用脚踩木槌可将稻谷碾为米，故叫踏碓。

【释义】

惠能将母亲安顿好，便立刻辞别母亲上路，不到三十天便到了黄梅，拜见了五祖大师。

五祖问惠能："你是哪里人？来这儿想得到什么？"

惠能回答说："弟子是岭南新州的百姓，远道而来拜见您，只想成佛，不想得到别的什么东西。"

五祖说："你是岭南人，又是獦獠，怎么能成佛呢？"

惠能说："人虽然分成南方人和北方人，佛性却不分南北，獦獠的肉身也许与和尚您有所不同，但佛性又有什么差异呢？"

五祖想和惠能深谈，但看见徒弟们围在旁边，就让惠能随众人在寺里劳作。

惠能说："惠能有话启禀和尚，弟子经常从心里产生智慧，能不离开自身所有的佛性，就是在耕种福田，不知道和尚还要让我做什么活计？"

五祖说："你这个獦獠根性很敏捷呀。你不要再说了，到槽厂里干活去吧。"

惠能便退到后院，有一个行者，分派给他劈柴、踏碓舂米等工作。

【导读】

主题：惠能拜见五祖弘忍大师

行由品第一

◈ 经过：
- 惠能辞别母亲出发。
- 惠能不到三十天就来到黄梅。
- 惠能与五祖的精彩对话。
- 惠能到后院劈柴、舂米。

◈ 对白：
- 五祖问惠能："你是哪里人？来这儿想得到什么？"
- 惠能回答："弟子是岭南新州的百姓，远道而来拜见您，只想成佛，不想得到别的什么东西。"
- 五祖说："你是岭南人，又是獦獠，怎么能成佛呢？"
- 惠能说："人虽然分成南方人和北方人，佛性却不分南北，獦獠的肉身也许与和尚您有所不同，但佛性又有什么差异呢？"
- 五祖想和惠能更作深谈，但看见徒弟们老围在旁边，就让惠能随众人一起在寺里劳作。
- 惠能说："惠能有话启禀和尚，弟子经常从心里产生智慧，能不离开自身所有的佛性，就是在耕种福田，不知道和尚还要让我做什么活计？"
- 五祖说："你这个獦獠根性很敏捷呀。你不要再说了，到槽厂里干活去吧。"
- 于是惠能被安排劈柴、舂米。

【赏析】

师刁徒强：祖师的问话问真可谓刁蛮，可这样苛刻的话语也没有打消惠能求法的意志。再看现实中，有几个人能够克制自己的虚荣心，从这么刁蛮的责问中有所领悟呢？一不知这是高手出招，验你功力；二不知这是高手出手，传你功力。

真金现光：不仅如此，惠能还能够接住祖师出的招，且以佛理作答。可见，恐惧来自懦弱。对于真正的强者，越是遭遇难题，越能表现出智慧。所以，敢于同高手过招，是一个人心性强大的表现。很多人因为惧怕，错过了和高手过招的机会，落入平庸。

祖师慈悲：祖师心知惠能根器大利，祖师深知人间冷暖与险恶，遂不再深谈，免得给这个无防备心的人带来灾祸。祖师一试，即知其心力大小，不再深问，也是在保护求法者。

处处道场：惠能按照师父的安排，干劈柴舂米的粗活，这也能帮其悟道吗？是啊，很多人都在平凡的工作岗位上，有谁真正地将心力投注在日常做的小事上，将小事作为修行的机缘呢？小事做不好，大事做不了，抱怨着眼前的现实，期望着未来的虚幻，两头空空。若是不在小事上修行，事也做不好，心也修不好，两个不好合起来，未来就没好！

用心即觉：求法者，能够接受五祖如此的安排而无怨言吗？干那些粗活时也能显露佛性的光辉吗？惠能就是榜样。只要真心修行，于事上用心，格物致知，一通百通，这就是世间的诀窍。

【原文】师徒印心，大考将至

经八月余，祖一日忽见惠能，曰："吾思汝之见可用，恐有恶人害汝，遂不与汝言，汝知之否？"惠能曰："弟子亦知师意，不敢行至堂前，令人不觉。"

祖一日唤诸门人总来，"吾向汝说，世人生死事大，汝等终日只求福田，不求出离生死苦海。自性若迷，福何可救？汝等各去，自看智慧，取自本心般若之性，各作一偈，来呈吾看，若悟大意，付汝衣法，为第六代祖。火急速去，不得迟滞。思量即不中用，见性之人，言下须见。若如此者，轮刀上阵，亦得见之。"

【关键字词】

[般若] 音 bō rě，又写作波若、钵若、般罗若等，是梵语音译，意译为妙智慧、微妙智慧。

[偈] 音 jì，梵语意译，又译为颂，是四句整齐的韵文，用于表达对佛法的理解和赞颂。"偈"又与"竭"意通，即摄尽其义，也就是完全概括佛法的微言大义。

行由品第一

【释义】

就这样经过了八个月，忽然有一天，五祖来后院找惠能，对他说："我想你的见解是有道理的，我怕有人暗害你，所以不和你进一步讨论，你知道吗？"惠能说："弟子也知道师父的意思，所以这几个月也不敢到前面的讲堂去，以免别人注意。"

五祖有一天把众多门人都召集起来，说："我向你们说，人生在世最大的问题就是生死，你们每天却只想通过修行求得福报，不去想怎样超脱生死的苦海。自己本有的佛性要是迷而不觉了，修行的福德又怎么能拯救你们超脱苦海呢？你们都下去，各自反观智慧，从自己的内心发现般若之性，每人作一首偈语，送上来给我看。如果谁能觉悟佛法的大意，我就把衣钵法教都传给他，让他继任第六代祖师。快去作偈吧，不要耽搁。冥思苦想那可没有用，能觉悟自性的人，言谈之间就能见分晓。像这样的人，就算上阵挥刀打仗也能见性。"

【导读】

❀ 五祖到后院见惠能，师徒俩印心。

❀ 五祖召集门人，布下"衣钵大考"。

【赏析】

师徒同命：祖师爱才，故庇护惠能。

师徒印心：惠能竟然能与五祖印心，足见其心性非同常人。真正心心相印的人不需要多说，心思不通的人，多说也无益。若是人能练就与万人万事万物心心相印的功夫，一切就都会成为生命成长、发展和觉悟的营养啊！

衣钵大考：五祖布下"衣钵大考"，公开公正，也体现了祖师的风范。禅门传承，如此大事，衣钵到底花落谁家？唯有真正的觉悟者才能赢得机会。平时无事时修行练功，有事时方可显出练就的功夫。如果平时不用功修行，机会来了，抓得住吗？想起了大家熟悉的一句话："机会只青睐有准备的人。"

坛经心读：品真性妙美

【原文】 大考揭幕，神秀作偈

众得处分，退而递相谓曰："我等众人，不须澄心用意作偈，将呈和尚。有何所益？神秀上座，现为教授师，必是他得。我辈谩作偈颂，枉用心力。"

余人闻语，总皆息心，咸言：我等已后，依止秀师，何烦作偈。

神秀思惟：诸人不呈偈者，为我与他为教授师，我须作偈，将呈和尚。若不呈偈，和尚如何知我心中见解深浅？我呈偈意，求法即善，觅祖即恶，却同凡心夺其圣位奚别？若不呈偈，终不得法，大难大难。

五祖堂前，有步廊三间，拟请供奉卢珍画《楞伽经》变相及五祖血脉图，流传供养。神秀作偈成已，数度欲呈，行至堂前，心中恍惚，遍身汗流，拟呈不得。前后经四日，一十三度，呈偈不得。

秀乃思惟：不如向廊下书著，从他和尚看见，忽若道好，即出礼拜，云是秀作；若道不堪，枉向山中数年，受人礼拜，更修何道？

是夜三更，不使人知，自执灯，书偈于南廊壁间，呈心所见。偈曰：

身是菩提树，心如明镜台。

时时勤拂拭，勿使惹尘埃。

秀书偈了，便却归房，人总不知。秀复思惟：五祖明日见偈欢喜，即我与法有缘；若言不堪，自是我迷，宿业障重，不合得法，圣意难测。房中思想，坐卧不安，直至五更。

【关键字词】

[处分] 这里是吩咐的意思。

[澄心] 清心，使心思进入佛理的境界以便作偈语。

[和尚] 指弘忍大师。

[神秀] 俗姓李，河南开封尉氏人。当时是弘忍的首席大弟子，后来受唐王朝礼遇，尊为国师，他的禅学流派在历史上号为北宗。

[教授师] 是梵语阿阇梨的意译，教授师是敬称，指可以教授规矩仪则而

作众僧表率的高僧。

[谩作] 胡乱作。意思是众人认为自己所作的偈语水平一定不高。

[依止] 仰仗追随。

[供奉卢珍] 供奉是唐朝给予有某种技能的人的官职名称，供奉卢珍，即名叫卢珍的宫廷画师。

[五祖血脉图] 将从初祖达摩到二祖慧可、三祖僧璨、四祖道信、五祖弘忍的禅宗传承过程画成图。

[菩提树] 一种常绿乔木，传说释迦牟尼曾在此树下觉悟成佛，故名菩提树，是智慧的象征。

[明镜台] 即明镜，《大乘起信论》中曾把众生的心喻为镜子。

[宿业障重] 宿即过去、前世；业是梵语羯磨的意译，指人的一切思想言行；障是障碍；重即严重。

【释义】

众人听了吩咐，退下来互相议论说："我们这些人，用不着费心劳神去作偈语呈送给和尚。那有什么好处？神秀上座现在已经是教授师，祖师的衣钵一定会传给他。我们再来随便作偈，也是白白浪费心力。"大家听了这些议论，都死了心，都说：我们以后还要仰仗神秀师父，何必麻烦呢？

神秀心里想：众人都不呈送偈语，是因为我是他们的教授师，我却必须作偈语呈送给和尚。如果我不呈送偈语，和尚怎么能知道我的见解是深是浅呢？我呈送偈语，是为求得佛法，要是被别人理解成是为了当祖师就不好了，那和凡俗争夺权位有什么区别？但如果不呈送偈语，就有违师命，又得不到佛法。真是让我左右为难啊。

五祖的禅堂前面有三间走廊，已经请了供奉画师卢珍在廊壁上画《楞伽经》的经文故事和五代祖师的传承图，让后世流传供养。

神秀作好了偈语，好几次准备呈送，但一走到禅堂前，心中就恍惚犹豫，浑身流汗，想呈送却不敢去。就这样经过了四天，做了十三次尝试，都没有勇气呈送上去。

神秀想：不如把偈语写在廊壁上，让和尚自行看见，要是他说好，我就出来礼拜说是我作的；要是他说不好，那说明我白白在山中修行了几年，白白受人礼拜，还修什么佛道呢？

当天夜里三更，神秀避开别人，自己拿着灯，把偈语写在南面走廊的墙壁上，表达自己对佛性的见解。偈语说：

> 身是菩提树，心如明镜台；
> 时时勤拂拭，勿使惹尘埃。

神秀写完偈语就回到自己的禅房，别人都不知道。神秀又想，明天五祖要是看了偈语很高兴，那就说明我和佛法有缘分；如果他说我的偈语很不好，那就是我的本性迷惑，前世业障太重，不应该得到佛法的真义，老师的意思很难推测。就这样，神秀在房中左思右想，坐卧不安，一直到了五更天。

【导读】

- 宗门大事："衣钵大考"可谓宗门天大的事。
- 众徒自知：有神秀在（当时神秀是五祖座前的教授师），众门徒自知难继大统，都以为衣钵非神秀莫属，也就不用再费心思了。
- 神秀纠结：众人期待，但神秀可难坏了。他陷入了一个两难的困境：众人不作偈语，那是因为我是他们的教授师，可以理解。可我要是不作偈语，就有违师命，也无法让祖师看到自己的水平。若作偈语，有求衣钵之嫌，有违修道之法，与俗人无别。不作偈语，就得不到佛法，真是纠结啊！
- 上座为难：神秀作了偈语，四天中有十三次意欲呈送，每至堂前，心中就恍惚犹豫，浑身流汗，终归没有勇气送出。
- 万全之法：终于，神秀想出了一个万全之策：无人时，自掌灯，书于廊壁。祖师看见偈语，要是说好，我就出来礼拜，说是我作的；要是说不好，那就说明我白白在山中修行了几年，白白受人礼拜，还修什么佛道呢？

- 神秀偈语：身是菩提树，心如明镜台；时时勤拂拭，勿使惹尘埃。
- 心绪不宁：神秀写完偈语就回到自己的禅房，别人都不知道。他回到房中左思右想，坐卧不安，一直到了五更天。

【赏析】

俗人俗想：面对着"衣钵大考"，众人自知无此资质，都认为祖师衣钵非神秀上座莫属。也许，俗众也会这么想。若真是这样，禅宗就要少了一段佳话和传奇。

上座难题：可是，神秀上座也面临天大的难题：作也不是，不作也不是。实际上，这就是在事上算计，故而纠结。若是在道上，怎会如此思虑呢？要么质朴无邪，师父让做的事，做就是了，何必反复思虑？要么正气在心，正常发挥，若能赢得祖师首肯，也就担起了一份伟大的使命。只可惜，世间没有觉悟之人，往往都在事上算计，既不够质朴，也失去了正气。

以为妙法：纠结中，神秀想出了一个"万全之策"：要作偈语，承师命，将偈语悄悄写在廊壁上，待师父点评后再行动。看起来，神秀的做法万无一失。可是智者千虑必有一失，人算不如天算。自以为得意的，又怎能是大智慧呢？本心已经迷失，显现出来的都是俗人之智。神秀这份算计，恰恰就是缺乏直心智慧的表现啊！凡事顾虑重重的人，基本上都是将各种顾虑搅在一起了，分不清轻重和虚实，找不到核心脉络，抓不住纲领，将一堆想法混在一起反复思量，总是无法平衡各方面的力量。最终好像得出一个万全之策，实际上却是让人一看就知的糊涂方案。

神秀相偈："身是菩提树，心如明镜台；时时勤拂拭，勿使惹尘埃。"你瞧瞧，这样的偈语，迎合了一部分正在修行的俗众的口味，俗众有了肯定叫好啊，也许正因如此，才没有脱俗。神秀既然敢于将此偈书于廊壁，他自己应该是满意的，甚至可能是得意的。也许，这正是神秀对自己许多年来修行的总结。

坛经心读：品真性妙美

俗相呈现：俗众果然对神秀的偈语推崇备至。是啊，已经超越了"身"而到"菩提树"，已经超越了"心"而至"明镜台"。加上勤于修行，便可到达没有尘埃的明净境界。俗人定会说：好好好！只是，让俗人说好的，多半是俗见；为俗见而欣慰或者得意的，也必定是俗人，因为给评价的不是真正拥有评价能力的人。正如在世间，一俗为外道所迷，大呼甚好，向人说起时，大赞正道。只是再问他衡量正道的标准时，突然语滞："啊，哦，这个……"你呢？会因为没有评价能力的俗众的赞美而得意吗？会因为他们的责难而气馁吗？

等待师判：对于神秀的偈语，五祖弘忍大师又会如何评判呢？这种等待，也实在是煎熬！毕竟五祖不是俗人。神秀跟随师父修行多年，若是能够与师父印心，又怎会如此忐忑？

【原文】祖师弃画，教导神秀

祖已知神秀入门未得，不见自性。

天明，祖唤卢供奉来，向南廊壁间绘画图相，忽见其偈。报言："供奉却不用画，劳尔远来。经云：凡所有相，皆是虚妄。但留此偈，与人诵持，依此偈修，免堕恶道。依此偈修，有大利益。"令门人炷香礼敬，尽诵此偈，即得见性。门人诵偈，皆叹善哉！

祖三更唤秀入堂，问曰："偈是汝作否？"

秀言："实是秀作，不敢妄求祖位，望和尚慈悲，看弟子有少智慧否？"

祖曰："汝作此偈，未见本性，只到门外，未入门内。如此见解，觅无上菩提，了不可得。无上菩提，须得言下识自本心，见自本性。不生不灭，于一切时中，念念自见，万法无滞；一真一切真，万境自如如。如如之心，即是真实。若如是见，即是无上菩提之自性也。汝且去一两日思惟，更作一偈，将来吾看，汝偈若入得门，付汝衣法。"

神秀作礼而出，又经数日，作偈不成，心中恍惚，神思不安，犹如梦中，行坐不乐。

【关键字词】

[凡所有相，皆是虚妄]《金刚经》第五品中语，原意是佛祖对须菩提说，佛祖所有的身相都是虚妄不实的，意思是一切皆空才是佛门真谛。

[恶道] 即三恶道，是地狱、饿鬼、旁生（除人之外的一切动物），三善道则是天、人、阿修罗（即"非天"，有"天福"而无"德"者），三善道和三恶道合起来就是六道轮回。

[炷香] 即烧香，炷是动词。

[慈悲]《智度论》二十七："大慈与一切众生乐，大悲拔一切众生苦。"所以慈悲就是与众生同乐、救众生脱离苦难的一种菩萨情怀。

[念念] 每一个念头之间，指极短暂的瞬间。

[万法] 法是梵语达摩的意译，指一切小者、大者、有形者、无形者、真实者、虚妄者、事物、道理等，所以万法就是指包罗万象的一切。

[无上菩提] 最高的觉悟。

【释义】

五祖已经知道神秀还没有找到法门，没有自明佛性。

天亮了，五祖请卢供奉到南边廊壁上绘画图像，忽然看见廊壁上神秀写的偈语，就对卢供奉说："供奉不用再画了，劳你远来白跑一趟。经书说：所有的可见身相，都是虚妄不实的。只保留这首偈语，让门人念诵修持，从这首偈语中获得启示，就能够避免堕落三恶道了。照着这首偈语修持，就会大有好处。"

五祖让门人烧香礼拜，都来念诵这首偈语，以便觉悟佛性。众门人念诵偈语，都感叹叫好。

到了三更时分，五祖把神秀叫进禅堂内室，问他："那首偈语是你作的吗？"神秀回答："的确是我作的，我并不敢妄想追求祖师之位，只希望和尚大发慈悲，看看弟子还有一点智慧吗？"五祖说："你作的这首偈语，并没有见到佛性，还停留在门外，没有进入门内。像这样来寻觅最高的觉悟，是不可能实现的，最高的觉悟，必须在言语之间就能认识自己的

坛经心读：品真性妙美

本心，发现自己的本性。达到无生无死的境界，在任何时候，在每一个念头中，都能自觉认识，万种事物和境界都达到同一而没有一点滞碍；一样真，则样样都真，万种事物和境界都是相同如一的，相同如一的心就是真实的。如果能有这样的认识，就获得了最高觉悟的佛的本性。你再思考一两天，重新作一首偈语，拿来给我看，你的偈语如果能觉悟入门，我就把衣钵法教都传给你。"

神秀向五祖行礼后出来，又过了几天，偈语也没有作出来，他心情恍恍惚惚，神思不安，好像在梦中一样，行走坐卧都闷闷不乐。

【导读】

- 师父早知：知子莫如父，知徒莫如师。在平时的交往中，师父弘忍早就知道神秀尚没有悟到自性。
- 忽见秀偈：天亮了，五祖请来卢供奉准备画五祖血脉图，忽然看见了廊壁上神秀的偈语。
- 去除法相：于是五祖就引用经文跟卢供奉说：凡所有相，皆是虚妄。那血脉图也只是个相，不用画了，留下神秀的偈语让门人诵读修行就好。
- 应机教徒：五祖让门人烧香礼拜，都来念诵这首偈语，众门人念诵后都感叹叫好。
- 密教神秀：到三更时分，五祖把神秀叫进禅堂内室询问，神秀承认偈语是自己所作，向祖师请教是否见性。祖师告诉他，从这个偈语来看，尚在门外，并做了一番指导。
- 见性即传：弘忍师父让神秀回去再想一两天，再作一首偈语来，若能见性，即传衣钵给他。
- 神秀无缘：可是，神秀回去几天也没有作出新的偈语，整个人已经精神恍惚，无法自主了。

【赏析】

五祖见偈：五祖看到了神秀的偈语，也知道神秀在为此事纠结。当然，五祖对于自己的这个弟子也是十分了解的，故而对神秀的偈语给予肯定，嘱咐众人依此修行，定有收益。是啊，毕竟大部分修行者难以达到究竟觉悟的境界，若是有个可以脱离俗道的法门帮助其修行，也是好的呀！

五祖自启：本来，五祖是让卢供奉来廊下画禅宗血脉图的，看到神秀的偈语后，突然意识到，画血脉图也是着相啊，于是，就取消了原来的打算。可见，祖师也随时随地都在修行，都在反观自心，都在随时觉悟，可谓"须臾不离道"。世俗中，某时有道者并不罕见，时时在道者却很稀有。这就可以看出修道者功夫是否通透。

祖师慈悲：五祖将神秀叫到禅房，确认那首偈语是神秀所书，告知神秀自己的判断"未见本性"，并给予神秀进一步的指导，嘱其再作新偈。五祖给了神秀两次机会，由此看来，五祖还是有些偏爱神秀的。

神秀无奈：只可惜，神秀经五祖指导，依然没有觉悟见性，依然难以改变自己内心的那种思量，也就是"众生知见"，终归没有脱俗，未了生死，故而也没有写出新的偈语。可见，悟道绝非一日之功，真本事是装不出来的，临阵磨刀也来不及。神秀有两次机会却都没成功，那么，看起来没有机会的惠能又会怎样呢？没有机会接受五祖教化的惠能，为何最终得到衣钵呢？通过这样的对比，二者根器的利钝也就一目了然了。

【原文】大幕开启，惠能登场

复两日，有一童子，于碓坊过，唱诵其偈。惠能一闻，便知此偈未见本性，虽未蒙教授，早识大意，遂问童子曰："诵者何偈？"童子曰："尔这獦獠不知，大师言，世人生死事大，欲得传付衣法，令门人作偈来看，若悟大意，即付衣法，为第六祖。神秀上座于南廊壁上书无相偈，大师令人皆诵，依此偈修，免堕恶道。依此偈修，有大利益。"

惠能曰："我亦要诵此，结来生缘。上人，我此踏碓八个余月，未曾行到堂前，望上人引至偈前礼拜。"

童子引至偈前礼拜。惠能曰："惠能不识字，请上人为读。"

时有江州别驾，姓张，名日用，便高声读。

惠能闻已，遂言："亦有一偈，望别驾为书。"

别驾言："汝亦作偈？其事希有。"

惠能向别驾言："欲学无上菩提，不得轻于初学。下下人有上上智，上上人有没意智。若轻人，即有无量无边罪。"

别驾言："汝但诵偈，吾为汝书。汝若得法，先须度吾，勿忘此言。"

惠能偈曰：

菩提本无树，明镜亦非台。

本来无一物，何处惹尘埃？

书此偈已，徒众总惊，无不嗟讶，各相谓言："奇哉！不得以貌取人，何得多时使他肉身菩萨。"

祖见众人惊怪，恐人损害，遂将鞋擦了偈，曰："亦未见性。"众以为然。

【关键字词】

[童子] 还没有正式出家的少年或小沙弥。

[上人] 本是对德行高者的尊称，这里惠能用以称呼童子，表示格外尊重。

[别驾] 官名，刺史的佐僚。

[没意智] 即愚钝、没有智慧或者智慧被埋没之意。

[肉身菩萨] 虽然还是父母给予的肉身，但在精神上已经达到了菩萨的境界。

【释义】

又过了两天，寺院中的一个小童从碓房门前经过，一边走一边唱诵神秀的偈语。惠能一听，就知道这首偈语没有认识到佛的本性。惠能虽然并没有接受过谁的教导，但早已懂了这首偈语的大意，就问小童说："你念诵的是什么偈语？"

童子回答："你这獦獠哪儿知道，大师说，世人最大的事是生死问题，想要把衣钵法教传承下去，让众门人都作偈语给他看。如果能觉悟佛法大意，就把衣钵法教传给他，让他成为第六代祖师。神秀上座在南边廊壁上写了这篇揭示万物无相的偈语，大师让众人都来唱诵，按照这首偈语来修持，以免堕落三恶道。照这首偈语修持，可以获得大好处。"

惠能说："我也要念诵这首偈语，好结下辈子的佛缘。上人，我在这儿踏碓舂米已经八个多月了，从来没有去过前面的法堂，希望上人能引导我到偈语前礼拜。"

童子就引导惠能到偈语前礼拜。

惠能又说："我不识字，请上人给我念一念。"

这时正好有一位姓张名叫日用的江州别驾在旁边，就高声朗诵这首偈语给惠能听。

惠能听了以后，就说："我也作了一首偈语，希望别驾替我写到墙壁上。"

别驾说："你也能作偈语？这种事可真少有。"

惠能对别驾说："要想学最高的智慧，就不能轻视初学者。最下等的人也许有最上等的智慧，最上等的人也许会埋没智慧。如果轻视初学者，就有无限大的罪过。"

别驾说："你尽管念你的偈语吧，我替你写。如果你将来得到佛法，首先要度我，可别忘了我这句话。"

惠能就念诵偈语：

菩提本无树，明镜亦非台。
本来无一物，何处惹尘埃？

别驾把偈语写在廊壁上，众门徒看了都很吃惊，没有不感叹的，互相议论说："真稀奇呀！看来不能以貌取人，他来的时间还不长，怎么就成了肉身菩萨。"

五祖看到众人惊奇，怕有人因此伤害惠能，就用鞋把偈语擦掉，说：

"这首偈语也没有觉悟佛性。"大家信以为真。

【导读】

❀ 童子诵偈：过了两天，惠能听到一童子诵念神秀所作的偈语，知道偈语的作者没能悟到自性。

❀ 方知大考：惠能向童子询问，童子告诉惠能，五祖大师让众人作偈以观其心性，有悟到自性者，就传衣钵给他。

❀ 相遇即福：惠能到偈前礼拜，请人诵读，恰逢张别驾在一旁，就帮惠能诵了一遍神秀所作的偈语。惠能听后，又请张别驾帮忙书写一首偈语。

❀ 别驾未觉：张别驾感到奇怪，心想你这样的獦獠也能写偈语？

❀ 惠能辩称：要想学最高的智慧，就不能轻视初学者。最下等的人也许有最上等的智慧，最上等的人也许会埋没智慧。如果轻视初学者，就有无限大的罪过。

❀ 别驾回头：于是，张别驾答应帮忙，但提出一个条件：若你将来得了佛法，要先来度我。

❀ 无相偈语：惠能就念出了一首旷世罕见的偈语：菩提本无树，明镜亦非台。本来无一物，何处惹尘埃？

❀ 众徒惊叹：别驾把偈语写在廊壁上，众门徒看了都很吃惊，无不感叹。

❀ 祖师慈爱：五祖看到众人惊奇，怕有人因此伤害惠能，就用鞋把偈语擦掉，说："这首偈语也没有觉悟佛性。"大家信以为真。

【赏析】

天缘无求：惠能原本对于五祖要传衣钵之事一无所知，从童子那里才知道此事。由此可见，"是你的跑不了，不是你的求不到"。

知秀未悟：等到了廊壁前，听张别驾诵读了神秀的偈语，惠能更加确信这首偈语的作者没有悟到自性。惠能这样一个不认字的杂工，这样一个在五祖弟子中排不上号的人，怎么会有如此的判断力呢？究其原因，一是有根器，二是平时事上下功夫，三是修行中追求究竟，四是在学师的根本，五是没有被俗誉所惑。

自性自信：惠能请求张别驾代他抄写一首偈语，张别驾提出质疑，惠能看到了他的内心，于是就有了这番高论：你若学无上智慧，就不要轻视初学者。上等人并非一定有上等智慧。若轻视初学者，就是莫大的罪过。好霸气的宏论！惠能这份自信来自哪里？当然是自性的开悟。是啊，世俗之见，皆看知见的功夫。很显然，惠能的状态无法让世俗之人看出他知见的卓越。可是，知见之上的又是什么？知见多的人会被什么滞障？这就是世俗之人往往看不到而惠能看得到的。

有相无相：张别驾于是帮助惠能写下这首著名的偈语："菩提本无树，明镜亦非台。本来无一物，何处惹尘埃？"你看，神秀的偈语说了"身"和"菩提树"、"心"和"明镜台"，此为《有相偈》。惠能的偈语则否定了神秀提出来的所有相，故称《无相偈》。一个有相，落入红尘；一个无相，直入梵天。双方根器的利钝由此已见分晓。历史上这两个偈语流传甚广，可许多人还是对神秀的《有相偈》有感觉，而对惠能的《无相偈》感到迷惑。你看，这些人在什么层次也就清楚了吧！

祖师慈悲：众门徒看到惠能的《无相偈》都吃惊万分，五祖从众人的反应看出背后的危险，于是擦掉偈语，言称"亦未见性"，众人信以为真。师父真是老练，懂得人间未觉之人在面临重大利益时的反应，看到了未来，这就是祖师的功力！世人中有谁能够看到未来？有谁能够根据预判调整当下的行动？即使是修行者，有此功力的恐怕也不多。

传人已定：五祖心明眼亮，看到神秀和惠能的偈语之后，知道已经找到了悟见自性的人。关键是，确定下一代祖师这样的大事，五祖竟然能够处理得如此微妙、淡定和不露声色。一般人恐怕很难做得到啊！

【原文】深夜传法，师度自度

次日，祖潜至碓坊，见能腰石舂米，语曰："求道之人，为法忘躯，当如是乎！"

乃问曰："米熟也未？"

惠能曰："米熟久矣，犹欠筛在。"

祖以杖击碓三下而去。

惠能即会祖意，三鼓入室。

祖以袈裟遮围，不令人见。为说《金刚经》，至"应无所住，而生其心"，惠能言下大悟，一切万法，不离自性。遂启祖言："何期自性，本自清净；何期自性，本不生灭；何期自性，本自具足；何期自性，本无动摇；何期自性，能生万法。"

祖知悟本性，谓惠能曰："不识本心，学法无益；若识自本心，见自本性，即名丈夫、天人师、佛。"

三更受法，人尽不知。便传顿教及衣钵，云："汝为第六代祖，善自护念，广度有情，流布将来，无令断绝。听吾偈曰：

有情来下种，因地果还生。

无情既无种，无性亦无生。"

祖复曰："昔达摩大师，初来此土，人未之信，故传此衣，以为信体，代代相承。法则以心传心，皆令自悟自解。自古佛佛惟传本体，师师密付本心。衣为争端，止汝勿传，若传此衣，命如悬丝。汝须速去，恐人害汝。"

惠能启曰："向甚处去？"

祖云："逢怀则止，遇会则藏。"

惠能三更领得衣钵，云："能本是南中人，素不知此山路，如何出得江口？"

五祖言："汝不须忧，吾自送汝。"

祖相送直至九江驿，祖令上船，五祖把橹自摇。

惠能言："请和尚坐，弟子合摇橹。"

祖云："合是吾渡汝。"

惠能云："迷时师度，悟了自度，度名虽一，用处不同。惠能生在边方，语音不正，蒙师传法，今已得悟，只合自性自度。"

祖云："如是如是。以后佛法，由汝大行。汝去三年，吾方逝世。

汝今好去，努力向南，不宜速说，佛法难起。"

【关键字词】

[腰石] 腰里捆绑一块石头以增加身体的重量，便于踏动舂米碓。

[米熟也未] 米舂好了没有。熟就是舂好的意思。

[犹欠筛在] 还差一道用筛子筛的工序，暗示还需要五祖点拨验证。

[丈夫] 如来有十号，其一叫调御丈夫。

[天人师] 如来十号之一，意为天和人都尊佛为师。

[顿教] 禅宗以顿悟相标榜，所以叫顿教。

[有情] 梵语萨埵的意译，即众生。

["有情来下种"偈] 前两句说众生没有超脱有情，所以难脱因果报应的循环；后两句说超脱有情而觉悟之后，就能达无性亦无生的佛教空谛境界。

[达摩大师] 南天竺（今印度南部）人，一说波斯人，南北朝时来中国传教，被称为禅宗初祖。

[逢怀则止，遇会则藏]"怀"指怀集，"会"指四会，都是广东的地名。这是带有预言性质的谶语，暗示惠能先在广东一带隐居，等待机会。

[南中人] 岭南人。

[九江驿] 今江西九江。

[合是吾渡]"合"意即应该、理应。"渡"与"度"同音，意思相通，弘忍与惠能通过渡船来比喻佛法的传授。

【释义】

　　第二天，五祖悄悄地来到碓坊，见惠能腰间绑一块石头，正在辛苦地舂米，就说："追求佛道的人，为了佛法而舍身忘己，就像这样啊！"

　　又问惠能："米舂好了吗？"惠能回答："米早就舂好了，还欠一道筛的工序。"

　　五祖用禅杖敲击了石碓三下，然后离去。

　　惠能当时就明白了五祖的意思，到半夜三更鼓响时，悄悄地来到五祖的居室。

五祖用袈裟遮住窗户，不让别人看见灯光，给惠能解说《金刚经》，讲到"应无所住，而生其心"时，惠能当下就觉悟了，知道万事万物都不会脱离自己的本性。

惠能对五祖说："没想到自己的本性本来就是清净的，没想到自己的本性本来就不生也不灭，没想到自己的本性本身就是圆满的，没想到自己的本性原本就是坚定不移的，没想到自己的本性能产生万事万物。"

五祖知道惠能已经觉悟了自己的本性，就说："如果不能认识自己的本心，那么学佛法也没用；如果认识了自己的本心，见证了自己的本性，那就可以称为大丈夫、天人师、佛。"惠能在半夜三更接受五祖传法，没有任何人知道。

五祖把顿教的法门和袈裟钵盂都传给了惠能，并说："你将成为第六代祖师，要好好守护自己的心念，广泛度化有情的众生，使佛法永远流传，不要让它中断了。听我的偈语：

有情来下种，因地果还生。

无情既无种，无性亦无生。"

五祖又说："从前达摩大师刚来此地，人们还不信仰他，所以他留下这件袈裟，作为佛教真传的信物，一代一代互相传承。其实佛法真谛，在于以心传心，都得自己觉悟、自己理解。自古以来，前佛与后佛只是在传授本性的觉悟，每一代祖师交接，也只是彼此会意本心的觉悟。袈裟是引起争端的由头，到你这儿就不要再传这袈裟了，要是再传这袈裟，你的性命就如游丝一般危险。你必须赶快离去，恐怕会有人加害于你。"

惠能问："我去什么地方？"

五祖回答："逢怀则止，遇会则藏。"

惠能在三更天领受了袈裟钵盂，又对祖师说："我本来是南中人，一向不了解这里的山路，怎么样才能走到江边渡口呢？"

五祖说："你不用担忧，我亲自送你走。"

五祖把惠能直送到九江驿，让惠能上船，五祖亲自摇橹摆渡。

惠能说："请和尚坐下，应该弟子摇橹。"

五祖说："应该是我渡（度）你。"

惠能说："迷惑的时候是老师度我，觉悟了我就得自己度自己，度虽然还是度，用处可不同了。惠能在边远地区长大，说话语音不纯正，承蒙老师传授我佛法，现在我已经觉悟，就应该自明本性、自我度化。"

五祖说："是这样，是这样的。以后的佛法，会由你而大行天下。你离开三年后我才会逝世。现在你好好去吧，努力精进，往南方去吧。不要急于宣传说教，佛法的兴起是要经历许多磨难的。"

【导读】

- 祖师亲临：第二天，五祖悄悄地来到碓坊，见惠能腰里绑一块石头，正在辛苦地舂米，感叹求法之人就应当如此专注。

- 禅机双关：师问："米舂好了吗？"惠能回答："米早就舂好了，还欠一道筛的工序。""米"寓意佛法，"舂"寓意领悟，"筛"寓意等待师父印证指引。瞧瞧，这师徒俩真是心心相印啊！

- 尽在不言：五祖用禅杖敲击了石碓三下，然后离去。惠能明白五祖的意思，到半夜三更鼓响时，悄悄地来到五祖的居室。你看，一切尽在不言中，实践的就是"以心印心"的禅宗法门。

- 五祖传法：五祖用袈裟遮住窗户，不让别人看见灯光，给惠能解说《金刚经》，讲到"应无所住，而生其心"时，惠能当下就觉悟了，知道所有一切，万事万物都不脱离自己的本性："没想到自己的本性原来就是清净的，没想到自己的本性本来就不生也不灭，没想到自己的本性本身就是圆满的，没想到自己的本性原本就是坚定不移的，没想到自己的本性就能产生万事万物。""应无所住，而生其心"，也就是"无住生心"，这看起来简单的一句话就让六祖顿悟了，你听到这句话时，顿悟了吗？"无住"对着的是"住"，也就是"着相"，也就是心被万相所困，而不能通达真相和背后共同的本质规律，于是生出万法而不通一道，陷入痴迷。"不着相"

而能"入境","入境"能"出境"而又不着境,心才是自由的。

● 惠能得悟:五祖知道惠能已经觉悟了自己的本性,就说:"如果不能认识自己的本心,那么学佛法也没用;如果认识了自己的本心,见证了自己的本性,就可以叫大丈夫、天人师、佛。"本心是处理一切信息的"总程序",如果这个程序有问题,一切信息的处理结果就都是错误的,学习佛法时,若心不净,学到的也只是被篡改的假法。

● 六祖定位:五祖把顿教的法门和袈裟钵盂都传给了惠能,并说:"你将成为第六代祖师,要好好守护自己的心念,广泛度化有情的众生,使佛法永远流传,不要让它中断了。听我的偈语:有情来下种,因地果还生。无情既无种,无性亦无生。"这是五祖给六祖的使命传承。

● 衣钵缘由:五祖又讲述了宗门之衣钵传承的由来:衣钵是达摩初祖传法的信物,但宗门传法之真谛在于"以心传心",传承衣钵恐怕会引发世俗争执,故而叮嘱六祖以后不再传衣钵。

● 祖师指向:五祖意识到此次传授衣钵会给惠能带来危险,嘱其快点离开,并指示"逢怀则止,遇会则藏",暗示惠能先在广东一带隐居等待机会,而后亲自送惠能离开。

● 师度自度:师徒到达九江驿上船,又有了一段关于"渡"与"度"的佳话。五祖亲自摇橹摆渡。惠能说:"请和尚坐下,应该弟子摇橹。"五祖说:"应该是我渡(度)你。"惠能马上领悟:"迷惑的时候是老师度我,觉悟了我就得自己度自己,度虽然还是度,用处可不同了。惠能在边远地区长大,说话语音不纯正,承蒙老师传授给我佛法,现在我已经觉悟,就应该自明本性、自我度化了。"

● 五祖欣慰:对于这样的弟子与传人,五祖当然是十分满意的:"是这样,是这样的。"可以想见,当时的五祖心中是如何的喜悦,表情是如何的慈爱与欣慰。

● 师父再嘱:五祖又叮嘱六祖:"以后的佛法,会由你而大行天下。你离开三年后我才会逝世。现在你好好去吧,努力精进,往南方去吧。不要急于宣传说教，佛法的兴起是要经历许多磨难的。"

【赏析】

处处玄机，借相入真，以心印心：舂米时"腰系的石头"；对话"舂米"时以"米"寓意佛法，以"舂"寓意领悟，以"筛"寓意师父印证指引；禅杖敲击石碓三下，寓意半夜三更；"无住生心""以心传心"；"逢怀则止，遇会则藏"；乘船"渡"与"度"，"师度"与"自度"。哈哈，原来一切有相之事、之人、之物，背后都连着无相的智慧，这就是悟见自性者独享的一份灵魂的礼物。这种借相寓意的表达与沟通方式，超越了语言。这种无相智慧，恰恰能够看清所有相的本质。万相万变，唯有真性不变。把握自性，即能懂得万相之真和万变之律。故而悟得自性者，对过去、现在与未来，犹如品读连环画一样，似乎世间一切皆在用画面呈现着。这样观世观相的神奇，对于悟道者来说，只是简单平凡的事。

无住生心："应无所住，而生其心"这句来自《金刚经》的名言，令六祖当下顿悟"佛性具足"，顷刻间，万相如浮云散去，心中如有太阳普照，一片光明。再看现实中，聪明人又有几人不被外相所缚、所困？起心动念，自私的追逐正在一点点消耗、贱卖自己的生命。即使与弱者相比，有一点知识与经验上的优势，又怎能让生命飞升到智慧的天空？"一叶障目，不见泰山"，因为执着于自我的欲念，许多人丧失了明了智慧大道的机会，自己却蒙在鼓里，只是在自我的"鼓里"哀号！在乎小的，成为小人，在乎俗的，成为俗人。还有什么选择呢？你选择成为什么样的人呢？

禅门玄机：不动声色的提醒、在众人面前的掩饰、一语双关的印心、袈裟遮光的传法、连夜送走与摇橹、传法方向的指引和告诫，处处彰显师父的慈悲和智慧。这一切，都是深谙世俗险恶的师父对弟子的慈悲仁爱，是两位大师的惺惺相惜，成就禅宗历史上的无上佳话。

【原文】如师所言，考验开始

坛经心读：品真性妙美

　　惠能辞违祖已，发足南行。两月中间，至大庾岭，逐后数百人来，欲夺衣钵。

　　一僧俗姓陈，名惠明。先是四品将军，性行粗糙，极意参寻，为众人先，趁及惠能。

　　惠能掷下衣钵于石上，曰："此衣表信，可力争耶？"能隐草莽中。

　　惠明至，提掇不动，乃唤云："行者行者，我为法来，不为衣来。"

　　惠能遂出，盘坐石上。

　　惠明作礼云："望行者为我说法。"

　　惠能云："汝既为法而来，可屏息诸缘，勿生一念，吾为汝说。"

　　明良久。惠能云："不思善，不思恶，正与么时，那个是明上座本来面目？"

　　惠明言下大悟。复问云："上来密语密意外，还更有密意否？"

　　惠能云："与汝说者，即非密也。汝若返照，密在汝边。"

　　明曰："惠明虽在黄梅，实未省自己面目。今蒙指示，如人饮水，冷暖自知。今行者即惠明师也。"

　　惠能曰："汝若如是，吾与汝同师黄梅，善自护持。"

　　明又问："惠明今后向甚处去？"

　　惠能曰："逢袁则止，遇蒙则居。"

　　明礼辞。

【关键字词】

[已] 语气虚词，表示动作结束。

[大庾岭] 山名，位于江西省大余县南和广东省南雄市的分界处，也是一处地理标志，过了岭就属于岭南。

[惠明] 即慧明，敦煌本作惠顺，俗姓陈，据说是南朝陈宣帝的孙子，但此说有争议。

[趁及] 赶上。

[行者] 本义是方丈的侍者，后来泛称修行佛道的人，这里是对惠能的称呼。

[正与么时] 正在这样的时候。

[黄梅] 湖北黄梅，弘忍的所在地，代指弘忍。

[逢袁则止，遇蒙则居] 袁指袁州，今江西宜春；蒙，袁州的蒙山。

【释义】

惠能辞别了五祖，拔脚往南走，走了两个月，来到大庾岭。

后面有几百个人追来，想抢夺证法的袈裟和钵盂。

其中一个僧人俗姓陈，名字叫惠明，出家前当过四品的将军，性格行为粗暴。他格外努力寻找，跑在众人的前面，赶上了惠能。

惠能把袈裟和钵盂扔在一块大石头上，说："袈裟钵盂只不过是传法的信物而已（并不是法本身），怎么能靠暴力来争夺呢？"然后就藏身在草丛林莽中。

惠明赶来，却拿不起袈裟钵盂，于是喊道："行者啊行者，我是为佛法而来的，不是为袈裟而来的。"

惠能就从藏身之处走出来，盘坐在石头上。

惠明向惠能行礼说："请行者给我讲解佛法。"

惠能说："你既然是为佛法而来，现在就可以静下心，杜绝一切俗缘，一点俗念也不要产生，我就给你讲说佛法。"

惠明沉思静默了很久，惠能对他说："不思善，也不思恶，此时此刻，不就是惠明上座的本来面目吗？"

惠明立刻觉悟。他又问惠能："除了刚才说的密语密意外，还有别的密意吗？"

惠能回答："我对你说了，就不再是秘密了。你如果能用它来观照自己，秘密就都在你心里呈现。"

惠明说："惠明虽然在黄梅修行，却并没有省察自己的本性。今天承蒙您指导教诲，好像人喝水一样，冷和暖只有自己知道。现在行者您就是我惠明的师父了。"

惠能回答："你要是这样想，也是觉悟，我和你都是以黄梅五祖为师，咱们共同努力维护佛法吧。"惠明又问惠能说："惠明今后该到哪儿去呢？"惠能回答："逢袁则止，遇蒙则居。"

惠明向惠能行礼后告辞而去。

【导读】

- 危险：数百人尾追而来。
- 将军：其中有一个做过将军的和尚，名叫惠明。
- 隐遁：六祖置衣钵于路边石上。
- 天意：惠明欲取衣钵，却拿不起来。
- 转意：惠明说是为求法而来，而非抢衣钵。
- 请法：惠能出，盘坐石上，惠明请法。
- 息念：惠能要求惠明屏息诸缘，勿生一念。
- 无思：惠明沉寂良久，惠能说："不思善，不思恶，正与么时，那个是明上座本来面目？"
- 密意：惠明言下大悟，又问："除了你所说的，是否还有密意？"
- 自性：惠能说："跟你说了，也就没有秘密了。你若是能够观照自心，秘密都在你心里呈现。"
- 同事：惠明很感动，反省实在未能观察自己的真实面目，感谢六祖开示，欲拜惠能为师。惠能说："你要是这样想也是觉悟，我们同是五祖弟子，还是一起做佛法的弘道者吧。"
- 问去：惠明又问："我以后去哪里呢？"
- 袁蒙：惠能曰："逢袁则止，遇蒙则居。"明礼辞。

【赏析】

从容：面对尾追者，六祖从容不迫，因为有正根、正法、正气在身。

天赐：佛法衣钵岂是人间俗物，一般人想拿都拿不走。世间有些人喜欢抢好的东西，岂不知，若是与东西不相配，抢到了也是灾祸，抢不到倒是福分。只是此理，世间懂得的人太少。

回心：惠明拿不起衣钵，当下即知天意难违，遂转意为求法。能识天意，回心转意求法，也是中上根器。世人皆有欲，修行者也不例外，尤其是遇到大利时，更会忘记一切。但若有一丁点功夫，遇事懂得反观自身，便可勇敢回头。世上的人之所以难脱苦海，不就是因为不知回头是岸，一直在错误的道路上前行和挣扎吗？反问自己，你的人生有过几次回头的经历？自己认为正确但结果不好时，你会反思自己存在的错误吗？你认识到错误，会有足够的勇气尽快回头或者立马改正吗？

息念：六祖遂令惠明静心，思考"不思善，不思恶"之时，自己的真实面目是什么样。这是顿悟法门之一：超越世俗善恶等两极分辨之心，去除主观偏见思维，回归万物本源。世人对于"不思善、不思恶"往往疑惑不解：这不就是没有是非观吗？这不就是要做老好人吗？这不就是糊涂吗？只是未觉者不会问自己：你认为的善恶就是真的吗？你能够看得见善恶背后藏着的因果吗？赞赏善时，会想到是在推动心中的恶成长吗？厌恶恶时，知道自己这是在落井下石吗？惩罚恶时，知道这是在加强心中恶的力道吗？如此问下去，你就会知道，为什么道德讲了几千年，世上恶人却源源不绝了！

明觉：惠明有佛缘，当下觉悟，这也很了不起啊。修行多年，能在此时此刻觉悟，也是机缘到了。只是，这份觉悟来得太快、转得太急，很难说是彻悟。因此，心中一旦有了"明白"的感觉，就要自知：我的明白是在不明白的基础上产生的，怎么可能是真的明白呢？故而，那些在修行中动不动就感觉"明白"的人，往往很难精进。

下道：惠明又问密义，六祖开示：观照自心，秘密自现。你看，刚刚说惠明觉悟了，但他一转脸就问出了一个糊涂的问题。从惠明问密意一事可见，他所谓的明白是要打折扣的，实际上他转念就回到了自己的过去，回到俗人的思维模式中。"道不可须臾离也"，刚刚觉悟，转眼就下道了。看来，念念不断方是真觉彻悟啊！

归宗：惠明欲拜六祖为师，惠能引其心回归五祖，真意在弘扬佛法，难能可贵。惠能已经成为一代祖师，仍然不忘与惠明同事五祖，可见觉悟者也是人间智者。作为刚刚立宗的新祖师，俗人也许会想：赶紧聚集一群自己的人，这样才能打下自己的地盘，自己的天下。可作为觉者的惠能师父又岂是这等层次的人呢？他心怀天下，心系天下，命归佛法，哪里还有什么"自己的人、自己的地盘"之说？

指向：惠明又问今后去处，惠能所答与五祖一个风格："逢袁则止，遇蒙则居。"真是亲传的入室弟子啊！

【原文】隐身弘法，开东山法门

惠能后至曹溪，又被恶人寻逐。乃于四会避难猎人队中，凡经一十五载。时与猎人随宜说法。

猎人常令守网，每见生命，尽放之。

每至饭时，以菜寄煮肉锅。或问，则对曰："但吃肉边菜。"

一日思惟：时当弘法，不可终遁。遂出至广州法性寺，值印宗法师讲《涅槃经》。

时有风吹幡动，一僧曰风动，一僧曰幡动，议论不已。惠能进曰："不是风动，不是幡动，仁者心动。"一众骇然。

印宗延至上席，征诘奥议。见惠能言简理当，不由文字。宗云："行者定非常人，久闻黄梅衣法南来，莫是行者否？"

惠能曰："不敢。"

宗于是作礼，告请传来衣钵，出示大众。

宗复问曰："黄梅付嘱，如何指授？"

惠能曰："指授即无，惟论见性，不论禅定解脱。"

宗曰："何不论禅定解脱？"

能曰："为是二法，不是佛法，佛法是不二之法。"

宗又问："如何是佛法不二之法？"

惠能曰："法师讲《涅槃经》，明佛性是佛法不二之法。如高贵德王菩萨白佛言：犯四重禁，作五逆罪，及一阐提等，当断善根佛性否?佛言:善根有二,一者常,二者无常,佛性非常非无常,是故不断,名为不二;一者善,二者不善,佛性非善非不善,是名不二。蕴之与界,凡夫见二,智者了达其性无二,无二之性即是佛性。"

印宗闻说,欢喜合掌,言:某甲讲经,犹如瓦砾;仁者论议,犹如真金。

于是为惠能剃发,愿事为师。

惠能遂于菩提树下,开东山法门。

惠能于东山得法,辛苦受尽,命似悬丝。今日得与使君、官僚、僧尼、道俗同此一会,莫非累劫之缘,亦是过去生中供养诸佛,同种善根,方始得闻如上顿教、得法之因。教是先圣所传,不是惠能自智。愿闻先圣教者,各令净心。闻了各自除疑,如先代圣人无别。

一众闻法欢喜,作礼而退。

【关键字词】

[曹溪] 广东韶关市南。

[四会] 广东四会。

[涅槃经] 即《大般涅槃经》,主要教义是"一切众生,悉有佛性"。

[幡] 寺院里的旗子,形状窄长,是佛教法物。

[仁者] 佛教讲慈悲为怀,故可称和尚为仁者。这里是惠能对法性寺僧人的尊称。

[高贵德王菩萨] 全称"光明遍照高贵德王菩萨"。

[四重禁] 邪淫、杀戮、偷盗、妄语四重罪。

[五逆] 五种罪恶之极,逆于常理,又叫五间业。

[一阐提] 佛教称断绝善根之极恶人为一阐提,但誓愿济度众生、自己不成佛的菩萨也被称作一阐提,所谓二种一阐提。这里指前者。

[蕴] 指五蕴,又称五阴,即色、受、想、行、识。

[某甲] 自称,相当于"我"。

[东山法门] 指自己讲的佛法是从黄梅弘忍处得到的真传。

[使君] 对韦璩的尊称。

【释义】

惠能后来到了曹溪，又被恶人寻找追赶，于是在四会与猎人为伍以避难，一共过了十五年，惠能经常随机给猎人们讲说佛法。

猎人们常让惠能看守捕获猎物的网罟，惠能每次见到活的猎物，就放走它们。

每到吃饭的时候，惠能就把素菜放在猎人们的肉锅里捎带着煮熟。有的人问惠能为什么不吃肉，惠能就回答："我只吃肉边的素菜。"

终于有一天，惠能想，到了该弘扬佛法的时候了，不能老是隐遁。于是走出山林，来到广州法性寺，正遇上印宗法师在讲解《涅槃经》。

当时有风吹动了旗幡，一个僧人说，是风在动；另一个僧人说，是旗幡在动，争论不休。惠能就上前参与讨论："既不是风在动，也不是旗幡在动，是诸位仁者的心在动。"在场的人都被这番话震惊了。

印宗法师把惠能请到上座，详细询问佛法的深奥含义。他见惠能的言语简洁理当，不受经典字句的拘束，就说："行者一定不是普通人，早就听说继承黄梅五祖佛法衣钵的人到岭南来了，该不会就是行者你吧？"

惠能回答："不敢当。"

印宗于是施礼，请求惠能把五祖传授的袈裟和钵盂拿出来，给大众观看。

印宗又问惠能："黄梅的祖师在付托传法时，有什么指示教诲？"

惠能回答："倒也没有什么指示教诲，只是说，要认识自己的本性，并没有说到禅定解脱的方法。"

印宗问："为什么不说禅定解脱的方法呢？"

惠能回答："因为禅定和解脱是两种法，不是佛法，佛法是不二之法。"

印宗又问："什么是佛法的不二之法？"

惠能说："法师你讲《涅槃经》，如果明白佛性，这就是不二之法。例如高贵德王菩萨曾问佛：如果有人犯了四重禁，作了五逆罪，还有一阐提等，他们是不是断绝了善根佛性呢？佛回答：善根有两种，一种是常，另一种是无常，可是佛性并没有常和无常的分别，所以不断绝，这才叫不二法门。五蕴和十八界，凡夫认为是两个，有智慧的人就能够懂得它们的本质并无分别。像这样不二的真性，就是佛性。"

印宗听了惠能的回答，满心欢喜，合掌作礼，说：我讲的经就像瓦砾，而仁者您的讲论就像真金。

于是印宗就为惠能剃度，并愿拜惠能为师侍奉他。

惠能就在菩提树下开始讲授东山法门。

惠能从黄梅东山禅寺得到佛法真传，此后经历了无尽的辛苦和危险，曾经命如悬丝。今天终于能够和韦使君、众位官员、僧尼、道人、信佛大众共同聚会，这都是我们经历累世劫数而修成的缘分，也是我们在过去生生世世中供养各代佛祖的功德，一起种下了善根，这才能有幸听闻如上的顿教法门和惠能获佛法的因缘过程。顿教是佛和祖师传下来的，并不是惠能自己的智慧发明。大家如果愿意听受佛和祖师的教理，首先就要使自己的心念清净无染。听了以后，要各自去除疑惑，就好像听佛和祖师亲自讲说一样。

大家听了惠能讲说佛法，都很高兴，行礼退出。

【导读】

❀ 与猎人为伍：惠能后来到了曹溪，又被恶人寻找追赶，于是在四会与猎人为伍以避难，一共过了十五年，他经常随机给猎人们讲说佛法。

❀ 慈悲放生：猎人们常让惠能看守捕获猎物的网罟，惠能每次见到活猎就放走。

❀ 吃肉边菜：每到吃饭的时候，惠能就把素菜放在猎人们的肉锅里捎带着煮熟。有的人问惠能为什么不吃肉，惠能就回答："我只吃肉边的素菜。"

❀ 时机到了：一天，惠能想，到了该弘扬佛法的时候了，不能总是隐遁。

- 到广州法性寺：于是，惠能走出山林，来到广州法性寺，正遇上印宗法师在讲解《涅槃经》。
- 风幡之辩：当时有风吹动了旗幡，一个僧人说是风在动，另一个僧人说是旗幡在动，争论不休。
- 仁者心动：惠能就上前参与讨论："既不是风在动，也不是旗幡在动，是诸位仁者的心在动。"在场的人都被这番话震惊了。
- 印宗认祖：印宗把惠能请到上座，详细询问佛法的深奥含义，他见惠能的言语简洁理当，不受经典字句的拘束，就说："行者一定不是普通人，早就听说继承黄梅五祖佛法衣钵的人到岭南来了，该不会就是行者你吧？"惠能回答："不敢当。"
- 衣钵示众：印宗于是施礼，请求惠能把五祖传授的袈裟和钵盂拿出来，给大众观看。
- 不说禅定与解脱：印宗又问惠能："黄梅的祖师在付托传法时，有什么指示教诲？"惠能回答："倒也没有什么指示教诲，只是说，要认识自己的本性，并没有说到禅定解脱的方法。"印宗问："为什么不说禅定解脱的方法呢？"
- 佛法不二：惠能回答："因为禅定和解脱是两种法，不是佛法，佛法是不二之法。"印宗又问："什么是佛法的不二之法？"
- 真性佛性：惠能说："法师你讲《涅槃经》，如果明白佛性，这就是不二之法。例如高贵德王菩萨曾问佛：如果有人犯了四重禁，作了五逆罪，还有一阐提等，他们是不是断绝了善根佛性呢？佛回答：善根有两种，一种是常，另一种是无常，可是佛性并没有常和无常的分别，所以不断绝，这才叫不二法门。五蕴和十八界，凡夫认为是两个，有智慧的人就能够懂得它们的本质并无分别。像这样不二的真性，就是佛性。"
- 印宗心服：印宗听了惠能的回答，满心欢喜，合掌作礼，说自己讲的经就像瓦砾，而惠能的讲论就像真金。
- 为师剃发：于是印宗就为惠能剃度，并愿拜其为师侍奉他。

◉ 东山法门：惠能就在菩提树下开始讲授东山法门。他说：顿教是佛和祖师传下来的，并不是惠能自己的智慧发明。

◉ 众人欢喜：大家听了惠能讲说佛法，都很高兴，行礼退出。

【赏析】

人隐法不丢：惠能隐遁于猎人之中弘法，慈悲放生，吃肉边菜。可见真法在身，不问环境。真正的修行，不是给别人看的，也不是因为有别人的监督才做的。真正的修行者，改变了自己与万物万相万境的关系，与别人是否看得见或者别人怎么说都没有关系，因为这是自己与世界的关系，不会因为别人而改变。俗人则不同，有人看和没人看，行为是不同的，还是在为别人活着。

风幡后是心：和尚争论风动幡动，依然是着相而思，未见自性。"风动""幡动"都是俗相，出现不同的意见，产生争论，在一般人看来有些可笑：这有什么好争论的？风不动，幡怎么会动？但从禅宗角度所阐明的，是万相与自心的关系，看的是谁能够参透人间争执的心性原理。自然，从生活常识或者科学角度看风动幡动会很简单，但禅宗看的是此时此事人心的运动：为什么会争执呢？有什么好争执的呢？争执就是彼此的心发生了动摇。

印宗得不二：人们常说的"禅定与解脱"，依然是有为法，当然是梦幻泡影，落入了"二"的陷阱。佛性、真性、自性才是不二法门。为此，印宗心服口服，并拜六祖为师。平时，修行者或者弘法者多半会讲禅定与解脱，俗人就更不用说了，所做的肯定都是为了自己的解脱。这样的"心灵自私"，实际上还是没有去除愚根。信佛修行的梁武帝，也没有跳出这个怪圈。

徒为师剃发：这也是很少见的，一般都是师父为徒弟剃发。惠能得传衣钵，又在困境中弘法，成就了与印宗法师这段特殊的因缘。

开东山法门：也就是五祖所传"顿教"。

坛经心读：品真性妙美

本品再思

- 六祖为何开坛即讲"菩提自性，本来清净，但用此心，直了成佛"？看起来成佛很容易啊。
- 一个家境破落，靠砍柴卖柴为生的年轻人，尤其是还不识字，怎么会对别人念诵的经文产生感觉呢？
- 对于很多人来讲，还是生计重要。怎么惠能就能毅然决然地去投奔五祖？
- 惠能到了黄梅五祖的道场，遭到五祖"刁难"，对于一个年轻人来说，应该是很尴尬的。可这个不识字的年轻人到底是哪来的勇气，竟然接下五祖那般刁钻的招式呢？
- 惠能投奔五祖，本来是为求法的，为什么甘心去做舂米之类的杂活呢？
- 五祖选择传人，仅仅依靠一首偈语，就能看出弟子的水平吗？
- 为何众徒都认为神秀上座理所当然应该是法位继承者？
- 跟随师父修行多年的神秀，为何在传位大考时那样纠结？
- 神秀想出的万全之策，为何没能帮他赢得师父的衣钵？
- 五祖看到神秀的偈语，怎么知道神秀未见自性呢？
- 五祖明知神秀的偈语未见自性，为何还让众弟子念诵修行呢？
- 本来是大考，为何五祖又在半夜叫来神秀进行指导呢？
- 本来传位大考与惠能无关，为何他听到童子念诵神秀的偈语就想试试？
- 张别驾为惠能念诵了神秀的偈语，惠能怎么就能判断出神秀未见自性？
- 惠能也想写一首偈语，遭到张别驾的质疑，他哪来的勇气，那样义正词严地申明自己的主张？
- 当张别驾帮惠能写出偈语后，众人皆言妙，为何五祖故意说也未见自性，还把这首偈语擦掉？

❀ 五祖来到惠能舂米处，为何会对惠能腰间的石头发出感慨？

❀ 五祖问惠能舂米进行得怎样，惠能回答。这段生活中普通的问话，为什么是禅机呢？

❀ 五祖用禅杖敲了石碓三下，惠能怎么知道师父这是叫他三更去禅房？

❀ 五祖传位给惠能，为何要给他讲《金刚经》？

❀ 当五祖讲到"应无所住，而生其心"时，惠能为何当下大悟？

❀ 五祖传位给惠能，使其成为六祖，又为何连夜送他离开？

❀ 师徒俩上船摇橹，"渡"与"度"竟然也成了两人心心相印的禅趣，生活中的普通事情都跟禅有关系吗？

❀ 六祖被惠明追上，为何不赶紧逃走？难道不知有性命之忧吗？

❀ 惠明为何拿不起六祖放在石头上的衣钵？

❀ 六祖为何还要开示这样一个追杀他的人？

❀ 六祖告诉惠明，"不思善，不思恶"，再来观照自己是谁，惠明当真就觉悟了吗？

❀ 惠明又问六祖佛法的密意，六祖告诉他的佛法密意在何处？

❀ 作为一代祖师，惠能为何会跟猎人们混在一起？

❀ 惠能跟猎人们在一起时，为何放生和"吃肉边菜"？

❀ 惠能听到两个和尚争论"风动幡动"而说出"仁者心动"时，为何会惊动印宗法师？

❀ 一般而言，都是师父为徒弟剃度，拜六祖惠能为师的印宗法师怎么反倒为师父剃度呢？

❀ 当印宗法师向六祖请教"禅定解脱"时，为何六祖说他"二"了？那个"一"在哪里呢？

❀ 为何印宗法师听了六祖的教导，说自己的见解如同瓦砾？

❀ 为何六祖所传之法叫"顿教"？

经典名言

- 菩提自性，本来清净，但用此心，直了成佛。
- 人虽有南北，佛性本无南北，獦獠身与和尚不同，佛性有何差别？
- 世人生死事大，汝等终日只求福田，不求出离生死苦海。自性若迷，福何可救？——五祖弘忍
- 身是菩提树，心如明镜台。时时勤拂拭，勿使惹尘埃。——神秀大师
- 凡所有相，皆是虚妄。——《金刚经》
- 无上菩提，须得言下识自本心，见自本性。不生不灭，于一切时中，念念自见，万法无滞，一真一切真，万境自如如。如如之心，即是真实。若如是见，即是无上菩提之自性也。——五祖弘忍
- 惠能向别驾言："欲学无上菩提，不得轻于初学。下下人有上上智，上上人有没意智。若轻人，即有无量无边罪。"
- 惠能偈曰：菩提本无树，明镜亦非台。本来无一物，何处惹尘埃？
- 祖见能腰石舂米，曰："求道之人，为法忘躯，当如是乎！"
- "应无所住，而生其心"——《金刚经》
- 三昧：梵语音译，即息虑凝心，定于一处，进入一种禅定的状态。
- 六识：眼识、耳识、鼻识、舌识、身识、意识。
- 六门：眼、耳、鼻、舌、身、意。
- 六尘：色、声、香、味、触、法。
- 边见：片面的见识。
- 三障：烦恼障、业障、报障。

核心理论

禅宗纲领：菩提自性，本来清净，但用此心，直了成佛。

【缘起】

这是六祖惠能升坛说法时最先提出来的禅宗纲领。

【审心】

如今有那么多受过科学教育的人，又有谁知道，真正的智慧原来藏在自性之中？

如今的人们多么善于思考，可想来想去，又有谁能够保持自心的清净？

如今的人们都善于用脑子为自己盘算，又有谁能充分运用包含所有智慧的自性？

如今的人们，为了"诸子"（房子、车子、位子、妻子、儿子、票子、面子），奔走"百家"（上级、部下、客户、朋友、同学、银行、股东，等等），有谁想过"成佛"这样伟大的目标？

【真意】

人是万物中的一类，自认为最有智慧、最高贵。实际上，从生命的本质来看，人的极精微处与万物并无二致。

人类引为自豪的主观能力，很多时候倒是会出来捣乱，破坏了人原本的心智状态，也制造出与万事万物的主观对立。

宇宙法则不会因为人而改变，人的主观只能改变自己，若是这样的改变背离了客观规律，就只能将自己的状态变得更加低级。到了这个时候，也可能人在正向的方面反而比不上低级动物，在负向的方面可能会比低级动物更恶劣。

人们忙啊，忙得顾不上生活、健康和亲人，可这样忙碌，运转的又是什么程序呢？是在运用自己的有限知识和经验吗？有多少人能运用自己那包含万法的自性呢？

人们追求了那么多，有谁将"成佛"设定为自己的人生目标？

【境界】

明白了禅宗的纲领，我们就会知道，学习了很多，思考了很多，积累了很多，有时候反而会阻碍人的心智成长。所以，才有老子"为学日益，为道日损。损之又损，以至于无为，无为而无不为"的修道模式。

佛无南北：人有南北之分，佛性本无南北。

【缘起】

这是惠能初见五祖弘忍大师时，面对祖师犀利的考问所做出的回答。

【审心】

想想我们自己，平时看人说事，基本上也都是二分的，要么分南北，要么分你的我的，要么分黑的白的，要么分对的错的。这种二分法人为地将我们所面对的世界撕裂，使我们心中生出了与外界无穷无尽的对立与冲突。

【真意】

南北之分，只是人类个体站在地球上某一个位置时所下的定义。若是到了太空中，谁还能说出地球上的南北呢？由此可见，南北之说，只是人类自身的概念，是帮助人类生活的工具，而非客观事实本身。

五祖考问惠能，就用了世俗人的角度，以南北之说考验其心智模式。利根的惠能，没有落入考问的"圈套"，而是直接破除世俗概念的藩篱，破除了人为主观上的"语相"，直接走到梵界思维的高度，说出了"佛性本无南北"的名言。

【境界】

是啊，智慧只有一条路：人的主观能否符合客观，人的心智能否在寂静状态下接通万物。在这样的模式中，哪里还有什么南北东西之别呢？现实中，南北的说法只是一种表面形式，而从高级智慧层面看，东西南北中，皆只有一个本质，万法归一。凡是"二"分的，都是表面现象或者人为的主观的说法，而非本质。

有相之偈：身是菩提树，心如明镜台。时时勤拂拭，勿使惹尘埃。

【缘起】

这是神秀大师所做的《有相偈》，是应五祖的要求而做的。

【审心】

这个偈语深受一些信众的欢迎，他们觉得很实用，越想越觉得有道理，于是，在俗世中得到了广泛传播。

同时，神秀的这首偈语也受到了很多诟病，认为其只能帮人小修行。若是一直用这样的方法修行，还可能被困住，无法获得真正的觉悟。

于是就出现了两种错误倾向：一种认为，《有相偈》所揭示的是红尘中修行的必备法门，离开了这种渐修模式，修行就是空中楼阁。另一种认为，作者神秀没有见到自性，故而偈语是没有价值的。

【真意】

实际上，人们可能忘了，五祖对《有相偈》的评价是很高的："但留此偈，与人诵持。依此偈修，免堕恶道。依此偈修，有大利益。"

可见，五祖认为，以自己的身心作为自观和修行的对象，时时修正，是可用的修行方法。虽然此偈的作者没有悟见自性，但对于众多修行者来说，依此偈修行仍是十分有益的。只是，若只停留在这个层面，就很难跃升到悟见自性的智慧高度。

【境界】

当我们学会了禅的思维模式时，就能知道：神秀之《有相偈》与惠能之《无相偈》并不是简单对立或者完全互相排斥的关系，《有相偈》可启迪一般人，《无相偈》可引上乘根性者直入佛地。

坛经心读：品真性妙美

修行也许因此会有几种问题：

第一种是所有修行者只按照《有相偈》来修行，修小乘者定有所获，但修大乘者也必有大失。

第二种是修小乘者按照《无相偈》来修，最终也变成了有相。

第三种是用俗心定位，修行者自己选错了方法与路径：若是根性钝者误以为自己根性利，从而选择"无相"修法，可能因为越过了"有相"而空忙一场。若是根性大利者误以为自己根性很钝而选择了"有相"的修法，拒绝"无相"的修法，就会耽误修行。

理解这些可能出现的问题至关重要，否则，修行可能就会陷入错误而不自知，用"二"的世俗思维来评说禅师禅理。若是这样，就与学禅修禅渐行渐远了。

无上菩提：须得言下识自本心，见自本性。不生不灭，于一切时中，念念自见，万法无滞，一真一切真，万境自如如。如如之心，即是真实。若如是见，即是无上菩提之自性也。

【缘起】

这是五祖看到神秀写的《有相偈》之后，将神秀叫到自己的禅房进行专门教化时，有针对性地为神秀解读"无上菩提"的智慧形态。

【审心】

神秀跟着五祖修行了那么多年，还停留在"有相"的阶段，好比一个人上学十年，还在小学五年级。

不过，我们不用去笑话神秀，因为五祖座下那么多弟子，跟随师父那么多年，又有谁领悟五祖东山法门的真谛呢？

至于五祖给神秀讲的"本心""本性""不生不灭""万法无滞"这样的真经，至今能够真正领悟的人也不会很多吧。

我们看到那些走入外道的修行者，边修边错，前忏后悔，认错不改，刚改又犯。哎呀，这不是瞎折腾吗？

原来，大部分人都是在自我的私念、妄念的绑架下看世界的。肯定有人问：若是没有了私念妄念，人是不是就傻了或者废了？正常的人怎能不进行主观思考呢？由此可见，那个真实的世界、自性的世界，对于很多人来说，既无法想象，也难以相信。

既然大部分人没有修行，更没有修得"无上菩提"的境界，那为什么很多傲慢的人也很有成就，也能成为专家呢？原因很简单：

那些人的成就是暂时的、片面的，是用俗人标准判断的结果。

傲慢正好证明了他们的愚蠢，正是他们没有最高智慧的表现。

专家也好，老师也好，许多人在相对弱势的学生面前，才会产生相对的优势，这和获得无上智慧是没法相比的。

【真意】

"无上"即是最高的也是无上无下的真如。"无上菩提"，也就是最究竟的智慧，即无上究竟圆满的智慧，也即是成佛。

"无上菩提"，源自自性本心。当人去除了自身主观的一切妄念，进入空寂境界而又能与万法自性完全合一时，那才是真正的自性无上的智慧。

那是一个神奇的世界，是我们不曾经历的美妙世界，是让人难以相信的世界，是只有发大愿、勤修行、断私念、明师教才有可能达到的境界。那个美妙的世界，是每个人生来具足的，只是我们在红尘中迷失了，所以才会找不到真相和心灵的家。

【境界】

只要个人私念和主观判断不再出来捣乱，让自心能够跟万物的本来面目实现无缝对接，随境而起，随缘而灭，无生无灭，心无所滞，来去自由，无所来也无所去，就有希望进入真正的智慧形态，也就是悟道的生命状态。

莫轻初学：惠能向别驾言，"欲学无上菩提，不得轻于初学。下下人有上上智，上上人有没意智。若轻人，即有无量无边罪"。

坛经心读：品真性妙美

【缘起】

惠能听童子诵读神秀大师的《有相偈》，问明事由后请童子带自己去廊下，又请当时在场的张别驾帮忙，将自己的偈语写上去。张别驾很吃惊，于是提出了质疑；接着第二次吃惊：惠能一番慷慨激昂的陈词，出乎别驾的意料。

【审心】

惠能一番话确实让张别驾吃惊，也让我们吃惊：一个做杂工、不认字的人，怎么会说出这样一番高论呢？而且还那样自信！

我们之所以吃惊，是因为惠能的作为和言论，跟我们所熟悉的知识体系和常规情况不一致：不认字的人，连知识都很少，哪里还能奢谈智慧呢？

【真意】

惠能对张别驾说的话，让人联想起毛泽东同志曾在一份报告上亲笔写下的批语："卑贱者最聪明，高贵者最愚蠢。"

惠能这样一个身份卑微的人，在当时竟然有这般勇气说出这样一番高论，体现了根性利者的独特智慧：无上菩提，无关身份，只关根性。若是以常规思维判断，就会毁人心智，等于犯罪。已有所成的人要特别小心：你可能已经形成了一个关于成功与智慧的思维定式，这个定式会妨碍你接近更高的智慧。

【境界】

不要轻贱自己，要有追求真理与智慧的勇气。

也不要因为世俗成见而轻视他人，只要起心动念，可能就是愚昧的程序在运转，即使你有高贵的身份，也可能会被愚昧的程序耍弄。

总之，自强不息，一生不忘；尊重他人，不存成见。

无相之偈：菩提本无树，明镜亦非台。本来无一物，何处惹尘埃？

行由品第一

【缘起】

惠能的这首《无相偈》是针对神秀的《有相偈》而发的,离开背景去理解,就会犯错。

【审心】

普通人或者外道的修行者,其思维模式往往都是非此即彼、黑白分明、水火不容的。

知道一点禅宗故事的爱好者,面对六祖与神秀两位大师和他们的修行教法,也往往"非此即彼",二选一。

如果有人觉得神秀师父的修行教法很实在,《有相偈》说得很真切。而六祖惠能的《无相偈》显得很高深,但又让人摸不着头脑。你会认为这种看法很愚蠢吗?

如果有人对神秀大师的教法嗤之以鼻,对六祖的教法推崇备至,你会认为这样的人是高人吗?

【真意】

实际上,《有相偈》非常适合广大普通人的小乘修行,而《无相偈》则适合根性利者的大乘修行。

从体系上说,由"有相"到"无相"是一个基本的修行过程,只是不同的人在不同阶段的实际运用中,产生了有相与无相的分别。

好比上学,大部分人要从一年级开始,一年年升级,直至毕业。只有极少数的人,才会在这个过程中跳级,经历完全不同的学习过程、生命历程,并且能达到很高的境界。

【境界】

明白了"有相"与"无相"的关系。人们就不会只停留在"有相"修行的低级阶段,也不会将有相与无相割裂和对立起来,从而不再落入"二"的困局,自然也就不会将南宗简单地说成"顿教",将北宗贬得一无是处。

这才是以禅修禅，这才是禅宗修行的真正境界。

是相皆妄："凡所有相，皆是虚妄。应无所住，而生其心。"

【缘起】

这句名言出自《金刚经》，也是五祖教法非常看重的一个思想。

【审心】

大部分人在红尘中要面对这样的基本事实：

一是人类的感知能力是有限的。若要深入事物的内部，观察其精微和运动变化的规律，就需要依赖外部工具，延伸自己的感知能力。但科学发展到现在，还不具备无限审视的能力。

二是万事万物都有自身的规律，而且独立于人的主观意识之外。改变不了客观规律，人又能怎么办呢？

三是人们在平常生活中养成了依靠现象推断本质、依靠有限信息做全面判断的思维模式。不用这样的模式，还有什么模式可用呢？

四是人类一直在寻求更巧妙的方法、更轻松的生活、更高的效率。可不识本质、抓不到根本，又怎么能找到万事万物的总法门呢？

于是，我们就清楚了，人们受制于有限的主观感知能力，一直活在虚幻的世界。

【真意】

所有的事物之相都只是表面现象，背后必然藏着本质。

从认知规律上说，只有透过现象而不是执着于现象，才能通达事物的本质。

【境界】

让自己的心具有"穿透力"，而不是固执地黏着在某一个时刻的某个现象上，才能悟到事物的本质规律。

这正可对治世俗之人那种"就事论事""听风便是雨""人云亦云"的

思维方式，是一个非常精炼的指导原则。

若能修行破除一切表相，直至万物自性，就能到达大乘觉悟的境界！

何期自性："何期自性，本自清净；何期自性，本不生灭；何期自性，本自具足；何期自性，本无动摇；何期自性，能生万法。"

【缘起】

这五个"何期自性"，是惠能在得到五祖传授衣钵的那个晚上，听到五祖讲解"应无所住，而生其心"这句名言时所发出的感慨，表明他已顿悟。

【审心】

自性？是说本性吗？一般人听到"自性"这类抽象的词汇，往往眉头一皱，满心疑惑。

本性是什么样的？在哪里？听说过"个性""任性""率性"，这"本性"到底是什么呢？是指人性吗？

是啊，很多人也许一辈子都搞不懂，这个概念到底是什么意思，或者对自己有什么用。

【真意】

自性乃万事万物万人万境之自有的本质属性；

自性是人心中与万物大道相通的那种自然能力；

自性本来是清净的，只是后天被主观意念所干扰；

自性是不生不灭的，也就是自在的；

自性本自具足，清净的自性连通着所有万相背后的实相；

自性本无动摇，不像我们的主观意念那样随时都在变动；

自性能生万法，自性能够与万事万物的本质规律相沟通，不需要人的主观意念出来帮忙。

【境界】

惠能顿悟了自性的伟大,得到了五祖的印证和肯定,于是成了禅宗的第六代祖师。

普通人若是能悟自性,就会走上成佛之路。

本心自性:"不识本心,学法无益。若识自本心,见自本性,即名丈夫、天人师、佛。"

【缘起】

这里讲的是学法与本心的关系。

【审心】

人们来到世上,会经历各种各样的学习,吸纳知识,佛教的学法也是一种学习。

不少人学习时,往往就把自己当成一个物理的容器,往里装什么,里面就会有什么,但缺乏消化和吸收的能力。若是装得多了,连自己都搞不清楚装了些什么,就再装新的知识进去,只能更加混乱。

学习就像人吃饭一样,若是前面吃的食物还没有消化,就又吃了些新的,轻则消化不良,重则引发肠胃炎,食物还怎么能够成为生命的营养呢?

【真意】

习惯了世俗思维的人们,万万想不到自心、本心的神奇与伟大,总是错误地以为从外部装进来的才是智慧,殊不知智慧是自本心而生的。

实际上,清净的本心具有一种不可思议的灵性,能够自然通达万事万物的本质规律,只是人们不知道。加上后天形成的成见在不断捣乱,使人们迷失了本心。

【境界】

说到底,智慧生自本心,而非外界。知识和个人思考,不能等同于智慧。后天的修行,就是要把那种后天的积累、个人的欲念去除,让自性的智慧显现出来。如此学法，才真正有益于开启生命智慧，提升自我。

师度自度："迷时师度，悟了自度，度名虽一，用处不同。蒙师传法，今已得悟，只合自性自度。"

【缘起】

来自五祖弘忍与六祖惠能在渡船上的精彩对话，也是六祖回应五祖的一段寓意深刻的禅语。

【审心】

对于普通人来说，坐船渡河时会想到什么？大部分人肯定是想着快点到达彼岸。有人想过这个渡河的过程如同人生吗？

争名夺利、陷于爱恨憎恶的人，会想过百年之后登岸前往何处吗？

在世俗的恩怨情仇中纠结和沉沦的人，想过如何度过人生难关吗？

自己挣扎、愈陷愈深时，有人来度你吗？你想过寻找度自己的人吗？

【真意】

两位祖师在摇橹渡河，这个"渡"就是当时的"相"，被智慧的六祖借机转化成人生之"度"。迷时有师度，是人生中多大的福分啊！觉时自度，多么智慧啊！在不经意的谈话中，祖师们已经揭示了人生真谛。

【境界】

"师父领进门，修行在个人。"五祖既已传法给惠能，后续的过程就是惠能自我教育、自我修行、自我觉醒的终身历程。"迷时师度，悟了自度"，就是对这个过程的精彩总结。你现在是什么样子呢？若是未觉悟，有师父度你吗？若是觉悟了，你能自度和度人吗？

本来面目："不思善，不思恶，正与么时，那个是明上座本来面目？"

【缘起】

这是六祖在南行途中遭遇惠明追赶，等惠明醒悟后，给他的开示。

坛经心读：品真性妙美

【审心】

惠明是谁？就是痴迷不悟的众生，就是争抢名利的我们啊！现实中，许多人都在欲念的驱使下思考和行动，哪里还知道自己真正需要什么！哪里知道自己在干什么！哪里还识得自己的真实面目！不识本心，就做判断、付诸行动，到底是谁在思考和行动？

【真意】

惠明赶来争抢衣钵，这个行为是其俗念驱动的，并非其本心所为，是本心迷失时的蠢行。

当惠明意识到自己的错误并向六祖请法时，六祖引导他"不思善，不思恶"，让自己的本心恢复清净。此时再看自己，也许才会发现自己的本来面目。

原来，红尘中生活的人都有两个"我"：一个本心之"真我"，一个被后天莫名其妙的力量驱动的"假我"。

对于修行者来说，又有第三个我：一个借助祖师功力、观察和修理自己的"假我"，进而恢复成"真我"的"修行我"。但修行者也要小心，别让"修行我"变成"假我"的一部分，不要只表现出修行的姿态，却一直不能进入本心。

【境界】

不修行的众生只会在"真我"与"假我"的鏖战中挣扎和沉沦。这就如同借船过河的人，本意是到达对岸，坐在船上却一直不向对岸前进，船只是在河中打转和漂浮。

修行到大乘境界，自然就自性展开，"假我"消失而无所求，"修行我"完成使命而融入灵性，只有"真我"的自性与天地共同自在地运行。

密在何处：惠能云，"与汝说者，即非密也。汝若返照，密在汝边"。

【缘起】

六祖引领追赶自己、欲抢夺衣钵的惠明，去观察真我的面目，惠明似乎领悟了。可是，却又问了一个很有意思的问题："上来密语密意外，还更有密意否？"

【审心】

实际上，经过六祖的开示，惠明刚看到了一线光明，内心并没有被真正地照亮，所以才又问出傻问题，就像我们初学功夫时，总想让师父教点绝招。

平时学习也是一样，老师问：明白了吗？学生答：明白了。实际上，这个"明白"是学生基于自己对老师话语的理解而言的，哪里是老师那种层次的明白呢？此明白非彼明白，亦非真明白。

【真意】

六祖坦率地告诉惠明，既然跟你说了，就没有保留，也没有秘密。

若是能够返照自心，就能发现那个不是秘密的秘密——自性。只是惠明还没有转到自性上，所以还在寻找所谓的秘法。

【境界】

外在皆是幻相，唯有心性是真。

自性能包含万法，这就是很多人不知道的人生最大的秘密。

若是到心外去求所谓的"密法"，就是走上了迷途。

一旦真正明白了，还会向外求吗？自性万有！回心无求！

吃肉边菜：惠能与猎人一起生活，每至饭时，以菜寄煮肉锅。或问，则对曰，"但吃肉边菜"。

【缘起】

六祖十几年与猎人为伍，吃饭就成了大问题。实在没别的办法，才有了"但吃肉边菜"。

【审心】

有人心有疑虑：这是否违反佛家修行的戒律呢？毕竟"肉边菜"跟肉

离得太近了。

【真意】

看了以下的分析，也许这种疑虑就会消失。

一是素食只是佛教传入中国后才出现的戒律，并非佛教原本就有的。戒律只是促使人对待其他生命的态度与做法，向着慈悲众生的新生命观"变轨"的一种推动力量，是觉悟的基础条件而非觉悟的本质。好比以筷夹菜，吃菜不吃筷，正是此理。

二是吃肉边菜的做法，只是在惠能与猎人为伍的特殊情境下出现的。惠能大师的四代弟子丹霞天然禅师，有这样一段公案：

后于慧林寺遇天大寒，取木佛烧火向，院主呵曰："何得烧我木佛？"师以杖子拨灰曰："吾烧取舍利。"主曰："木佛何有舍利？"师曰："既无舍利，更取两尊烧。"正所谓："金佛不度炉，木佛不度火，泥佛不度水，真佛内里坐。"

三是体现禅宗所一贯强调的重点与核心：追求突破外在之相的内在解脱，而非一味地停留在外在现象的层次。

【境界】

用戒律来帮助自己转换生命的轨道，一旦完成对自性的领悟，就破除了一切相的限制和阻碍，也就不会刻意地去破解和守戒，正如维摩诘居士那样，在红尘诸相中保持洒脱，获得解脱。

仁者心动：时有风吹幡动，一僧曰风动，一僧曰幡动，议论不已。惠能进曰，"不是风动，不是幡动，仁者心动"。

【缘起】

六祖到达广州法性寺时，遇到两个僧人正在就风动还是幡动进行争论，才有了六祖的"仁者心动"之禅语妙言。

【审心】

风幡之相，很多人见过，或者见过类似的。

这本来是个纯粹的自然现象，那和尚们又在争论什么呢？

也许有人会认为，这纯粹是出家人没事干，进行没有意义的闲扯。

俗人每天经历那么多事，多年下来要思考数不尽的事，又有几人能借万物万象来参透世间的真谛呢？

【真意】

而修行者就是要借助生活中熟悉的万事万物，参透其本质，观察"假我"捣乱扰心的真相，进而呈现自己的本心。

风动还是幡动？之所以出现争论，原来是自己的俗心在动，而不是本心的呈现。

俗心一动，就会起争执，无非是想证明自己的正确，可万事万物的大道就在那里，若不静心领悟客观的大道，听凭主观驱使，又能干出什么好事？

【境界】

六祖的一句"仁者心动"，直接击中这个争论的要害。

当清净的本心主导人的心智时，怎么还会有主观上的争论呢？

在红尘中，两个人若是以主观对主观，必然发生争执。若能有一方领悟对方的生命状态、阶段和背后的程序，直接深入内里，就不会停留在表面上的争执。当然，若是两个人都进入自性状态，则不会争执。若有争执，必是未觉之俗心在作怪捣乱。

佛法不二：惠能曰，"指授即无，惟论见性，不论禅定解脱""为是二法，不是佛法，佛法是不二之法""善根有二：一者常，二者无常，佛性非常非无常，是故不断，名为不二；一者善，二者不善，佛性非善非不善，是名不二。蕴之与界，凡夫见二，智者了达其性无二，无二之性即是佛性"。

坛经心读：品真性妙美

【缘起】

六祖的这段妙论，是为回答印宗法师关于禅定解脱的问题。你看，连印宗法师这样修成有成的人都会遇到这样的问题，更何况红尘中的芸芸众生！

【审心】

红尘中的修行者，无论追求禅定还是解脱，都是在为自己求，还是私欲在驱动。

以私欲求无上智慧，犹如"用脏水洗衣服"，是有为法。也就是说，什么禅定，什么解脱，都是在围绕自己的私心私利转。

因为有求，给自己增加了俗念。于是，心就多了一份负担，清净多了一丝尘埃，焉能直入佛地？

这样的有为法，这样的二分对立思维，就会在自己心中制造出与外界的两极对立，自认为有理，却不断产生苦恼。

【真意】

执着于禅定解脱、有常无常、善与恶这种红尘中的主观概念，必然会落入将任何事物进行人为拆分的"二"的困境，就会强化自心中那种制造痛苦与烦恼的程序。

"二"最可怕的地方在于，人总以为这就是有理和正确的，于是自苦不断。

直指背后的真相，才是真正的解脱。这就是苦根，也是解脱的机缘。

【境界】

真正的智慧，只有万事万物自性的一个答案，不是"公说公有理、婆说婆有理"，也不是过程中那种"百花齐放、百家争鸣"，而是直达事物本质的至高智慧，也是事物本身的唯一真相。

掌握了真相，就如同掌握了万法密钥，这才是自在自如的生命状态。一即一切，一切即一，一即道，道唯一。

本品总评

"行由"即惠能的来历,"品"相当于章、节。行由品第一就是第一品,道出了惠能觉悟的始末。

六祖一开始就提出:"菩提自性,本来清静,但用此心,直了成佛。"这句话很关键,六祖所演说的顿教法门的总纲,一部坛经,讲的就是直指人心,见性成佛。菩提自性就是佛性,人人本具,而且本自清静无染。因无明覆盖,迷而不觉,妄执分别,所以不能了见自性的本来面目,也不能证得自性本自具足的智慧德性。

由此可见,众生与佛的不同之处,就在于心的迷与悟。心若背觉合尘,就是众生,就是凡夫;心若背尘合觉,就是佛。所以六祖说:菩提自性,本来清静,但用此心,直了成佛。

原来,正法的传授,根本没有什么秘密可言,密付的只不过是众生本具的妙心,单传的也只不过是众生本具的自性。六祖说得清清楚楚,法则以心传心,皆令自悟自解。

般若品第二

本品以六祖应韦使君请益所做的回答为主线,讲解了"摩诃般若波罗蜜多"这一禅宗第一智慧大法。故名"般若品"。

本品主题

- 为何"摩诃般若波罗蜜多"是禅宗第一大法?
- 提出了修行般若智慧的"无念法",同时指出,要小心"无记空"与"边见"。
- 倡导"口念心悟体行"的智慧修行要诀。

人间惑问

- 六祖升坛开讲,为何先让人们静心念"摩诃般若波罗蜜多"?
- 总听说"般若之智,本自有之",我怎么看不见呢?
- 世间愚人智人,六祖说他们的佛性没有分别,那佛性在哪里?如何看到呢?
- 为何六祖提醒人们不要总是口诵经文?
- 人真的能够通过大智慧,让自己到达人生的彼岸吗?
- 六祖说"自性真空",为何又提醒人们不要着"无记空"呢?
- 祖师说,自性中包含着世间的一切,我怎么就理解不了呢?难道我要的金钱地位,自性里都有吗?
- 六祖说,"一切即一,一即一切,去来自由,心体无滞"即是般若智慧，世间有万象，怎么会是"一"呢？

❀ 六祖说"般若无形相"，那又怎么认识智慧呢？给人感觉很玄，也很难把握。

❀ 总听说彼岸，此岸又在哪里？为何要到彼岸去？

❀ 都说修行要念经，念经能成佛，可我见过那么多念经的人，他们怎么没有成佛呢？

❀ 有句话好多年都不明白，"凡夫即佛，烦恼即菩提"。我认为凡夫即俗人，怎么会是佛呢？烦恼即烦恼，又怎么会是菩提呢？

❀ 诵读《金刚经》就能了悟佛性吗？我听到很多人念诵《金刚经》，好像也没看到他们悟见佛性。

❀ 《金刚经》适合所有的人诵读吗？

❀ 大根器和小根器到底有什么区别？有了区别，是不是又落入"二"分了呢？

❀ 我看到很多学佛的人总在忙着为自己祈福消灾，这是正道还是外道？若是有了正道和外道的分别，是不是有违"不二"的原则？

❀ 听说过"一念迷即是众生，一念觉即是佛"，总觉得过于神奇，这"一念"指的是什么呢？

❀ 六祖说"若识自性，一悟即至佛地"，看来到达佛地也没有多难。当然，要识自性，可这自性又是什么呢？怎么这么神奇？

❀ 听说过"无念"法门，人若是"无念"，不就傻了吗？

❀ 祖师又说，"若百物不思……即名边见"，刚刚讲了"无念"，现在又说"边见"，到底怎样才是对的？

❀ 我也知道"六识""六门"和"六尘"，这不都是修行者要破除的吗？如何来去自由而无染杂？

❀ 有时会遇到一些传教的人，搞得人很不舒服，总有被洗脑的感觉，弘法布道应该是这样的吗？

内容解读

【原文】解说禅宗第一智慧大法

次日，韦使君请益。

师升座，告大众曰：总净心念"摩诃般若波罗蜜多"。

复云：善知识！菩提般若之智，世人本自有之，只缘心迷，不能自悟，须假大善知识，示导见性。当知愚人智人，佛性本无差别，只缘迷悟不同，所以有愚有智。吾今为说摩诃般若波罗蜜法，使汝等各得智慧，志心谛听，吾为汝说。

善知识！世人终日口念般若，不识自性般若，犹如说食不饱。口但说空，万劫不得见性，终无有益。

善知识！"摩诃般若波罗蜜"是梵语，此言大智慧到彼岸。此须心行，不在口念。口念心不行，如幻如化，如露如电。口念心行，则心口相应。本性是佛，离性无别佛。何名摩诃？摩诃是大，心量广大，犹如虚空，无有边畔，亦无方圆大小，亦非青黄赤白，亦无上下长短，亦无嗔无喜，无是无非，无善无恶，无有头尾。诸佛刹土，尽同虚空。世人妙性本空，无有一法可得。自性真空，亦复如是。

善知识！莫闻吾说空，便即著空，第一莫著空；若空心静坐，即著无记空。

善知识！世界虚空，能含万物色像，日月星宿，山河大地，泉源溪涧，草木丛林，恶人善人，恶法善法，天堂地狱，一切大海，须弥诸山，总在空中。世人性空，亦复如是。

善知识！自性能含万法是大，万法在诸人性中。若见一切人恶之与善，尽皆不取不舍，亦不染著，心如虚空，名之为大，故曰摩诃。

善知识！迷人口说，智者心行。又有迷人，空心静坐，百无所思，自称为大。此一辈人，不可与语，为邪见故。

善知识！心量广大，遍周法界。用即了了分明，应用便知一切。一切即一，一即一切，去来自由，心体无滞，即是般若。

善知识！一切般若智，皆从自性而生，不从外入，莫错用意，名为真性自用。一真一切真。心量大事，不行小道。口莫终日说空，心中不修此行。恰似凡人自称国王，终不可得，非吾弟子。

善知识！何名般若？般若者，唐言智慧也。一切处所，一切时中，念念不愚，常行智慧，即是般若行。一念愚即般若绝，一念智即般若生。世人愚迷，不见般若。口说般若，心中常愚。常自言我修般若，念念说空，不识真空。般若无形相，智慧心即是，若作如是解，即名般若智。

何名波罗蜜？此是西国语，唐言到彼岸，解义离生灭。著境生灭起，如水有波浪，即名为此岸；离境无生灭，如水常通流，即名为彼岸，故号波罗蜜。

【关键字词】

[摩诃般若波罗蜜多] 即佛教大智慧到达彼岸之意。

[无记] 佛教术语，所谓三性之一，事物的性体不可记为善，也不可记为恶。

[须弥] 即须弥山，佛教认为大千世界中每一个世界都有须弥山，此世的须弥山就是喜马拉雅山。

[西国语] 指印度的语言，即梵语。

【释义】

第二天，韦使君前来请惠能继续说法。

惠能大师登坛就座，对大众说：大家让心灵清净，然后念颂"摩诃般若波罗蜜多"。

又说：善知识们，菩提般若的智慧，世人本来自身都具有，只是由于心被迷惑，不能自己觉悟，这才需要更高智慧的人予以开导启示，来认识佛性。要知道，愚蠢的人或智慧的人，他们的佛性其实并没有差别，只是因为在迷惑和觉悟方面有所不同，才会有的愚蠢，有的智慧。我现在为大家解说摩诃般若波罗蜜法，让你们各自都获得智慧，诸位要专心致志地听，我现在要讲了。

善知识们，世人整天口里念诵着般若，却不认识自身本性的般若，这就好比老是在嘴里念叨食物的名称，是不能真正吃饱的，只是口头不停地说空，就是经历千万劫数也不会受益的。

善知识们，"摩诃般若波罗蜜多"是梵语，汉语的意思是有大智慧，能到达彼岸。这是需要用心体会的，不在于口里念叨。只是口里空念而不用心体会是不行的，那就像梦幻、虚妄，像露水、闪电。口里念诵，心想力行，那就能心和口相应。人的本性就是佛，离开了人的本性，就没有其他的佛。什么叫摩诃？摩诃就是大，人的心胸度量之广大，就像虚空一样，没有边际，也没有方圆大小，既不是青黄红白，又没有上下长短，没有恼怒，没有欢喜，没有是也没有非，没有善也没有恶，没有头也没有尾，诸佛的净土就像虚空一样无处不在。世人的灵妙本性本来就是空，并没有一种法则可以得到。所谓自我本性乃是真空，也是这个意思。

善知识们，不要听我讲空，你们就执着于空，第一重要的是不要执着于空。如果执着于空而坐禅，那就会落入无记空的境地。

善知识们，世界本身是虚空的，这样才能容纳万物万象，日月星宿，山河大地，泉源溪涧，草木丛林，恶人善人，恶法善法，天堂地狱，一切大海大洋，众多的须弥山，都在这虚空之中。世人的本性虚空，也像这个样子。

善知识们，自己的本性中能包含万种佛法，这就是大，万种佛法就在每个人的本性中。如果我们看到一切人的恶或善，都既不接近也不舍弃，也不受沾染和影响，让心保持虚空，这就可以称为大，所以叫摩诃。

善知识们，迷惑的人只用嘴说，智慧的人却能用心体会。还有一种迷惑的人，心中只执着于空而枯寂静坐，一点也不用心思考，还自称为大。像这样的人，不必和他们谈讲，因为他们的见识是偏邪的。

善知识们，心的度量十分广大，可以进入无所不包、无所不到的万有境界。心的作用是了了分明的，运用它就能知晓一切。一切就是一，一就是一切，去和来都很自由，心的本质在于无阻无滞，这就是般若。

善知识们，一切般若智慧，都从自己的本性中生出来，而不是从外边来的，不要用错了心思，这就叫真实的本性自己来修行。只要一个真，那就一切都真，心的修行是大事，不能用小聪明，投机取巧。不要整天嘴上说着空，心里却不能体会，那就像凡俗之人自称是国王，终究不可能实现。这种人可不配做我的弟子。

善知识们，什么叫般若？般若在汉语中是智慧的意思。在一切地方，在一切时刻，在每一个心念中都不愚蠢，总是以智慧来处理一切事情，这就是修行般若。有一个念头愚蠢，般若就断绝了；有一个念头智慧，般若就产生了。世俗之人太愚昧迷惑，不能认识般若，嘴里说着般若，心里面却总是很蒙昧，经常自我夸耀说在修行般若，每个念头都执着于空，却不能认识真正的空。般若是无形无相的，就是智慧心，能够这样理解，就叫般若智慧。

什么叫波罗蜜？这是印度话，汉语的意思是到达彼岸，它表达的意义是，离开生又离开死，从而获得解脱。如果执着于世俗境界，就会有生和死的概念，就像水有波浪一样，有了生死观就叫此岸；离开了世俗境界，就没有了生死观，就像水永远在流动，就叫彼岸，这就叫波罗蜜。

【导读】

- 韦使君请法：次日，韦使君前来请惠能继续说法。
- 大师登坛就座：开讲前，大师让大众念颂"摩诃般若波罗蜜多"。
- 大师说法：
  - 首先，世人自身皆有菩提般若的智慧，只是心被迷惑，无法自己觉悟，需要有更高智慧的人开导。
  - 其次，人不论愚蠢还是智慧，佛性都没有差别，不同在于迷惑还是觉悟，导致有的人愚蠢、有的人智慧。

坛经心读：品真性妙美

❀ 解说摩诃般若波罗蜜法：让人人都获得智慧。

❀ 口念无益：口念般若，却不识自身本性的般若，如同嘴里总念叨着食物名称，是不能真正吃饱的。

❀ 解读"摩诃般若波罗蜜多"：

- 摩诃般若波罗蜜多是梵语，汉语的意思是有大智慧、能到达彼岸。
- 要用心体会的，不能只念叨，心口不一，如同梦幻、虚妄，像露水、闪电。口里念诵，心想力行，那就能心口相应。
- 人的本性就是佛，离开人的本性向外求佛是徒劳的。
- 什么叫摩诃？摩诃就是大，没有边际，也没有方圆大小，既不是青黄红白，也没有上下长短，没有恼怒，没有欢喜，没有是也没有非，没有善也没有恶，没有头也没有尾，诸佛所在的净土就像虚空一样无所不在。自己的本性中能包含万种佛法，这就是大。如果我们看到一切人的善或恶，都既不接近也不舍弃，也不受沾染和影响，让心保持虚空，这就可以称为大，也就是摩诃。
- 世人的灵妙本性本来就是空，并没有一种法则可以得到。所谓自我本性乃是真空，也是这个意思。
- 听我讲空，不要执着于空。如果执着于空而坐禅，那就会落入无记空的境地。
- 世界虚空，却包罗万物万象，日月星宿，山河大地，泉源溪涧，草木丛林，恶人善人，恶法善法，天堂地狱，一切大海大洋，众多的须弥山，都在这虚空之中。虽说是虚空，却包罗万象。

❀ 两种迷惑的人：一种迷惑的人是只用嘴说，而智慧的人用心体会。另一种迷惑的人是心中执着于空而枯寂静坐，一点也不用心思考，还自称为大。像这样的人，不必和他们谈讲，因为他们的见识是偏邪的。

❀ 心的度量，广大而万能：

- 无所不包：可以进入无所不包、无所不到的万有境界。
- 无所不晓：心的作用是了了分明的，运用它就能知晓一切。一切就是一，一就是一切。

- 来去自由：心的本质在于无阻无滞，这就是般若。
- 慧在本性：
  - 智慧自在：一切般若智慧，都从自己的本性生出，而不是从外边来的，不要用错了心思。
  - 真实修行：只要一个真，那就一切都真，心的修行是大事，不能用小聪明取巧。
- 般若智慧：
  - 什么叫般若？这是梵语，汉语叫智慧。
  - 般若智慧：般若是无形无相的，就是智慧心，能够这样理解，就叫般若智慧。
  - 什么是修行般若：在一切地方，在一切时刻，在每一心念中都不愚蠢，总是以智慧来处理一切事情，这就是修行般若。
  - 愚蠢般若不兼容；一个念头愚蠢，般若就断了；一个念头智慧，般若就产生了。
  - 空说不是般若：世俗之人嘴里说着般若，心里面却很蒙昧，自我夸耀说在修行般若，每个念头都执着于空，却不能认识真正的空。
  - 什么叫波罗蜜？汉语的意思是到达彼岸，它表达的意义是，离开生又离开死，从而获得解脱。有了生死观就叫此岸；离开了世俗境界就没有了生死观，就叫彼岸，这就叫波罗蜜。

【赏析】

开坛静心：念诵"摩诃般若波罗蜜多"，即"大智慧度人到彼岸"。俗人总是心不静时开始做事，于是就把混乱带到事中，事事产生混乱，自己却不知缘由。

佛就是人的本性，智慧人人自有：只是心迷，如浮云遮日，外求是邪途，离开本性觉悟向外求佛即是愚痴。看世间众生，烧香拜佛，祈求福报，唯独不问自心是否干净。如此作为，即是愚痴的表现。须知心外无佛！

愚智本质：人有愚智之分，佛性无别，差别在于迷惑还是觉悟。若是明了这一点，破除自己的迷惑，人人都可以让佛性显现。

解说摩诃般若波罗蜜法：汉语的意思是有大智慧，能到达彼岸。要注意，用心体会，不能总是用口说。要想用大智慧脱离苦海和生死轮回，唯有口念心会，处处践行，点点滴滴无所遗漏，才是成佛。

摩诃就是大：没有边际，无所不包，无处不在。唯有保持空灵状态，方可对接无限的智慧。现实中，有些人总是运用自己有限的知识、经验，固守自以为是的念头，岂不知，已经将自己锁死在狭隘的小我中。

小心"无记空"陷阱："空"是说去除自我的欲念，打开生命，回归无限宇宙，自我虚空但对接万有。现实中有些修行者，只知道去除念头，却不知道敞开生命，无所分别、无有评判、无有喜好地去接纳一切，空来空去。这样的人往往目光呆滞，表情刻板，犹如活死人。

领悟般若智慧：一切不思，心无一念，来去自由，无所挂碍，来者不拒，去者不追。入境不着境，永远保持心灵清净，即是般若智慧。处处如此，事事如此，绝无间断，即是般若修行。世人的错误就在于遇事即评判，实际上是私念在作怪；恩情会忘记，仇恨却长存心间；过时的经验一直出来捣乱，却置现实具体情况于不顾，真糊涂。可见，具体问题具体分析有多么重要。

脱离生死到彼岸：波罗蜜的意思是到达彼岸，就是离开生又离开死，从而获得解脱。有了生死观就叫此岸；离开了世俗境界就没有了生死观，就叫彼岸，这就叫波罗蜜。世人无不乐生而恶死，但实际上，人从出生起就在一天天走向死亡，又有谁能阻挡？世人皆迷惑，以为死亡可怕，实际上，死亡也意味着新的生命诞生，犹如上学时升到一个新的学校。只是要小心，如果学习不好，可能就会升到一个比较差的学校。

【原文】借般若法，修般若行，了悟自性，直入佛地

善知识！迷人口念，当念之时，有妄有非。念念若行，是名真性。悟此法者，是般若法；修此行者，是般若行。不修即凡，一念修行，

自身等佛。

善知识！凡夫即佛，烦恼即菩提。前念迷即凡夫，后念悟即佛。前念著境即烦恼，后念离境即菩提。

善知识！摩诃般若波罗蜜，最尊最上第一。无住无往亦无来，三世诸佛从中出。当用大智慧，打破五蕴烦恼尘劳，如此修行，定成佛道，变三毒为戒定慧。

善知识！我此法门，从一般若生八万四千智慧。何以故？为世人有八万四千尘劳。若无尘劳，智慧常现，不离自性。悟此法者，即是无念。无忆无著，不起诳妄，用自真如性，以智慧观照。于一切法，不取不舍，即是见性成佛道。

善知识！若欲入甚深法界及般若三昧者，须修般若行，持诵《金刚般若经》，即得见性。当知此经功德，无量无边。经中分明赞叹，莫能具说。此法门是最上乘，为大智人说，为上根人说。小根小智人闻，心生不信，何以故？譬如天龙下雨于阎浮提，城邑聚落，悉皆漂流，如漂草叶。若雨大海，不增不减。若大乘人，若最上乘人，闻说《金刚经》，心开悟解，故知本性自有般若之智，自用智慧，常观照故，不假文字。譬如雨水，不从无有，元是龙能兴致，令一切众生、一切草木、有情无情，悉皆蒙润。百川众流，却入大海，合为一体。众生本性般若之智，亦复如是。

善知识！小根之人闻此顿教，犹如草木根性小者，若被大雨，悉皆自倒，不能增长。小根之人，亦复如是。元有般若之智，与大智人更无差别，因何闻法不自开悟？缘邪见障重，烦恼根深，犹如大云覆盖于日，不得风吹，日光不现。般若之智亦无大小，为一切众生自心迷悟不同。迷心外见，修行觅佛，未悟自性，即是小根；若开悟顿教，不执外修，但于自心常起正见，烦恼尘劳，常不能染，即是见性。

善知识！内外不住，去来自由，能除执心，通达无碍。能修此行，与般若经本无差别。

善知识！一切修多罗及诸文字，大小二乘，十二部经，皆因人置，因智慧性，方能建立。若无世人，一切万法本自不有，故知万法本自人兴。一切经书，因人说有，缘其人中有愚有智，愚为小人，智为大人。愚者问于智人，智者与愚人说法，愚人忽然悟解心开，即与智人无别。

善知识！不悟即佛是众生；一念悟时，众生是佛。故知万法尽在自心，何不从自心中，顿见真如本性？

《菩萨戒经》云：我本元自性清净，若识自心见性，皆成佛道。《净名经》云：即时豁然，还得本心。

善知识！我于忍和尚处，一闻言下便悟，顿见真如本性。是以将此教法流行，令学道者顿悟菩提，各自观心，自见本性。若自不悟，须觅大善知识，解最上乘法者，直示正路。是善知识有大因缘，所谓化导令得见性。一切善法，因善知识能发起故。三世诸佛、十二部经，在人性中本自具有，不能自悟，须求善知识，指示方见。若自悟者，不假外求，若一向执谓须他善知识望得解脱者，无有是处。何以故？自心内有知识自悟。若起邪迷，妄念颠倒，外善知识虽有教授，救不可得。若起正真般若观照，一刹那间，妄念俱灭。若识自性，一悟即至佛地。

【关键字词】

[三世] 过去、现在、未来。

[三毒] 指贪、嗔、痴，佛教认为这是人生烦恼的根本原因。而戒、定、慧，称为三学，是针对三毒的解药。

[阎浮提] 梵语音译，意译是南赡部洲。阎浮，本为树名，因此洲多生此树，故以之为名。

[菩萨戒经]《梵网经》中的"菩萨心地戒品第十"，共两卷。

[净名经]《维摩诘经》的另一个名称。

【释义】

善知识们，迷惑的人只在嘴里念诵佛法，念诵的时候，却充满了妄想是非之心。如果能又念诵又能践行，那就叫真正的佛性。悟到这个方法的，就是般若法；照这样修行的，就是般若行。不这样修行的，就是凡俗之人。只要有了这种修行的念头，那他就和佛一样了。

善知识们，凡夫就是佛，烦恼就是菩提。前一个念头迷惑了，就是凡夫；后一个念头觉悟了，就是佛。前一个念头执着于世俗境界，就是烦恼；后一个念头离开了世俗境界，就是菩提。

善知识们，摩诃般若波罗蜜，是最尊贵的至高无上的第一的佛法。无住，无往，无来，过去、现在和未来三世的诸佛都是从这里产生的。应当运用大智慧打破五蕴烦恼尘劳，如果这样修行，一定能修成佛道，使贪、嗔、痴三毒变成戒、定、慧。

善知识们，我的这个法门，从一个般若中能生出八万四千种智慧。是什么原因？因为世人有八万四千种世俗烦恼，如果没有世俗烦恼，智慧就会经常出现而不离开自己的本性。觉悟了这种佛法的人，就没有妄念，没有回忆也没有执着，不会产生怪诞狂妄的念头，而是运用自己的真如佛性，用智慧观照一切。对于一切佛法，既不贪求，也不舍弃，这样就认识了人的本性并成就了佛道。

善知识们，如果要进入很深的佛法境界以及般若三昧的境界，就必须修习般若行，坚持诵读《金刚般若经》，就能认识佛性。要知道这部经典的功德，那是无量无边的。在经典中已经很明白地赞叹过，不需要具体解说了。这个法门是最上乘的，是为有大智慧的人说的，是为有大根器的人说的。而小根器、小智慧的人听了后，心中却不相信。为什么呢？这好比天龙在阎浮提降暴雨，城镇村落都会在雨水中浸淫损坏，好像草木漂流一般；但雨落到大海里，大海却不增也不减。如果是那些具有大乘智慧的人，具有最上乘智慧的人，听了讲说《金刚经》，就会心窍大开，觉悟领会。因此我们知道，人的本性中本来具有般若智慧，自己运用这智慧，经常来观照一切，不需要凭借文字。就像雨水，不是无中生有的，原本是龙能兴云降雨，让一切众生、一切草木、有情的、无情的都受到滋润，百川合流，归入大海，与大海合为一体。众生本性中的般若智慧，也就像这个样子。

善知识们，小根器的人听讲这个顿教法门，就像草木；因为草木根性小，如果遭遇大雨，就会自己倒伏，不能继续生长，小根器的人听讲大法，也是这个样子。其实论及般若智慧，小根器的人和大智慧的人并没有差别，为什么他们听到佛法却不能开窍觉悟呢？那是由于他们邪僻的偏见障碍太重，尘世烦恼太深，就像浓云遮住了太阳，不经过大风吹开云彩，阳光就不会显现。般若智慧也没有大小之别，只是因为一切众生，自己心里的执迷或觉悟是不一样的，迷惑的心总是对外在的东西执着，向外面修行来寻找佛道，而没有觉悟自己的本性，这就是小根器之人。如果领悟了顿教的法门，不执着于心外的修行，只是在自己的心里经常产生正确的见解，各种世俗的烦恼都不会影响沾染，这就是认识了人的本性。

善知识们，不要纠缠于内，也不要执着于外，来去都自由，能排除固执的成见，便能通达无碍。能这样修行，就和般若经典所讲的内容没有差别了。

善知识们，一切经典和文字，大乘教、小乘教、十二部经，都是因人而设的，因为世人有智慧的本性，才能有这些经典。如果没有世人，一切佛法本来就不会有，由此我们知道，一切佛法，都是因为有了人才兴盛起来的；一切经书，都是因为人要讲说才产生的。因为世人有愚蠢的也有智慧的，愚蠢的人像小孩，智慧的人像成年人。愚蠢的人向智慧的人请教，智慧的人给愚蠢的人讲解佛法，愚蠢的人听讲后忽然觉悟开窍，就和智慧的人没有差别了。

善知识们，不觉悟时，佛也是众生；一念觉悟了，众生就是佛。所以我们知道，万种佛法都在自己的心中，为什么不从自己的心中顿悟而认识真如的本性呢？《菩萨戒经》上说，我本来的自性就是清净的。如果能从自己的本心认识佛性，就都可以成就佛道。《净名经》上说，瞬间豁然贯通，还是来自本心。

善知识们，我在弘忍和尚那里，一听他讲佛法，立刻就觉悟了，顿时认识了真如本性。因此我将这种教法宣传流布，让学佛道的人顿悟菩提，各自审视自己的内心，各自认识自己的本性。如果自己不能觉悟，那就需要找更有智慧的善知识，能领悟最上乘佛法的人，直接指示引导正路。这样的善知识与佛法有极大因缘，所谓教化开导，能让人认识到佛性。一切好的佛法，都因为这样的善知识才能起作用。过去、现在、未来的三世诸佛，十二部经典，在人的本性中本来都是具有的，可惜许多人不能自己觉悟，这就需要寻求善知识来指导启示，才可认识。如果本来就能自己觉悟，不需要向外求助，却固执地认为需要其他善知识帮助自己觉悟，那是不对的。为什么呢？因为自己内心本来就有可以觉悟的本性，如果产生了邪僻的偏见，妄想丛生，心智颠倒，那么即使外边有善知识给你教授讲解，也不能从根本上拯救你。如果从内心产生了真正的般若智慧予以观照，在一刹那间，各种妄念偏见就都消除了。如果认识了自己的本性，瞬间觉悟，就可达到佛的境界。

【导读】

- 小心口是心非：迷惑的人嘴里念诵着佛法，心中却充满了妄想是非。
- 般若法般若行：如果能又念诵又能践行，那才叫真正具备佛性。悟到这个方法的，就是般若法；照这样修行的，就是般若行。
- 凡夫就是佛，烦恼就是菩提：前一念迷了，就是凡夫；后一念觉悟了，就是佛。前一念执着于世俗境界，就是烦恼；后一念离开了世俗境界，就是菩提。
- 至高无上第一佛法：摩诃般若波罗蜜，是最尊贵的至高无上的第一的佛法。大智慧打破五蕴烦恼尘劳，使贪、嗔、痴三毒变成戒、定、慧，一定能修成佛道。
- 三世诸佛由何处生：无住，无往，无来，过去、现在和未来三世的诸佛都是从这里产生的。

- 佛道因人而生：从一个般若中能生出八万四千种智慧，因为世人有八万四千种世俗烦恼。
- 如何修行般若行：要进入很深的佛法境界以及般若三昧的境界，就需要修习般若行，坚持诵读《金刚般若经》，就能认识佛性。
- 《金刚经》为大智慧者说：这个法门是最上乘的，是为有大智慧的人说的，是为有大根器的人说的，如暴雨入海，大海却不增也不减。而小根器、小智慧的人听了，心中却不相信，如暴雨入村镇，草木受到冲击，漂流倒伏。
- 为何小根器者难开窍：那是由于邪僻的偏见障碍太重，尘世烦恼太深，就像浓云遮住了太阳，不经过大风吹散云彩，阳光就不会显现。
- 般若智慧无大小：世人之所以有别，只是因为心里的执迷或觉悟是不一样的。
- 迷向外、觉向内：迷惑的心总是执着于外在的东西，向外面寻找佛道，而没有觉悟自己的本性，这就是小根器之人。如果领悟了顿教的法门，不执着于心外的修行，从自己的心里产生正确的见解，各种世俗的烦恼都不会影响沾染他，这就是认识了人的本性。
- 去除内外：真正的般若智慧，不纠缠于内，也不执着于外，来去自由，能除一切成见，通达无碍。
- 佛法因人而说：一切佛法经典，若不是人需要，也就不会存在。
- 智者如成年，愚者如孩童：若是觉悟了，则无愚蠢与智慧之别。
- 万法在心：不觉时，佛是众生；一念觉，众生是佛。既然万法都在自己的心中，就只能从自己的心中顿悟，从而认识真如的本性。
- 自五祖处得悟：惠能在五祖弘忍那里，一听到他讲佛法，立刻就觉悟了，顿时认识了真如本性。于是将这种教法宣传流布，让学佛道的人顿悟菩提，各自审视自己的内心，各自认识自己的本性。
- 能觉自觉，否则求助：能够自觉，就不用向外求助；不能自觉，就要寻找有大智慧的人引路。

【赏析】

第一佛法：摩诃般若波罗蜜，是最尊贵的至高无上的第一的佛法。关键在于：一是大，二是智慧，三是到彼岸。大，是前提，需要走出小我，走出偏见。智慧，即是无思无念，无评无判，消除了一切分别心、偏见心，悦纳一切。彼岸，也就是脱离了世俗的一切观念，心无挂碍，来去自由。

《金刚经》最高智慧：一切修行，皆在破除个人主观之念，在《金刚经》中，佛也没有了，法也没有了，一切相都被破除了，一切主观判断都被删除了，空灵的自性链接了浩瀚无边的宇宙万物，人间还有什么烦恼呢？

凡夫即佛，烦恼即菩提：俗人以为，凡人是凡人，佛是佛，怎能将两者等同呢？烦恼就是烦恼，菩提就是菩提，这两者是不一样的。这就是典型的俗人的知见，犹如将一棵树的"根"与"叶"分开。一旦分开，"根"就是腐根，"叶"就是枯叶，二者一体，分开即死，"根"也非根，"叶"也非叶。"凡夫即佛，烦恼即菩提"也是这样的道理。"凡夫"说的是人之世相，而非实相，其根是"佛"；"烦恼"说的也是俗态，而非真性，其真性则是智慧。若是执着于俗相俗态，以为是真相实相，就形成了障碍，再也无法穿透而获得佛性与菩提智慧。这就是世间的"二"，这就是禅宗的"不二"。

知行合一：口念心悟行验，去除一切思虑、怀疑和犹豫，念念不断，处处一心，合于万物，一切都是对的，处处都是好的，没有了主观判断，没有了好恶，自心归于平静，即入佛地。

小心邪途：修行路很崎岖，岔路多，一不小心即入迷途，如：外求佛法智慧不内观，执于内外不放手，口是心非门外转，只念不行劳无功，自以为是斥正法，犹犹豫豫疑佛缘。

勇结上缘：人生重在悟自性，自性一开花满园。若是难以自觉悟，莫再犹豫结上缘。若是虚荣无师释，门外转的是蠢汉。若要上缘来助你，虔诚一心梦方圆。

【原文】 悟无念智慧，行无念法门，小心无记空井，杜绝愚滞边见

善知识！智慧观照，内外明彻，识自本心。若识本心，即本解脱。若得解脱，即是般若三昧，即是无念。

何名无念？若见一切法，心不染著，是为无念。

用即遍一切处，亦不著一切处，但净本心，使六识出六门，于六尘中无染无杂，来去自由，通用无滞，即是般若三昧，自在解脱，名无念行。

若百物不思，当令念绝，即是法缚，即名边见。

善知识！悟无念法者，万法尽通；悟无念法者，见诸佛境界；悟无念法者，至佛地位。

善知识！后代得吾法者，将此顿教法门，于同见同行，发愿受持，如事佛故，终身而不退者，定入圣位。然须传授从上以来默传分付，不得匿其正法。若不同见同行，在别法中，不得传付，损彼前人，究竟无益。恐愚人不解，谤此法门，百劫千生，断佛种性。

善知识！吾有一《无相颂》，各须诵取。在家出家，但依此修。若不自修，惟记吾言，亦无有益。听吾颂曰：

    说通及心通，如日处虚空；
    唯传见性法，出世破邪宗。
    法即无顿渐，迷悟有迟疾；
    只此见性门，愚人不可悉。
    说即虽万般，合理还归一；
    烦恼暗宅中，常须生慧日。
    邪来烦恼至，正来烦恼除；
    邪正俱不用，清净至无余。
    菩提本自性，起心即是妄；
    净心在妄中，但正无三障。
    世人若修道，一切尽不妨；

常自见己过，与道即相当。
色类自有道，各不相妨恼；
离道别觅道，终身不见道。
波波度一生，到头还自懊；
欲得见真道，行正即是道。
自若无道心，暗行不见道；
若真修道人，不见世间过。
若见他人非，自非却是左；
他非我不非，我非自有过。
但自却非心，打除烦恼破；
憎爱不关心，长伸两脚卧。
欲拟化他人，自须有方便；
勿令彼有疑，即是自性现。
佛法在世间，不离世间觉；
离世觅菩提，恰如求兔角。
正见名出世，邪见名世间；
邪正尽打却，菩提性宛然。
此颂是顿教，亦名大法船；
迷闻经累劫，悟则刹那间。

师复曰：今于大梵寺说此顿教，普愿法界众生言下见法成佛。时韦使君与官僚、道俗闻师所说，无不省悟。一时作礼，皆叹："善哉！何期岭南有佛出世！"

【关键字词】

[三昧] 梵语音译，即息虑凝心，定于一处，进入一种禅定的状态。

[六识] 眼识、耳识、鼻识、舌识、身识、意识。

[六门] 眼、耳、鼻、舌、身、意。

[六尘] 色、声、香、味、触、法。

[边见] 片面的见识。

[三障] 烦恼障、业障、报障。

【释义】

善知识们，达到智慧的观照，就能里里外外都透彻澄明，各种认识都发自本心。如果认识发自本心，就是本质的解脱。如果得到解脱，就是般若三昧，般若三昧，就是无念。

什么叫无念？如果见到一切外界事物，心中都不受污染，就是无念。

运用于任何地方，而又不执着于任何地方，只是让本心清净，让六识从六门中出来，在六尘中无所沾染，来去自由，通达无阻碍，这就是般若三昧，自在解脱，就叫无念行。

如果执意地不思考任何东西，强迫自己断绝念想，那就又会被观念本身所束缚，这就叫边见。

善知识们，能觉悟了无念的法门，就万法都通达了，觉悟了无念的法门，才能见到诸佛的境界，觉悟了无念的法门，就能成佛了。

善知识们，后代能得到我的法门之真谛的人，能继承这顿教法门，和志同道合的人一起修行，发誓愿维护坚持，就像侍奉佛祖一样，终身坚定信仰不改变，这样的人一定会达到圣位。不过要遵循历代祖师以心传心、默默会心的传统，不能隐匿正法。如果不是志同道合者，而是其他的法门，那就不能传授，以免损害前辈立下的规矩。那样的话，恐怕愚蠢的人不能理解，反而诽谤顿教法门，从而衍生各种劫难，使佛的种性断绝。

善知识们，我有一篇《无相颂》，大家都要念诵记取，无论是出家的僧尼还是在家的居士，都要依据这首偈语来修行。如果不自己修行，只是记住惠能说的话，那也是没有益处的。听我念颂：

> 说通及心通，如日处虚空；
> 唯传见性法，出世破邪宗。
> 法即无顿渐，迷悟有迟疾；
> 只此见法门，愚人不可悉。

般若品第二

说即虽万般，合理还归一；
烦恼暗宅中，常须生慧日。
邪来烦恼至，正来烦恼除；
邪正俱不用，清净至无余。
菩提本自性，起心即是妄；
净心在妄中，但正无三障。
世人若修道，一切尽不妨；
常自见己过，与道即相当。
色类自有道，各不相妨恼；
离道别觅道，终身不见道。
波波度一生，到头还自懊；
欲得见真道，行正即是道。
自若无道心，暗行不见道；
若真修道人，不见世间过。
若见他人非，自非却是左；
他非我不非，我非自有过。
但自却非心，打除烦恼破；
憎爱不关心，长伸两脚卧。
欲拟化他人，自须有方便；
勿令彼有疑，即是自性现。
佛法在世间，不离世间觉；
离世觅菩提，恰如求兔角。
正见名出世，邪见名世间；
邪正尽打却，菩提性宛然。
此颂是顿教，亦名大法船；
迷闻经累劫，悟则刹那间。

六祖大师又说：今天在大梵寺讲说这顿教法门，希望所有众生听了之后都能明白佛法而成佛。当时,韦使君和所有官僚以及道者、信佛的俗众,听了大师的讲说,没有不觉悟的,大家都向大师行礼,都感叹:"善哉!真没想到岭南有真佛出世了!"

【导读】

- 何谓无念:知见一切法,心不染著,是为无念。
- 何谓无念行:任由六识从"六门"中进出,任由生命在六尘中来去,却能无所沾染,自由通达,这就是般若三昧,自在解脱,就叫无念行。
- 何谓边见:若是强制自己不进行任何思考,强迫自己断绝念想,就被这种观念本身所束缚了,这就叫边见。
- 虔诚弘法:弘法不得隐匿正法,不得自恃,不得用于个人目的,不得欺骗同道,不得背叛祖师。
- 应人传法:传法布道不要急于求成,不要强求外道,否则自取其辱,也有辱圣门。

【赏析】

无念法门:一切的一切,说的就是去除一切自我欲念、自我认识、自我判断、自我思虑,让空灵的自性显现,即是修行成佛的妙法。说起来,修行就是战胜那个渺小而顽固的小我,就是让自己的真性显现。一切基于小我的主观思考、判断和情感,皆是觉悟的障碍。

无念行:人在红尘,心守正道,行验正道,见诸多世俗之相,看到迷途羔羊乱转瞎撞,顿生慈悲之心,不再气恼怨恨,心灵深处理解和懂得,相处自然圆满而不着染,当是自性的游玩。

小心极端:要么用自己的想法代替外在的一切规律,这是执迷不悟。要么执着于空见,万事不思,一念不起,断绝了一切因缘,此为"无记空""断灭空"。看世俗修行,两极错误有些普遍,人生中有诸多苦难,迷惑就是根源。

弘法传法:修行是人生的终极决定,不能时有时无,也不能形有实

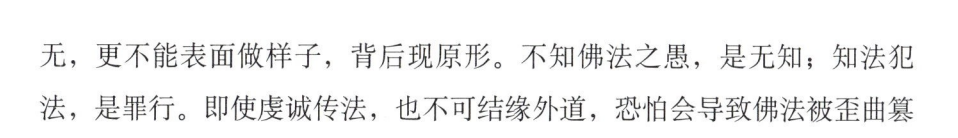

无,更不能表面做样子,背后现原形。不知佛法之愚,是无知;知法犯法,是罪行。即使虔诚传法,也不可结缘外道,恐怕会导致佛法被歪曲篡改,自取其辱,也侮辱了正法和祖师。

经典名言

◎ 总净心念"摩诃般若波罗蜜多"。

◎ 菩提般若之智,世人本自有之,只缘心迷,不能自悟,须假大善知识,示导见性。当知愚人智人,佛性本无差别,只缘迷悟不同,所以有愚有智。

◎ 世人终日口念般若,不识自性般若,犹如说食不饱。口但说空,万劫不得见性,终无有益。

◎ "摩诃般若波罗蜜"是梵语,此言大智慧到彼岸。此须心行,不在口念,口念心不行,如幻如化,如露如电。口念心行,则心口相应。

◎ 本性是佛,离性无别佛。

◎ 何名摩诃?摩诃是大,心量广大,犹如虚空,无有边畔,亦无方圆大小,亦非青黄赤白,亦无上下长短,亦无瞋无喜,无是无非,无善无恶,无有头尾,诸佛刹土,尽同虚空。世人妙性本空,无有一法可得。自性真空,亦复如是。

◎ 莫闻吾说空便即著空,第一莫著空。若空心静坐,即著无记空。

◎ 世界虚空,能含万物色像,日月星宿,山河大地,泉源溪涧,草木丛林,恶人善人,恶法善法,天堂地狱,一切大海,须弥诸山,总在空中,世人性空,亦复如是。

◎ 自性能含万法是大,万法在诸人性中,若见一切人恶之与善,尽皆不取不舍,亦不染著,心如虚空,名之为大,故曰摩诃。

◎ 迷人口说,智者心行。又有迷人,空心静坐,百无所思,自称为大。此一辈人,不可与语,为邪见故。

◎ 心量广大，遍周法界。用即了了分明，应用便知一切，一切即一，一即一切，去来自由，心体无滞，即是般若。

◎ 一切般若智，皆从自性而生，不从外入，莫错用意，名为真性自用。一真一切真，心量大事，不行小道。口莫终日说空，心中不修此行，恰似凡人，自称国王，终不可得，非吾弟子。

◎ 何名般若？般若者，唐言智慧也。一切处所，一切时中，念念不愚，常行智慧，即是般若行。

◎ 一念愚即般若绝，一念智即般若生。世人愚迷，不见般若，口说般若，心中常愚，常自言我修般若，念念说空，不识真空。

◎ 般若无形相，智慧心即是，若作如是解，即名般若智。

◎ 何名波罗蜜？此是西国语，唐言到彼岸，解义离生灭。著境生灭起，如水有波浪，即名为此岸；离境无生灭，如水常通流，即名为彼岸，故号波罗蜜。

◎ 迷人口念，当念之时，有妄有非。念念若行，是名真性。悟此法者，是般若法；修此行者，是般若行。不修即凡，一念修行，自身等佛。

◎ 凡夫即佛，烦恼即菩提。前念迷即凡夫，后念悟即佛。前念著境即烦恼，后念离境即菩提。

◎ 摩诃般若波罗蜜，最尊最上第一。无住无往亦无来，三世诸佛从中出。当用大智慧打破五蕴烦恼尘劳，如此修行，定成佛道，变三毒为戒定慧。

◎ 我此法门，从一般若生八万四千智慧。何以故？为世人有八万四千尘劳，若无尘劳，智慧常现，不离自性。悟此法者，即是无念，无忆无著，不起诳妄，用自真如性，以智慧观照。于一切法，不取不舍，即是见性成佛道。

◎ 若欲入甚深法界及般若三昧者，须修般若行，持诵《金刚般若经》，即得见性。当知此经功德，无量无边，经中分明赞叹，莫能具说。此法门是最上乘，为大智人说，为上根人说。

◎ 若大乘人，若最上乘人，闻说《金刚经》，心开悟解。故知本性自有般若之智，自用智慧，常观照故，不假文字。譬如雨水，不从无有，元是龙能兴致，令一切众生，一切草木，有情无情，悉皆蒙润，百川众流，却入大海，合为一体。众生本性般若之智，亦复如是。

◎ 小根小智人闻，心生不信，何以故？譬如天龙下雨于阎浮提，城邑聚落，悉皆漂流，如漂草叶；若雨大海，不增不减。小根之人闻此顿教，犹如草木根性小者，若被大雨，悉皆自倒，不能增长。小根之人，亦复如是。元有般若之智，与大智人更无差别，因何闻法不自开悟？缘邪见障重，烦恼根深，犹如大云覆盖于日，不得风吹，日光不现。般若之智亦无大小，为一切众生自心迷悟不同，迷心外见，修行觅佛，未悟自性，即是小根。若开悟顿教，不执外修，但于自心常起正见，烦恼尘劳，常不能染，即是见性。

◎ 内外不住，去来自由，能除执心，通达无碍，能修此行，与般若经本无差别。

◎ 一切修多罗及诸文字，大小二乘，十二部经，皆因人置，因智慧性，方能建立，若无世人，一切万法本自不有，故知万法本自人兴。

◎ 一切经书，因人说有，缘其人中有愚有智，愚为小人，智为大人。愚者问于智人，智者与愚人说法，愚人忽然悟解心开，即与智人无别。

◎ 不悟即佛是众生，一念悟时，众生是佛。故知万法尽在自心，何不从自心中，顿见真如本性？《菩萨戒经》云：我本元自性清净，若识自心见性，皆成佛道。《净名经》云：即时豁然，还得本心。

◎ 我于忍和尚处，一闻言下便悟，顿见真如本性。是以将此教法流行，令学道者顿悟菩提，各自观心，自见本性。若自不悟，须觅大善知识，解最上乘法者，直示正路。是善知识有大因缘，所谓化导令得见性。一切善法，因善知识能发起故。三世诸佛、十二部经，在人性中本自具有，不能自悟，须求善知识，指示方见。若自悟者，不假外求，若一向执谓须他善知识望得解脱者，无有是处。何以故？自心内有知识自悟，若起邪迷，妄念颠倒，外善知识虽有教授，救不可得。若起正真般若观照，一刹那间，妄念俱灭。若识自性，一悟即至佛地。

◎ 智慧观照，内外明彻，识自本心。

◎ 若识本心，即本解脱，若得解脱，即是般若三昧，即是无念。

◎ 何名无念？若见一切法，心不染著，是为无念。

◎ 用即遍一切处，亦不著一切处，但净本心，使六识出六门，于六尘中无染无杂，来去自由，通用无滞，即是般若三昧，自在解脱，名无念行。

◎ 若百物不思，当令念绝，即是法缚，即名边见。

◎ 悟无念法者，万法尽通，悟无念法者，见诸佛境界，悟无念法者，至佛地位。

◎ 后代得吾法者，将此顿教法门，于同见同行，发愿受持，如事佛故，终身而不退者，定入圣位。然须传授从上以来默传分付，不得匿其正法。若不同见同行，在别法中，不得传付，损彼前人，究竟无益。恐愚人不解，谤此法门，百劫千生，断佛种性。

◎ 吾有一《无相颂》，各须诵取，在家出家，但依此修。若不自修，惟记吾言，亦无有益。听吾颂曰：

说通及心通，如日处虚空；
唯传见性法，出世破邪宗。
法即无顿渐，迷悟有迟疾；
只此见性门，愚人不可悉。
说即虽万般，合理还归一；
烦恼暗宅中，常须生慧日。
邪来烦恼至，正来烦恼除；
邪正俱不用，清净至无余。
菩提本自性，起心即是妄；
净心在妄中，但正无三障。
世人若修道，一切尽不妨；

常自见己过，与道即相当。
色类自有道，各不相妨恼；
离道别觅道，终身不见道。
波波度一生，到头还自懊；
欲得见真道，行正即是道。
自若无道心，暗行不见道；
若真修道人，不见世间过。
若见他人非，自非却是左；
他非我不非，我非自有过。
但自却非心，打除烦恼破；
憎爱不关心，长伸两脚卧。
欲拟化他人，自须有方便；
勿令彼有疑，即是自性现。
佛法在世间，不离世间觉；
离世觅菩提，恰如求兔角。
正见名出世，邪见名世间；
邪正尽打却，菩提性宛然。
此颂是顿教，亦名大法船；
迷闻经累劫，悟则刹那间。

核心理论

第一智慧："摩诃般若波罗蜜多"，此言大智慧到彼岸，只有"大"才有智慧空间，只有智慧才能借船走桥到达彼岸。人生一切，莫不如此。

【缘起】

这句话可谓禅宗智慧的总法门，也有禅宗第一智慧法则对治之称。是六祖应求而带众人净心念诵的禅宗思想核心。

【审心】

红尘中，自大的人很多，心大的人很少。有些人自己心眼小，想得倒是很多，于是搞得很纠结。

红尘中，自以为是的人很多，真正拥有智慧的人很少。心眼小，智慧就少，想的事就多，于是就生出了无尽的烦恼。

红尘中，沉湎于声色犬马、追求功名利禄的人多，追求人生真正解脱的人少。于是，许多人掉入物欲的陷阱无法自救。

【真意】

六祖带着大家净心念诵"摩诃般若波罗蜜多"（即"大智慧度人到极乐的彼岸"），对治人间因世俗追求而产生的烦恼与困苦的各种迷相。这是六祖给众生开出了一个脱离苦海的总的"药方"。

之所以专门加上一个"摩诃"——"大"，是为了方便说法，意在对治红尘中的有局限性的智慧。这个"大"是超越个人主观局限的、无边无界的、遍布处处的、无处不在的、无时不有的、不曾中断的、不生不灭的永恒。

在这样的一个前提下，"般若"——"智慧"，才是由自性而发的、合于众生自性的真智慧。

有了这样的"大"和"智慧"，才能真正让生命到达无忧虑、无烦恼的极乐彼岸——"波罗蜜多"，此生才能得到真正的解脱。

你是带着愚痴、烦恼和痛苦去做事呢？还是借着做事来领悟人生智慧，并最终借助自性到达幸福的人生彼岸呢？

【境界】

由此可见，"摩诃"之"大"是前提，"般若"之"真智慧"是手段，"波罗蜜多"之"极乐彼岸"才是目的地，才是心灵的家。

人们念诵"摩诃般若波罗蜜多"，领悟人生解脱烦恼与痛苦的总法门，就可以开启自性智慧，脱离世俗苦海，到达幸福的彼岸。这才是人的一生的终极诉求。

到了这个地步，世界还是那个世界，但不再是我们肉眼中的世界，也不是用"二"的思维对立和撕裂的世界，而是由一个至高的总法门衍生出来的世界。

自心与世界万相背后的自性合一、统一、融合，心灵回家，再无忧愁与烦恼。

"心行合一"：若只是口念佛经而不践行，终无益处，只会蒙骗自己，始终在智慧的门外徘徊。

【缘起】

现实中，很多修行者陷入用嘴巴念经、用身体僵坐的"形式主义"，六祖严厉地指责了这种修行的假相。

【审心】

从古到今，有很多修行者，要么用嘴巴念经，用行动违背经义。要么执着于念诵，停留在经文文字层面，以此作为修行的常态。

有很多修行者，痴迷于枯坐、僵坐，认为这种所谓的打坐就可以调理身心，增长智慧，获得解脱与幸福。

这样的修行者，面对连这些事都不做的世俗混世者，还蛮有自豪感和优越感。实际上，他们自己也是徒有其表，难以开启智慧，达到修行的最高境界。

【真意】

真正的修行，嘴巴念经，心要了义，由心诵经，是谓真诵经。

诵经也不是为了诵经而诵经，而是借诵经打开心，借心打开自性，借自性而观人间万相，破万相而达真相，直入佛地。

打坐只是净心收心的辅助手段，并非修行的终极状态。很多人看到一些大德有很好的坐功，就以为那是修行的终极状态。只是大德们内心的寂静，行走坐卧始终不脱离清净的本质，这些都是不易看见的。

【境界】

坚信圣人思想，再到用嘴巴念诵，再到心明经义，以打坐辅助，直至心门打开，自性复活，再到自性与外部世界统一，随时念经而无声，随时打坐而无形，达到内心清净和寂静的状态。如此循环往复，才是真修行。

"无念法门"：无住生心，无念过万境，心无迟滞，来去自由，不落"无记空"，不着"边见"，直入佛地。

【缘起】

这是六祖在为人们讲解无念法门和般若三昧，也是禅宗修行中比较核心的方法论。

【审心】

在人类的世界中，最不缺的就是貌似合理的想法。几乎每个人都有无法计数的想法，而且每个人都认为自己的想法有道理。但实际上，这些想法大都是有局限的主观制造出来的思想垃圾。

正是因为人们自认为有理，不知道这些想法只是自己主观的"理"，而非客观的"道"，把"道"和"理"混为一谈。于是，误以为自己很有道理，误以为自己总是正确，但却难以消除烦恼与痛苦。

【真意】

正是基于对这样一个普遍存在的问题的洞察，六祖提出了"无念法门"：如果认识发自本心，就是本质的解脱。

六祖说：如果得到解脱，就是般若三昧，就是无念。

什么叫无念？如果见到一切外界事物，心中都不受污染，就是无念。

能运用于任何地方，又不执着于任何地方，只是让本心清净，让六识从六门中出来，在六尘中无所沾染，来去自由，通达无阻碍，这就是般若三昧，自在解脱，就叫无念行。

如果执意地不思考任何东西，强迫自己断绝念想，就被观念本身所束缚，这就叫边见。

觉悟了无念法门，万法都通达了。

觉悟了无念法门，才能到达诸佛的境界。

觉悟了无念法门，也就能成佛了。

在具体修行中，始终不能忘记的是，要祛除自己那些绝对有局限的、片面的、不合真相的念头，看清楚自以为是的虚幻假相。在修行时，心中只留两个念头：一是"真相在哪里"，二是"我的错误是什么"。

如此边修边行，直至真相，最后就连"真相在哪里"和"我的错误是什么"这样的念头都没有了。

【境界】

回到人间，面对一切，心中只有至善上善一念，再没有思虑和评判，心灵进入寂静的状态，随境起念——唯有上善之念，而非善恶对立中的善念；随境变而念变，不住、不滞、不停、不拒、不恋。于是，自由的心，在天地间游走而不失，遇境不拒也不缠。自性率性，才是真正的智慧，才能引领人们走进佛地——究竟圆满的觉悟和极乐的世界。

本品总评

在本品中，惠能大师讲解了《坛经》的理论基础——般若智慧，也是禅宗的真谛。

般若即自性的智慧，自性即是佛性。

佛性超越了一切感官能力：无颜色，无形象，不在中间，亦不在两边，不在内，亦不在外，不在上，亦不在下，在凡而不减，在圣而不增，无是无非，不去不来，非善亦非不善，非常亦非无常，非空亦非有，非定亦非动，非垢亦非净，是为不二之性，即是佛性。

佛性，无处不在，取用不竭，非是取用，乃是自发。取不得，舍不得，万德庄严，万法具足，恒沙妙用，遍周法界！

佛性，人人具足。如《华严经》云：无一众生而不具如来智慧，但以妄想执着而不证得，若离妄想，一切智，自然智，无碍智，则得现前。《涅槃经》云：一切众生，悉有佛性，无明覆故，不得解脱。正如六祖所说，菩提般若之智，世人本自有之，只缘心迷，不能自悟。所有这些无不说明，佛性人人本具，只要识已本心，就能见已本性，不在口说，不从外得，参禅学人，必须在自己心地上真参实悟，要在自己心地上下功夫。六祖说：此须心行，不在口念，口念心不行，如幻如化，如露如电，口念心行，则心口相应，本性是佛，离性无别佛。

同时，六祖还强调了善知识在修行、弘法中的机缘，若不能自悟，需得上缘善知识相助指引。若羞于结缘上缘指引，只能原地打转。弘法需要虔诚，不带私心，不隐匿正法。传法不要刻意为之，更要小心，不要与外道结缘，否则自取其辱，羞辱祖师，也让正法遭受误解。总之，自己修行、弘法布道，皆要遵循摩诃般若法则，皆要修无念行，皆要不离自性。是为要！

疑问品第三

以韦刺史向六祖请教修行中的疑问和六祖的解答为主线,阐明了什么是真正的功德,解答了"西方极乐世界在哪里",明确提出色身之王乃是每个人的自性,强调了在家修行的要旨。故名"疑问品"。

本品主题

- 做善事佛事,能否给自己积累功德?
- 念佛祈福,能否往生西方极乐世界?
- 生命的"王者"是谁?
- 在家又该如何修行呢?

人间惑问

- 梁武帝做了那么多善事佛事,为什么达摩祖师却说他"实无功德"?
- 很多人很虔诚地念佛祈福,真能借此到达极乐世界吗?
- 我们的生命到底是由什么力量主宰的?
- 对于我们现实中的人来说,需要修行吗?
- 若要修行,又不能出家,在家应该怎么修行?

内容解读

【原文】刺史设斋,大师升坛,看如何断禅宗第一公案

一日,韦刺史为师设大会斋。斋讫,刺史请师升座,同官僚士庶肃容再拜,问曰:"弟子闻和尚说法,实不可思议。今有少疑,愿大慈悲,特为解说。"

师曰:"有疑即问,吾当为说。"

韦公曰:"和尚所说,可不是达摩大师宗旨乎?"

师曰:"是。"

公曰:"弟子闻达摩初化梁武帝,帝问云:'朕一生造寺度僧,布施设斋,有何功德?'达摩言:'实无功德。'弟子未达此理,愿和尚为说。"

师曰:"实无功德,勿疑先圣之言。武帝心邪,不知正法。造寺度僧,布施设斋,名为求福,不可将福便为功德。功德在法身中,不在修福。"

师又曰:"见性是功,平等是德。念念无滞,常见本性,真实妙用,名为功德。内心谦下是功,外行于礼是德。自性建立万法是功,心体离念是德。不离自性是功,应用无染是德。若觅功德法身,但依此作,是真功德。若修功德之人,心即不轻,常行普敬。心常轻人,吾我不断,即自无功。自性虚妄不实,即自无德。为吾我自大,常轻一切故。

"善知识,念念无间是功,心行平直是德。自修性是功,自修身是德。

"善知识,功德须自性内见,不是布施供养之所求也,是以福德与功德别。武帝不识真理,非我祖师有过。"

【释义】

一天,韦刺史为惠能大师准备了大法会并供斋。吃完了斋饭,刺史请

疑问品第三

大师在上座坐好，和官僚信众们庄重地向大师行礼，然后问："弟子听了和尚您讲解佛法，感到实在奥妙得不可思议，但还有一些疑问，希望您大发慈悲再给解说一下。"

大师说："有疑惑就问吧，我应当给你们解说。"

韦公说："和尚您说的，是不是达摩大师的宗旨呢？"

大师说："是的。"

韦公说："弟子听说，达摩祖师刚开始度化梁武帝时，梁武帝问：'我一辈子都在建造寺庙，剃度僧人出家，施舍财物，布施斋饭，这些善行有什么功德呢？'达摩祖师说：'其实并没有功德。'弟子没明白这里面的道理，希望和尚给解说一下。"

大师说："的确没有功德，不要怀疑先辈圣人的话。梁武帝心怀杂念，不懂真正的佛法，建造寺庙，剃度僧人，布施财物，施舍斋饭，这只能叫希求福报，不能把希求福报当成做功德。功德存在于法身中，不在于表面的行善事以求福报。"

大师又说："认识到自己有佛性是功，平等待人接物是德。每一个心念都没有滞碍，总是能认识自己的本性，予以巧妙地运用，这叫功德。内心谦虚是功，外在的行为有礼是德。凭自己的本性成就万种佛法是功，自心本体离弃妄念是德。不离开自己本有的佛性是功，在运用时不受外界污染是德。如果想要得到功德法身，只要根据这样的原则去做，那就是真正的功德。想修功德的人，心里从来不轻视别人，经常采取尊重的态度对待别人。如果心里总是轻视别人，自我的念头就难以断绝，就没有功。自己的本性虚妄不实，就没有德。这就是妄自尊大、总是轻视一切的结果。

"善知识们，每一个念头都不离开佛性是功，心思行为公平正直是德。自己修行佛性是功，自己修行法身是德。

"善知识们，功德要从自己的本性中发现，不是靠布施财物、供养佛像就能求得到的。这就是求福报与做功德的区别。梁武帝不能认识这个真理，而不是我的祖师说错了。"

坛经心读：品真性妙美

【关键字词】

[梁武帝] 南朝梁开国皇帝萧衍，笃信佛教，曾三次在同泰寺出家。

[度僧] 帮助佛教信徒正式出家为僧。

[布施] 这里指向寺庙施舍财物等。

[法身] 佛的真身。

【导读】

❀ 设斋请益：韦刺史设斋，向六祖请益，提到心中有些疑问。六祖说，有疑问就问吧。

❀ 确认法统：韦刺史问六祖：您所说的法是达摩祖师的法统吗？六祖回答：当然是的。

❀ 梁武帝案：紧接着，韦刺史提出他真正的问题，也就是禅门第一公案。梁武帝问达摩祖师："朕一生造寺度僧，布施设斋，有何功德？"达摩祖师说："实无功德。"

❀ 刺史不解：达摩祖师的回答肯定让梁武帝很郁闷：怎么做了那么多佛事还是没有功德呢？韦刺史表示：我对此也感到疑惑，请六祖开示。

❀ 祖师告诫：六祖告诉众人，首先，不要质疑圣人之言。众人之所以疑惑，是因为自己不懂，不要把这种情绪转嫁到圣人身上。

❀ 武帝心邪：六祖接着解释梁武帝的行为为何没有功德：武帝心不正，做佛事意在求功德，又是私心作怪。

❀ 定标功德：六祖又给出了真功真德的标准，认为梁武帝并不懂这种真理。

❀ 刺史高兴：至此，韦刺史的第一个问题算是问完了，六祖也回答完了。刺史很高兴，众人听了讲说也很喜悦。

【赏析】

众生疑问：现实中的人们总是有很多问题，就是因为自己不懂、不明白事理。韦刺史有修行心，也有些疑惑，想趁着见到祖师的机会问明白。实际上，有些问题若是韦刺史这样的人都有疑问，那么世间有疑问的众生就更多了。正是因为韦刺史的发问，才有了六祖的阐释，也才有我们今天了解祖师智慧的机会。感谢韦刺史的发问，感谢六祖的开示。

第一公案：禅宗中有很多公案，韦刺史提到的可谓第一公案吧。这个公案的主人公有两个人：一是达摩祖师，二是梁武帝。这个公案起自达摩祖师与梁武帝的相见。梁武帝痴迷佛教，造寺度僧，布施设斋，甚至还要自己去当和尚，以为自己做了很多善事和佛事，应该有很大的功德。可是，达摩祖师一棒打过来——"实无功德"，一下子把梁武帝打蒙了。当然，不仅梁武帝被打蒙了，韦刺史和很多人也跟着蒙了：普通人平时做善事佛事，也没有功德可言吗？达摩祖师也太狠了！这到底是怎么一回事呢？六祖奉劝韦刺史等人不要怀疑祖师的智慧，可祖师的智慧怎么一般人就理解不了呢？

定义功德：六祖针对韦刺史提出的疑惑做了开示：

见性是功，平等是德；念念无滞，常见本性，真实妙用，名为功德。内心谦下是功，外行于礼是德。自性建立万法是功，心体离念是德。不离自性是功，应用无染是德。若觅功德法身，但依此作，是真功德。心即不轻，常行普敬，即修功德。心常轻人，吾我不断，即自无功。自性虚妄不实，为吾我自大，常轻一切故，即自无德。念念无间是功，心行平直是德。自修性是功，自修身是德。功德须自性内见，不是布施供养之所求也，是以福德与功德别。武帝不识真理，非我祖师有过。

哈哈，原来如此，我们这些俗人连"功德"是什么都没搞清楚，甚至完全搞错了，真是可笑啊！

尤其是，我们自己迷惑，却又质疑祖师，真是罪过啊！

好了，清楚了，原来是梁武帝不识得真正的功德，结果走错了路啊！

梁武帝都走错了，我等普通人更要小心才是，否则，真会徒劳无功！

【原文】念佛求往西方极乐净土，这极乐净土到底在哪？

刺史又问曰："弟子常见僧俗念阿弥陀佛，愿生西方。请和尚说，得生彼否？愿为破疑。"

师言："使君善听，惠能与说。世尊在舍卫城中，说西方引化，经文分明，去此不远。若论相说里数，有十万八千，即身中十恶八邪，便是说远。说远为其下根，说近为其上智。

"人有两种，法无两般。迷悟有殊，见有迟疾。迷人念佛求生于彼，悟人自净其心。所以佛言：'随其心净，即佛土净。'

"使君东方人，但心净即无罪。虽西方人，心不净亦有愆。东方人造罪，念佛求生西方；西方人造罪，念佛求生何国？

"凡愚不了自性，不识身中净土，愿东愿西，悟人在处一般。所以佛言：随所住处恒安乐。使君心地但无不善，西方去此不遥。若怀不善之心，念佛往生难到。今劝善知识，先除十恶，即行十万；后除八邪，乃过八千。念念见性，常行平直，到如弹指，便睹弥陀。

"使君但行十善，何须更愿往生？不断十恶之心，何佛即来迎请？若悟无生顿法，见西方只在刹那；不悟念佛求生，路遥如何得达？惠能与诸人移西方于刹那间，目前便见，各愿见否？"

众皆顶礼云："若此处见，何须更愿往生？愿和尚慈悲，便现西方，普令得见。"

【关键字词】

[十恶八邪] 十恶指杀生、偷盗、邪淫、贪心、嗔心、痴心、绮言（花言巧语或风流话）、妄言、恶口（恶毒语言）、两舌（挑拨是非）。八邪指邪语、邪见、邪思、邪业、邪命、邪精进、邪念、邪定。

[十善] 说的是佛教中的"十戒"或称"十善法"，包括："身三"即不杀、不盗、不淫，"口四"即不两舌、不恶口、不妄言、不绮语，"意三"即不贪、不嗔、不痴。

【释义】

刺史又问："弟子经常见僧人和俗家信众口念阿弥陀佛，希望来世能托生到西方极乐世界，请教和尚，真的能托生到那儿吗？请您解除我的疑惑。"

大师说："使君请听，惠能给你讲。当初世尊在舍卫城的时候，就讲说过引度众生往生西方净土的经文，经文里说得清楚，西方离这儿并不远。如果按一般情况计算里程，那就有十万八千里那么远，这个十万八千里是指众生身上的十恶八邪，因此说远。说远是针对根性低下的人，说近是针对智慧高明的人。

"人可分为两种，但佛法并没有两样。人有执迷或觉悟的分别，所以认识自性也就有慢有快。执迷的人口里念诵佛号，希望来生能托生在西方，觉悟的人则重视让自己的心灵洁净。所以佛这样说：'只要心念纯洁，就到了清净的佛土。'

"使君你是东方人，只要你心灵纯洁，就没有罪过；即使是西方的人，如果心灵不纯洁，也会有罪过。东方人造下罪孽，想通过念诵佛号以托生西方极乐世界；那么西方人造下罪孽，他念佛求托生到什么国土去呢？

"凡夫愚众不了悟自性，不认识自己身中的净土，只是想往生东方西方，而觉悟的人无论在什么地方，都是净土。所以佛说，随便在哪里都能获得安乐。使君你只要心里没有不善的念头，西方离你就并不遥远；如果有不善的心思，想靠念诵佛号投生极乐世界，那是难以实现的。现在我奉劝各位善知识，先除掉自己身上的十恶，那就已经相当于走过了十万里；再除掉八邪，那就相当于又走了八千里。从每一个念头都能认识自己的佛性，行为常常保持公平正直，那么到达西方极乐世界只是弹指一挥间的事，立刻就能见到阿弥陀佛了。

"使君只要修行十善，又何须祈愿投生西方？如果不能断除十恶之心，又有哪一位佛会来迎请你呢？如果觉悟了无生无灭的顿教佛法，看见西方净土就在一刹那；如果不能觉悟道理，想靠念诵佛号托生西方净土，那路途可遥远得很，怎么能到达呢？惠能可以为大家在刹那间把西方移来，当下就能看见，大家愿意看一看吗？"

众人都礼拜说："如果能在这儿就看见西方净土，又何须祈愿来世投生？请求和尚大发慈悲，把西方净土显现在眼前，让我们都看一看。"

坛经心读：品真性妙美

【导读】

- 发第二问：韦刺史又开始问第二个问题：总听人念阿弥陀佛，希望往生西方极乐世界，真能实现吗？
- 六祖接话：六祖听完韦刺史的问题，直接把话接了过来：佛祖在舍卫城的时候，确实说过西方净土距此有十万八千里之远。
- 难解祖心：一般人误解了佛祖的意思，这十万八千里，实际上说的是众生身上的十恶八邪。
- 根性距离：与西方净土的距离远近，完全要看一个人的根性高低：西方净土对于根性低的人就很远，对于根性高的人就很近。所以佛说，迷人念佛求生于彼，悟人自净其心。
- 东西方辩：你是东方人，心净即无罪。那些西方人，心不净也有罪。东方人若是有罪，可以念佛求托生西方。若是西方人有罪，念佛求托生何方呢？
- 净心乐土：俗人不识心中净土，总想在外部找个得救之地。实际上，识得自性，净土就在自己的心中。
- 心善则净：你若心中没有不善的念头，就离净土不远；若是心中有了不善的念头，念佛也没有用。
- 修行功夫：奉劝大家，除去十恶八邪，自心即行十万八千里。
- 善即佛国：你若能行十善，还求什么西方净土？你若是行十恶，怎会有佛来迎接？大家若能领悟无生顿法，见西方只在刹那间。若是不悟而只是念佛求往生，西方净土路途遥远，难以抵达。
- 得释欢喜：众人一听都豁然开朗，皆大欢喜，顶礼祖师。

【赏析】

极乐世界：说起佛教，自然会想到极乐世界，这也是众人梦寐以求的。可又听说，是西方极乐世界。总念佛的人在祈求什么？当然就是到达西方极乐世界。西方极乐世界到底在哪？又如何到达？韦刺史和众人好像都有类似的疑惑。

极乐距离：又听说，西方极乐世界离此十万八千里，要是有孙悟空的本事，一个筋斗就到了，可我们没有那种神功啊！实际上这是没有搞懂，这"十万八千里"说的不是空间距离，而是人的痴迷之心与自心觉性的距离，中间隔着一座大山："十恶八邪"。根性好的人，离西方极乐近，根性差的人离西方极乐就很遥远。自净其心，不用求佛，自己就是佛，极乐即是自身，好美妙啊！

东方西方：六祖好睿智，为人们解开"东方西方"的谜团。东方人有罪时，想靠念佛求往生西方极乐世界。西方人若是有罪，难道要靠念佛求托生到东方来不成？原来，"东方西方"只为方便说法，只要自心成为净土，处处即是极乐世界，哪还需要走上十万八千里去找西方极乐世界？说到这里，我们发现，真正的智慧是如此的简单。只是俗人自心痴迷不悟，把祖师的比喻也当成实际距离了。哈哈，应该嘲笑一下自己才对。

念佛何用：现实中很多人念佛，唯独不做佛。有些人甚至念了很多年的佛，依然一心谋求私利。可又怕死，回到家或者到了寺庙，又赶紧拜佛求佛，表现得一派虔诚。可是，祖师让人们修自心，怎能一边念佛一边把祖师的教导当成耳旁风？反正哪个罪过都够大的！有人又说了，罪过大又怎样？我还不是活得好好的？实际上，活得好不好，冷暖自知。也有人说，我没有按照祖师的教导去做，不也没受惩罚？你别吓唬人。实际上，祖师慈悲，是来救人的，哪是来惩罚人的。再仔细看看，这样做的人不是正在受惩罚吗？受着惩罚却不知是惩罚，这就是愚痴的明证了。不是祖师要惩罚你，是你不觉的心在惩罚你自己。惩罚也不是惩罚，只是教化的一种方式。

【原文】色身如城池，心性为王，无相颂开启家庭修行道场

师言："大众！世人自色身是城，眼耳鼻舌是门。外有四门，内有意门。心是地，性是王。王居心地上，性在王在，性去王无。性在身心存，性去身心坏。佛向性中作，莫向身外求。

"自性迷即是众生，自性觉即是佛，慈悲即是观音，喜舍名为势

至,能净即释迦,平直即弥陀。

"人我是须弥,邪心是海水,烦恼是波浪,毒害是恶龙,虚妄是鬼神,尘劳是鱼鳖,贪嗔是地狱,愚痴是畜生。

"善知识!常行十善,天堂便至;除人我,须弥倒;去邪心,海水竭;烦恼无,波浪灭;毒害除,鱼龙绝。自心地上觉性如来,放大光明。外照六门清净,能破六欲诸天。自性内照,三毒即除,地狱等罪,一时消灭,内外明彻,不异西方。不作此修,如何到彼?"

大众闻说,了然见性。悉皆礼拜,俱叹善哉!唱言:"普愿法界众生,闻者一时悟解。"

师言:"善知识!若欲修行,在家亦得,不由在寺。在家能行,如东方人心善;在寺不修,如西方人心恶。但心清净,即是自性西方。"

韦公又问:"在家如何修行?愿为教授。"

师言:"吾与大众说《无相颂》,但依此修,常与吾同处无别。若不作此修,剃发出家,于道何益?

颂曰:

> 心平何劳持戒?行直何用修禅?
> 恩则孝养父母,义则上下相怜。
> 让则尊卑和睦,忍则众恶无喧。
> 若能钻木出火,淤泥定生红莲。
> 苦口的是良药,逆耳必是忠言。
> 改过必生智慧,护短心内非贤。
> 日用常行饶益,成道非由施钱。
> 菩提只向心觅,何劳向外求玄?
> 听说依此修行,西方只在目前。"

师复曰:"善知识!总须依偈修行,见取自性,直成佛道。时不相待,众人且散,吾归曹溪。众若有疑,却来相问。"

时,刺史、官僚、在会善男信女,各得开悟,信受奉行。

疑问品第三

【关键字词】

[色身] 指人的肉体，佛教认为这是由地、水、火、风四种要素（色法）组成。

[观音] 唐朝为避太宗李世民的名讳，称观世音为观音。

[势至] 即大势至菩萨，他能以智慧之光普照一切，让地狱、饿鬼和畜生三恶道中的众生都得无上力，故名"大势至"。

[弥陀] 梵语音译，意译为无量寿、无量光，大乘佛教称如来佛之名。

[十善] 不杀生、不偷盗、不邪淫、不生贪心、不生嗔心、不抱邪见、不说绮语、不说妄语、不说粗口、不两舌。

[六欲诸天] 欲界的六重天、四大天王。

[钻木出火] 传说远古时发明的取火方法，这里比喻通过修行而见佛性。

[饶益] 有利于别人的言行活动。

【释义】

　　大师说："大众，世人自己的色身就是一座有门的城池，眼、耳、鼻、舌也是门。这是外边的四个门，里边还有一个门，就是意。心是土地，本性是国王，国王居住在心的土地上，本性在国王就在，本性离去，国王也就没有了。本性在，身体和精神就存在，本性离去了，身体和精神也就毁坏了。佛就在本性里产生，不要向身体外面去追求。

　　"自己的本性迷惑，你就是俗人；自己的本性觉悟，你就是佛；慈悲为怀，你就是观音菩萨；乐善好施，你就是大势至菩萨；心灵纯净，你就是释迦牟尼佛；公平正直，你就是阿弥陀佛。计较人与我的利害，就有须弥山阻隔；产生邪恶心念，就是海水滔滔；有烦恼就是波浪汹涌；有毒害之心就是恶龙伤身；满心虚妄之见，就有鬼神作祟；追逐红尘名利，就有鱼鳖横行；贪婪嗔怒就是地狱，愚昧痴迷就是畜生。

　　"善知识们，经常实行十善，天堂就在眼前；去除人与我的利害计较，须弥山就立刻倒塌；去掉了邪恶之心念，滔滔海水就立刻干枯；烦恼没有了，波浪就止息了；毒害之心忘却了，作怪的鱼鳖蛟龙也就绝迹了。从自

101

己的心上觉悟佛性，接近如来，就会放射出本性的智慧大光明。这种光明对外能照得六门清净，把六欲诸天都破除了。自己的本性也被光明向内照耀，贪、嗔、痴三毒也就立刻被去除了，入地狱的罪孽也在瞬间被消灭了。达到这样内外光明透彻的境界，和西方净土毫无差别。如果不这样修行，又怎么能到达西方极乐世界呢？"

大家听了大师如此讲解，都清楚地认识了自己的佛性，一起向大师礼拜，感叹叫好，齐声赞美："但愿法界众生，凡听到大师讲解的，都能立刻觉悟。"

大师又说："善知识们，如果真要修行，在家修行也行，不一定非要出家到寺庙里来。在家里能修行，就像东方人心地向善；在寺庙里不修行，就像西方人心地向恶。只要心地洁净，就已经到达了自己本性中的西方净土。"

韦公又问："在家里怎样修行呢？希望您再给予教导。"

大师说："我给大家念一首《无相颂》的偈语，只要根据里面说的修行，就像和我在一起一样。如果不照此修行，即使剃了头发出家，对于佛道又有什么益处呢？

颂说：

心平何劳持戒？行直何用修禅？
恩则孝养父母，义则上下相怜。
让则尊卑和睦，忍则众恶无喧。
若能钻木出火，淤泥定生红莲。
苦口的是良药，逆耳必是忠言。
改过必生智慧，护短心内非贤。
日用常行饶益，成道非由施钱。
菩提只向心觅，何劳向外求玄？
听说依此修行，西方只在目前。"

大师又说:"善知识们,大家一定要按照这首偈语来修行,认识自己的本性,就可以直接成就佛道。修佛法是不能迟延的,大家先散会归去吧,我也要回曹溪了。大家如果还有什么疑惑,再来问我吧。"

当时,韦刺史、各位官僚、参加聚会的善男信女们,各自都获得开悟,信仰接受不疑,按照偈语去修行。

【导读】

* 色身城池:六祖接着说,色身是城池,内外无门,自性是色身之王,王在身在。
* 迷悟之间:佛在自性中,不要外求。自性迷即是众生,自性觉即是佛。慈悲即是观音,喜舍名为势至,能净即释迦,平直即弥陀。人我是须弥,邪心是海水,烦恼是波浪,毒害是恶龙,虚妄是鬼神,尘劳是鱼鳖,贪嗔是地狱,愚痴是畜生。
* 修行要旨:常行十善,天堂便至;除人我,须弥倒;去邪心,海水竭;烦恼无,波浪灭;毒害除,鱼龙绝。
* 明心灭罪:一旦自性觉明,外照六门清净,能破六欲诸天;自性内照,三毒即除,地狱等罪,一时消灭。内外明彻,不异西方。
* 众人皆喜:众人闻听,大喜过望,皆礼拜祖师。
* 何处修行:若真修行,在家在寺都一样。只要心清净,自性即是西方净土。
* 在家修法:韦刺史又问在家如何修行。六祖说:按我说的《无相颂》去修行,就如同在寺跟我一起修行。于是,六祖通过《无相颂》,具体讲解了在家修行之道。
* 众悟妙法:韦刺史和众人终于明白了修行的妙法,心中充满了喜悦。

【赏析】

性为命王:六祖将人的色身比喻成城池,其中有五门,而自性则是这个城中的王者。

莫要外求：指出修佛在于求自性觉明，而不是外求神助。你瞧，按照这个标准，世俗中那些外求的人岂不都走错了路？若是自己胡乱修行，走错了道路，可谓投入巨额成本却又冒着巨大的风险啊！

修行妙法：行十善，天堂至；除人我，须弥倒；去邪心，海水竭；烦恼无，波浪灭；毒害除，鱼龙绝。现实中一心念经的人，一心只想修好自己的人，能做到这些吗？若是做不到，光是念佛，又有何益？

心净天堂：只要心净，无肮脏与龌龊，无愚痴与分别，当下自心即是天堂，还要到哪里去寻找天堂呢？通过六祖的开示，我们终于明白，天堂不在天上，而在自己干净的心中。若是修得自心干净，自身就是天堂啊！太美妙了，原来如此啊！

家庭道场：韦刺史看来是想寻找适合自己的修行方法，但又不得法，所以请教六祖。六祖赠送《无相颂》，告诉大家只要照此修行，就如同在寺庙里与师父一起修行。《无相颂》讲的，就是在家为人的伦理，相互礼貌、言善行真的生活大法。人们都说，与亲人不好相处，因为接触得太密切了，彼此太了解，难以保持客气与礼貌。于是，在家里往往生出很多是非。若依六祖指引，家庭就是修行的道场，而且是个很有挑战性的道场。若是在家里能把比在外面更难处理的关系处理好，在家是个修行的觉者，出门即是走遍天下通行无阻的行者啊！

解《无相颂》：

心平何劳持戒？行直何用修禅？（**解**）持戒助心平，修禅捋直自己。

恩则孝养父母，义则上下相怜。（**解**）对上如敬佛，对下如佛慈悲。

让则尊卑和睦，忍则众恶无喧。（**解**）谦让得和睦，能忍则无是非。

若能钻木出火，淤泥定生红莲。（**解**）若能见自性，一切都是幸福。

苦口的是良药，逆耳必是忠言。（**解**）对人说话顺耳，听人说知忠言。

改过必生智慧，护短心内非贤。（**解**）改过能升级，护短定是害人。

日用常行饶益，成道非由施钱。（**解**）念行只助人，成道就在平常。

菩提只向心觅，何劳向外求玄？（**解**）智慧在自心，外求即入魔道。

听说依此修行，西方只在目前。（**解**）闻道即践行，西方就是觉身。

本品再思

◉ 韦刺史这样的修行者都会疑惑,我们知道自己正深陷于迷惑之中吗?

◉ 韦刺史有了迷惑可以问祖师,我们的疑惑又该去问谁?

◉ 梁武帝毕竟还是做了那么多具体的善事佛事,怎么达摩祖师一下子就给人家否定了?会不会太不近人情?

◉ 也不知,被达摩祖师打蒙了的梁武帝到底觉悟了没有?据说,他的结局不是很好,应该是没有觉悟吧。

◉ 若不是六祖详解"功德"的内涵与标准,世间真正明白这事的人恐怕不多。梁武帝迷信而没有走上正道,是个遗憾,我们要好好吸取教训,不能再犯梁武帝的错误啊!

◉ 这韦刺史也真是有意思,他问的问题都是我们关心的问题,也是我们疑惑的问题,怎么过了一千多年,我们还会疑惑呢?

◉ 韦刺史又问了个敏感问题:念佛可以往生西天极乐世界吗?

◉ 六祖的回答真是出乎意料,原来这西方东方的说法不是实相啊!

◉ 六祖的回答给了我信心,我终于知道西方极乐世界在哪里,就在自净的心中!

◉ 反观现实,学佛、念佛、求佛的人太多了,他们知道极乐世界在什么地方吗?有机会我要告诉他们,免得他们又走错了路。

◉ 六祖虽然不认字,可真是有智慧啊,那么深的道理,他一说,大家就都明白了。你看,他把人的身体比作一座城池,还有五个门,四个明的,一个暗的。尤其是说到这个城池中的王,让我有突然醒悟的感觉:原来一切全在自心中!若是外求,既可笑,又滑稽。

◉ 韦刺史的问题真多,可能想把他所有的疑惑都从六祖这里当场问出答案。他是官员,当然不能出家,但又想修行,这样的难题他也请求六祖来答。

◉ 六祖的在家修行《无相颂》真是高妙,原来在家里,对亲人要好,谦卑忍让；跟别人说话时，要尽量顺耳；听别人说话时，要听懂逆耳忠言后面的爱心；起心动念，只有一个念头——对别人好，看自己可以帮别人做什么。家里的关系挺不好处的，若是把家庭作为修行的道场，虽然方便，但难度挺大。可也没有别的出路啊，还是按照祖师的教导去修行吧。一定要净化自己的心，把自身所在之处都变成极乐世界，也许这才是一生中最重要的事吧！

经典名言

◈ 公曰："弟子闻达摩初化梁武帝，帝问云：'朕一生造寺度僧，布施设斋，有何功德？'达摩言：'实无功德。'"

◈ 师曰："实无功德，勿疑先圣之言。武帝心邪，不知正法，造寺度僧，布施设斋，名为求福，不可将福便为功德。功德在法身中，不在修福。"

◈ 见性是功，平等是德。念念无滞，常见本性，真实妙用，名为功德。

◈ 内心谦下是功，外行于礼是德。

◈ 自性建立万法是功，心体离念是德。

◈ 不离自性是功，应用无染是德。

◈ 若觅功德法身，但依此作，是真功德。

◈ 若修功德之人，心即不轻，常行普敬。心常轻人，吾我不断，即自无功。自性虚妄不实，即自无德。为吾我自大，常轻一切故。

◈ 念念无间是功，心行平直是德。

◈ 自修性是功，自修身是德。

◈ 功德须自性内见，不是布施供养之所求也，是以福德与功德别。武帝不识真理。

◈ 世尊在舍卫城中，说西方引化，经文分明，去此不远。若论相说里数，有十万八千，即身中十恶八邪，便是说远。说远为其下根，说近为其上智。

- 人有两种，法无两般。迷悟有殊，见有迟疾。
- 迷人念佛求生于彼，悟人自净其心。
- 佛言：随其心净，即佛土净。
- 东方人，但心净即无罪；虽西方人，心不净亦有愆。
- 东方人造罪，念佛求生西方；西方人造罪，念佛求生何国？
- 凡愚不了自性，不识身中净土，愿东愿西，悟人在处一般。所以佛言：随所住处恒安乐。
- 心地但无不善，西方去此不遥；若怀不善之心，念佛往生难到。
- 先除十恶，即行十万；后除八邪，乃过八千。念念见性，常行平直，到如弹指，便睹弥陀。
- 但行十善，何须更愿往生？不断十恶之心，何佛即来迎请？
- 若悟无生顿法，见西方只在刹那；不悟念佛求生，路遥如何得达？
- 世人自色身是城，眼耳鼻舌是门。外有四门，内有意门。
- 心是地，性是王，王居心地上，性在王在，性去王无。性在身心存，性去身心坏。
- 佛向性中作，莫向身外求。
- 自性迷即是众生，自性觉即是佛，慈悲即是观音，喜舍名为势至，能净即释迦，平直即弥陀。
- 人我是须弥，邪心是海水，烦恼是波浪，毒害是恶龙，虚妄是鬼神，尘劳是鱼鳖，贪嗔是地狱，愚痴是畜生。
- 常行十善，天堂便至；除人我，须弥倒；去邪心，海水竭；烦恼无，波浪灭；毒害除，鱼龙绝。
- 自心地上觉性如来，放大光明。外照六门清净，能破六欲诸天。自性内照，三毒即除，地狱等罪，一时消灭。内外明彻，不异西方。
- 若欲修行，在家亦得，不由在寺。

- 在家能行,如东方人心善;在寺不修,如西方人心恶。
- 但心清净,即是自性西方。
- 《无相颂》:

> 心平何劳持戒?行直何用修禅?
> 恩则孝养父母,义则上下相怜。
> 让则尊卑和睦,忍则众恶无喧。
> 若能钻木出火,淤泥定生红莲。
> 苦口的是良药,逆耳必是忠言。
> 改过必生智慧,护短心内非贤。
> 日用常行饶益,成道非由施钱。
> 菩提只向心觅,何劳向外求玄?
> 听说依此修行,西方只在目前。

- 见取自性,直成佛道。

核心理论

心邪无功德:不悟自性,妄借善事佛事,以图功德,实无功德。

【缘起】

韦刺史向六祖请教了一个十分重要的问题,就是为何达摩祖师对那个学佛信佛、热心于佛事的梁武帝,给出了"实无功德"的评价。

【审心】

现实中,有许多人一心为自己盘算,甚至不惜用"人不为己,天诛地灭"这样的话,来为自私进行辩护。

结果呢?他们千方百计得来的好处,要么昙花一现,要么背后隐藏着无尽的心酸。

有谁能够善待一切人？有谁遇事先为别人着想？这样的品德又有几个人真正具备呢？

【真意】

六祖为人们揭开谜团，让人们懂得什么才是真正的功德：

见性是功，平等是德。念念无滞，常见本性，真实妙用，名为功德。

内心谦下是功，外行于礼是德。

自性建立万法是功，心体离念是德。

不离自性是功，应用无染是德。

若觅功德法身，但依此作，是真功德。

【境界】

功德，是内外一体两面的。

内在功夫才是功，能够见得自性才是功夫，遇万事不离自性才是真功夫！

外在能够待人以礼是德，心无私念是德，遇事无分别是德！

内在能见自性，遇到外境不离自性，才是真功夫！

外在礼敬他人，不起私念，平等对待一切人和事，才是真德行！

若是拥有这样的功德，一个人就觉悟了，如此便是成佛。

觉性极乐：消除十恶八邪，常行十善，自性即觉，极乐在心。

【缘起】

这是六祖针对人们向外女求极乐的问题进行的开示。

【审心】

烦恼与痛苦固然没有人喜欢，但也很少有人能够远离它们。

人们求神拜佛，往往是为自己求乐离苦、离苦得乐。

可是这种求法，真的有用吗？

也许在我们面对佛祖或者神像的那个时刻，心中是充满希望的，也许是快乐的，因为相信。可是，痛苦真的从此就远离了我们吗？快乐真的到来了吗？

【真意】

祖师们早就发现了烦恼与痛苦的根源：

正是因为人们内心有邪恶作怪，所以才会有烦恼与痛苦。

只是人们搞不清楚自己内心的那些邪恶，可能还在为它涂脂抹粉。

若是不能认识到，自己心中的邪恶正是烦恼与痛苦的根源，只是期望佛祖显灵，帮助自己脱离苦海，这就是妄念。一方面，这样做违背了祖师的教导；另一方面，求的方向完全错了，本来在自心，却要向外求，这不是南辕北辙吗？

六祖告诉人们，只要能够勇敢地认识心中的邪恶，并与之斗争到底，坚决铲除它，再加上内立至善信仰，外行利人善事，悟得自性，即可脱离苦海。

【境界】

人们一旦认识到自己内心的邪恶才是烦恼与痛苦的根源，一旦能够将这种错误的程序转换为正确的程序，一旦将内心至善化成身心善行，自性就会觉悟，极乐就会到来。

修行就是一个与自己心中隐藏的内贼进行斗争的过程，内贼一除，自性即觉，极乐即至。

性为命王：身如城池，内外五门，自性为王，王在命在。

【缘起】

祖师煞费苦心，变着法让人们明白自己生命中心、身、灵三者的关系。

【审心】

许多人，将快乐寄托于获取外在的财富与名声。

许多人，沉湎于生理的放纵与肉体的愉悦。

许多人，希望从外部找到神灵的力量来帮助自己。

可是，人们求了几千年，何曾灵验过？

那传说中的"灵验"，不都是巧合或者自我暗示的结果吗？

那么，到哪里去求呢？

【真意】

祖师为人们找到了痛苦与烦恼、智慧与力量的处所。

祖师也为人们找到了掌管痛苦与烦恼、智慧与力量的"长官"。

原来，人们自己的肉身就是舞台，痛苦的活动就是那个捣乱的小鬼演员，让人生快乐的就是掌管生命的王者——自性。

那为何人还会痛苦？

因为人的主观在后天变得越来越强大，以至于覆盖了生命的自性，使生命变成了欲望、外在和内贼的傀儡与工具。

识得生命的这个假相与真相，把假相揭穿，让真相显露，生命才能恢复正常。

现实中的芸芸众生，之所以痛苦难除，就是因为自己的心病了，生命出现了"鹊巢鸠占"的现象，这就是自性迷失。你生命的"房屋"被什么力量占了？为何你的心在到处流浪？

【境界】

理解了生命的真相假相和其相互关系，我们就能够赶走"占鹊巢的鸠"，就能够让自性复活，就能让自性重新掌管生命，就能与万物连通和谐，于是生命就有了主人——自性。

人类所构想出的各种神奇而伟大的力量，不管名字叫什么，都是自性的别名。若是自身自心不觉悟，恶事不绝，妄求好命，到头来都会徒劳无功。当自性觉醒时，所有的人类构想出来的伟大而神奇的力量都会与我们的生命同在，因为这些就是我们生命的自性。

坛经心读：品真性妙美

生活道场：真修行者，生活爱人，善待一切，如寺随师。

【缘起】

人们的困惑实在是多，有心修行，可在家里又怎么修行呢？

【审心】

一般认为，修行只是出家人的事。

通常认为，红尘中的人不是出家人，所以不用修行。

有心修行的人，也会困惑：在家里，不在寺里，又如何修行呢？

有人说，人生就是一场修行，要么主动修理自己，算是觉悟；要么就被人和事修理，那就是灾难。

你知道人生的这个真相吗？你决定修行吗？你知道即使不出家，在家里也可以修行吗？

【真意】

针对众多有修行意愿但又只能在家修行的善者，六祖给开了一个药方：

心平何劳持戒？行直何用修禅？（解）心平无鬼算，行直不惑己。
恩则孝养父母，义则上下相怜。（解）真心孝父母，仗义待亲人。
让则尊卑和睦，忍则众恶无喧。（解）礼让维和睦，忍气要吞声。
若能钻木出火，淤泥定生红莲。（解）平常处用心，平凡事修行。
苦口的是良药，逆耳必是忠言。（解）苦口视良药，逆耳当忠言。
改过必生智慧，护短心内非贤。（解）改过生智慧，文过必伤命。
日用常行饶益，成道非由施钱。（解）起念利他人，成道即修己。
菩提只向心觅，何劳向外求玄？（解）智慧在内心，外求是痴汉。
听说依此修行，西方只在目前。（解）按照此偈修，西方在眼前。

【境界】

真心修行的人，若是明白了修行的真谛，也就知道：修行不在于形式、不限地点，只要心中存有上善之念，只要口中有至善之言，只要走到哪里都行善，修行就无处不在，处处都是修行的道场，事事都是修行的契机，时时都是验证的考题。如能做到时时、处处、事事、人人都只有至善之念，只有善言善行，任何时刻都感受到特别的欣喜，每时每刻就是人生的极乐，生活处处就是自性的天堂。

本品总评

疑问品也叫决疑品，这一品讲的是惠能为信众答疑解惑，指出要获得觉悟，关键在于明心见性，并将这一宗旨落实到人生的每时每刻、一言一行。

功德就在自性中，不是靠修福能得来的。世人愚痴颠倒，执迷不悟，只求人天福报，不求出离生死。

在这里，六祖一言中的，清晰地阐述了功德与福德的不同之处，告诫禅宗学人：心常轻人，吾我不断，即自无功；自性虚妄不实，即自无德。又说：功德须自性内见，不是布施供养之所求也。

万法不离自性，在众生本具的清净自性中，万德庄严，万法具足。在上一品中六祖就讲：三世诸佛，十二部经，在人性中本自具有。西方极乐世界当然也在自性之中！

定慧品第四

本品中，六祖为众徒讲解"定慧不二"的禅宗法门，阐释"直心"的重要性和禅宗"十二字心法"。故名"定慧品"。

本品主题

- 帮助众生破解"定慧"的俗见，了悟"定慧不二"的法门。
- 提出"直心道场"，提醒人们莫走邪路。
- 讲解禅宗"十二字心法"的智慧要诀。

人间惑问

- 定慧原来是一回事啊，为什么非要使用两个词呢？
- "定慧等学"，是说修行中要保持定与慧的均衡吗？
- 六祖关于定慧的比喻太妙了，"灯光"，平时怎么就没有把这两个字拆开来理解呢？
- 这"直心"是什么心啊？是平时说的那种率直之心吗？
- 有些打坐的人看上去呆呆的，到底是哪里出了问题？
- 看来，学习修行不能只靠自己一个人瞎琢磨，更不能拜错了师父，否则就会走到邪道上去啊！
- 这"十二字心法"让人感觉有点深奥，"无"还不是绝对的"没有"，这要如何把握得？
- "无住"的法门很重要，一般人是不是因为"住"了，才会产生那么多难以摆脱的痛苦？

❁ 终于长见识了，无念不是不能起念，而是要起善念、正念啊！

内容解读

【原文】定为根，慧为用，定慧不二

师示众云："善知识，我此法门，以定慧为本，大众勿迷，言定慧别。定慧一体，不是二。定是慧体，慧是定用。即慧之时定在慧，即定之时慧在定。若识此义，即是定慧等学。

"诸学道人，莫言先定发慧、先慧发定各别。作此见者，法有二相。口说善语，心中不善，空有定慧，定慧不等。若心口俱善，内外一如，定慧即等。自悟修行，不在于诤，若诤先后，即同迷人。不断胜负，却增我法，不离四相。

"善知识，定慧犹如何等？犹如灯光。有灯即光，无灯即暗，灯是光之体，光是灯之用。名虽有二，体本同一。此定慧法，亦复如是。"

【释义】

惠能大师指示大众说："善知识们，我这个法门，以定和慧为根本宗旨，但大家不要迷惑，说定和慧是有区别的。定和慧其实是一体，不是两样。定是慧的本体，慧是定的应用。产生智慧时，禅定就在智慧里面；入禅定时，智慧就在禅定当中。如果能认识到这个道理，那就是定和慧融为一体的学问。

"各位修学佛道的人，不要说先入禅定然后才产生智慧，或者先产生了智慧然后才入禅定，认为两者各不相同。持有这样见解的人，就是以为佛法有两种。嘴里说着要行善，心中却没有善念，那就是空有定和慧的虚名，不将定和慧看成是一回事了。如果心里想的和嘴上说的都是善，内外一致，定和慧就是一回事。自己觉悟修行，不需要和人争辩，如果争辩先后胜负，那就和迷惑的人一样。如果不能斩断争执胜负的心思，就增加了我执和法执，就没有脱离人、我、众生、寿者四相。

"善知识们，定和慧像什么呢？就像灯光，有灯就有光，没有灯就黑暗，灯是光的本体，光是灯的作用。名称虽然有两个，本体却是同一个。定和慧的法则，也是这样的。"

【导读】

- 定慧等学：六祖法门，定慧为本，定慧一体，定是慧体，慧是定用，若是真修，定慧等学。
- 法无二相：学道的人，不要说先定后慧，也不要说先慧后定。
- 定慧灯光：六祖将定慧比喻成灯光，有灯即光明，无灯即黑暗，灯光灯光，虽用二名，体本同一。

【赏析】

六祖透心：六祖既知佛法真意，也知俗众误区，出言即能切中要害。他知道修行众里有很多人是带着过去的思维模式来学习的，过去的依然不净，新学的又混入其中，犹如用脏水洗衣服。如此下去，怎能领悟菩提智慧呢？看世俗中那些无明师引领的修行者，大部分都在门外徘徊，就是入不了门。

不破不立：若是不能破除俗过去的习惯或者错误的低级思维，就无法让智慧获得生长的土壤。世人习惯了"二"的认识模式，于是处处产生分别对立：好与坏、善与恶、成与败，等等。辩证法讲"对立统一"，很多人总是首先走进对立，却找不到统一的道。略有领悟的人，就会懂得：好坏是伴行互转的，善恶背后也暗藏玄机，成败更是一对母子。再回到禅宗修行上，俗人常说"定慧"二字，多做偏解邪修，将定慧分开，认为有先后，就是不知体用一体，分开即死，必须同等、时刻接力地修行定慧。不能"定"时，反观自己，是不是"慧"门未开；不能"慧"时，看看自己，是否正着相死缠，欲念过多导致心乱。这样一直进行下去，也许就真的分不清哪是"定"哪是"慧"了。

大道至简：定慧的关系，一般人不好弄懂。于是，睿智的惠能大师就给大家举了一个恰当的例子：灯与光，光是由灯发出来的，若是灯不能发光，就是坏灯、没用的灯；若是没有灯，只有光，岂不是见鬼了？你看，多么通俗易懂。这才是祖师传法的智慧，否则，只是自说自话，全然不管听众是否能够理解，还算是什么智慧呢？

【原文】直心是道场，直心是净土

师示众云："善知识，一行三昧者，于一切处行住坐卧，常行一直心是也。《净名经》云：'直心是道场，直心是净土。'

"莫心行谄曲，口但说直。口说一行三昧，不行直心。但行直心，于一切法勿有执着。迷人著法相，执一行三昧，直言常坐不动，妄不起心，即是一行三昧。作此解者，即同无情，却是障道因缘。

"善知识，道须通流，何以却滞？心不住法，道即通流。心若住法，名为自缚。若言常坐不动是，只如舍利弗宴坐林中，却被维摩诘诃。

"善知识，又有人教坐，看心观静，不动不起，从此置功。迷人不会，便执成颠。如此者众，如是相教，故知大错。"

【关键字词】

[舍利弗] 即舍利弗多罗，释迦牟尼的大弟子，称智慧第一。

【释义】

惠能大师指示信众说："善知识们，一行三昧的意思就是，无论走、停、坐还是卧，都要修行一个正直的心思。《净名经》上说：'正直的心就是道场，正直的心就是净土。'

"不要心里想着干谄媚曲邪的事，嘴里却说着正直的门面话。嘴里说着一行三昧，却不以正直的心思修行。应该以正直的心思来修行，对一切佛法都不要偏执。迷惑的人执着于法相，执着于一行三昧的表面，只是说要常常静坐不动，就能不产生邪念妄想，说这就是一行三昧。这样解释佛道，就等同于没有感情的死物，这是修行佛道受阻的原因。

"善知识们，佛道应该是畅通流动的，怎么会停滞呢？心思如果不执着于法相，佛道就会畅通流动；心思如果执着于法相，那就叫自我束缚。如果说只要久坐不动就能得道，那就好比舍利弗在树林中枯坐，却被维摩诘所斥责。

"善知识们，还有人教别人打坐，说只要静静地内视自己的心，不要动心，不要起念，这样就能修道成功。这些迷惑的人不能理解打坐的真义，就这样执着乱行而七颠八倒。像这样的人还不少，这样乱指导，实在大错特错。"

【导读】

- 开宗明义：六祖直接讲出"直心道场"的原理。
- 斥法相执：口说一行三昧，却不见相应行动，即是大错。
- 斥痴迷滞：言明道须流通无滞，莫把佛法变成教条。
- 斥死坐愚：这是专门说给那些自己不懂得打坐要义，却又教导别人僵坐、死坐的好为人师者。

【赏析】

常行直心：六祖直接讲出修行的直心法则，诚意正心，知行合一，须臾不离。若是做不到，就可能落入邪道。这几条法则，现实中的修行者应当牢记，因为短期内一般人是做不到的，所以要常念常颂，强化力道。

修道迷局：六祖指出世俗中常见的修行错误，也是很多修行者陷入的迷局：口是心非，只说不做，这怎么能算是真修行呢？偏执于佛法、执着于法相，又怎么能够明白佛法的真意？僵坐如尸，以为如此便可断绝妄念，却是步入新的歧途。

贵在通畅：学习智慧，不能让自己的心被智慧的相所束缚，佛法智慧应当是流通无滞的。若是将佛法智慧当成教条，机械套用，就又设置了一种新的障碍。你看现实中，总有人是张口就是佛经，但完全不顾当时的对象和情景，这能算是智慧吗？只是显摆自己罢了，但显摆了什么呢？不过是学习了佛法还没获得智慧的高级愚昧。那号称智慧第一的舍利弗，不就被维摩诘居士问得张口结舌吗？学了不用，这就违背了学习智慧的初衷。

教错即罪：六祖看到，现实中有一些自己还没觉悟就喜欢教别人打坐的人，他们以为僵坐就能悟道。实际上，那不过就是死坐，没有真正搞清楚打坐的含义。自己不懂却胡乱作为是迷失，自己不懂还教人错误的方法，即是罪孽。

【原文】 十二字心法：无念为宗，无相为体，无住为本

师示众云："善知识！本来正教，无有顿渐。人性自有利钝，迷人渐修，悟人顿契。自识本心，自见本性，即无差别。所以立顿渐之假名。

"善知识！我此法门，从上以来，先立'无念为宗，无相为体，无住为本'。无相者，于相而离相；无念者，于念而无念；无住者，人之本性。于世间善恶好丑，乃至冤之与亲，言语触刺欺争之时，并将为空，不思酬害。念念之中，不思前境。若前念今念后念，念念相续不断，名为系缚。于诸法上，念念不住，即无缚也。此是以无住为本。

"善知识！外离一切相，名为无相。能离于相，则法体清净，此是以无相为体。

"善知识！于诸境上，心不染，曰无念。于自念上，常离诸境，不于境上生心。若只百物不思，念尽除却，一念绝即死，别处受生，是为大错。学道者思之，若不识法意，自错犹可，更劝他人，自迷不见，又谤佛经，所以立无念为宗。

"善知识！云何立无念为宗？只缘口说见性迷人，于境上有念，念上便起邪见，一切尘劳妄想，从此而生。自性本无一法可得。若有所得，妄说祸福，即是尘劳邪见。故此法门立无念为宗。

"善知识！无者，无何事？念者，念何物？无者，无二相，无诸尘劳之心；念者，念真如本性，真如即是念之体，念即是真如之用。真如自性起念，非眼耳鼻舌能念。真如有性，所以起念。真如若无，眼

耳色声当时即坏。

"善知识！真如自性起念，六根虽有见闻觉知，不染万境，而真性常自在。故经云：能善分别诸法相，于第一义而不动。"

【关键字词】

[第一义] 出自《大集经》。第一义者，即无上甚深之妙理也。其体湛寂，其性虚融，无名无相，绝议绝思。

[经云] 甚深之理不可说。

【释义】

　　大师指示信众说："善知识们，正确的教化方法，本来并没有顿悟还是渐修的区别。人的本性有的聪明有的迟钝，迟钝的人可以采取渐修法，颖悟的人可以顿悟而与佛道相契合。如果自己能认识自己的本心，自己能发现自己的本性，那就没有什么顿教和渐教的差别了。所以建立顿教或渐教的法门，只是为了方便而暂时给个名称。

　　"善知识们，我这个法门，从释迦佛祖传到现在，首先是以无念作为宗旨，以无相作为本体，以无住作为根基。所谓无相，是既在相上又能离开相；所谓无念，是既有这个念头又不执着于这个念头；所谓无住，是说人的本性将于世间的善恶美丑，冤家和亲友，以及言语讥讽、欺诈、争斗，都当作空幻来对待，并不图谋报复。每一个念头，都不要再追思过去的事情。如果既想着从前，又想着现在，还想着将来，念头一个接一个，持续不断，这就叫自己捆绑自己。对待诸法万相，每个念头都不停留，就无所束缚了。这就是以无住为根基的意思。

　　"善知识们，抛离一切法相，名叫无相。能抛离法相，就能使自性法体清净无染，这就是以无相为本体。

　　"善知识们，面对各种外境，心思不受干扰污染，这就叫无念。在自己的心念中，经常远离各种外境，不被任何外境触动而起心动念。如果以为只要什么东西都不想，就能把所有的念头都除尽了，这是错误的认识，因为一个念头绝灭，好像是没了，但念头还会在别处产生。学习佛道的人要仔细思考这个问题，如果不能认识佛法的真正意旨，自己错了还好说，再用这种错误认识去劝化别人，那就不仅是自己迷惑、不能认识佛性，还歪曲诽谤了佛经，所以要以无念为宗旨。

"善知识们，为什么要以无念为宗旨呢？只因为那些嘴里说着认识佛性的愚迷之人，一遇外境就起心念，在心念上就产生各种偏邪的见解，于是一切世俗的妄想也就随之产生了。自己原有的佛性，本来不能用一种固定的方法获得。如果自以为获得了而乱说祸福，那就是世俗偏见。所以我这个法门要以无念为宗旨。

"善知识们，所谓无，无什么事情呢？所谓念，又念什么东西呢？所谓无，就是没有差别二相，没有各种世俗的想法；所谓念，就是念真正的如来佛性，真正的如来佛性就是念的本体，念就是真正的如来佛性的运用。真正的如来佛性是从自己的本性产生心念，而不是从眼、耳、鼻、舌产生心念。真正有如来佛性，就能生起佛念。如果没有真正的如来佛性，那么眼睛、耳朵等感觉器官就应该是坏死的。

"善知识们，真正的如来佛性是从自己的本性中起念的，所以眼、耳、鼻、舌、身、意等六根，虽然有视听感觉认知等功能，却可以不被各种外境所影响污染，从而保持真正的佛性常在。所以佛经上说：能够善于区分识别各种外在的法相，正是由于不动心念，这就是第一要义。"

【导读】

◈ 破顿渐迷：正教无有顿渐，只是人性自有利钝，迷人渐修，悟人顿契。顿渐只是假名而已。

◈ 十二字心法：无念为宗，无相为体，无住为本。

◈ 解读心法：无相者，于相而离相；无念者，于念而无念；无住者，人之本性。于世间善恶好丑，乃至冤之与亲，言语触刺欺争之时，并将为空，不思酬害。

◈ 小心系缚：念念之中，不思前境；于诸法上，念念不住，即无缚也。此是以无住为本。

坛经心读：品真性妙美

◎ 无相无念：外离一切相，名为无相。能离于相，则法体清净，此是以无相为体。于诸境上，心不染，曰无念。于自念上，常离诸境，不于境上生心。

◎ 警惕念绝：若只百物不思，念尽除却，一念绝即死，别处受生，是为大错。所以立无念为宗。

◎ 警惕境念：有人口说见性，但又于境上起念，念上再起邪见，生出一切尘劳妄想。

◎ 警惕邪见：自性本无一法可得。若有所得，妄说祸福，即是尘劳邪见。

◎ 再解无念：无者，无二相，无诸尘劳之心；念者，念真如本性，真如即是念之体，念即是真如之用。

◎ 何处起念：真如自性起念，非眼耳鼻舌能念。真如有性，所以起念。真如若无，眼耳色声当时即坏。

◎ 诸法实相：起念有证，则是真如实性，也是与外道的根本区别。

【赏析】

先破后立：现实中，人们总是提到南宗北宗、顿教渐教等说法，这其实是俗人的"二"模式在作怪。错在何处呢？教无顿渐，教法有顿渐，因为人性自有利钝，迷人渐修，悟人顿契。顿渐，只是应机说法，又叫因材施教，怎么能够把应用在不同人、不同阶段的教法当成教派呢？看来，俗人是乱叫的，名字也是乱起的，只是这么一叫，不明真相的人就会被误导。

立宗心法："无念为宗，无相为体，无住为本"，这十二个字的禅宗心法，可谓精炼、准确、全面。既然无念，还念什么？既然离相，还有什么好念的？既然不住，念岂不是多余的，一念不就又住了吗？不修行的人，往往起念即将事物看死，也把念头固定死，于是再也不管那到底是什么了。想想都可怕，历史上很多有学问的人、固执己见的人，不都是因此毁了自己吗？

定义"心法"：无相者，于相而离相；无念者，于念而无念；无住者，人之本性，不判断，不分别，不滞留。

无住为本：念念之中，不思前境；于诸法上，念念不住，即无缚也。此是以无住为本。现实中的人们，往往将过去留在心中，反复思量，尤其是给自己造成过伤害的人和事。你看，事情已经过去了，但心还留在过去，身体却在当下，这是身心的残酷撕扯啊！人们劝人时总说：过去的就让它过去吧！人家都道歉了，你就原谅他吧！得理时也要饶人啊，得理不饶人只是在延续自己的痛苦而已。人随境走，境过人过不滞留。境来则入境，不顶不丢。来者不拒，去者不追，是谓达观。你能做到吗？是不是还在跟过去生拉硬扯，以至于自己的现在也顾不上。最终，过去的不消失，现在的也荒废了，未来的再向往，也还没有到来。你看看，心要是错位了，人生就会变得一塌糊涂。

离相生慧：外离一切相，名为无相。能离于相，则法体清净，此是以无相为体。人的见识多了，心中装的东西也就多了，若是无法清理，时间久了就会堆积成山，心何堪如此重负？不久就会累坏了，再往下就更不用说了。实际上，世有万象，唯归一理，如此整理一下，让具体的事情成为前期的素材。加工好了，如同多了一锅肉，若是不闻不吃，就看不出是什么肉。

无念念绝：祖师教导我们：要于诸境上心不染，曰无念。于自念上，常离诸境，不于境上生心。但也要小心，若只百物不思，念尽除却，一念绝即死，别处受生，是为大错。如此作为，就歪曲了"无念为宗"的本意。当然，还有另一个极端：口说见性，但又于境上起念，念上再起邪见，妄说祸福，生出一切尘劳妄想，这就是自己骗自己了。当然，世间人不用老师教，就会自我欺骗。小心这两个极端，会害人的。

真如起念：人们难以理解无念，也很难做到无念原因主要有：过去的孽障深重，拖住了自心，无法前行；或者没有理解无念的真意，追求了错误的、片面的无念。实际上，若是完全无念，即是僵尸；若是在尘劳上起念，即生邪见，若是在境上起念，就又着境而滞心。那到底该怎么办呢？

无念的真意不是绝念，而是要断除死僵之念，断绝尘劳上起念，警惕境上起念，但要知道，真如是正念之体，正念是真如之用。也就是说，发自本心、出自善心的正念，才是起念之正道。如果一个人修来修去，什么念头都没有了，遇事又露出过去的俗念邪念，对于真正要践行的正念善念却没有行动，这就是不走正道，必走邪道。当然，以真如之体起正念善念，必然要有实相为证，否则，就是空谈，就是唬人的外道了。这可是佛法的第一义谛！

经典名言

- 我此法门，以定慧为本，大众勿迷，言定慧别。
- 定慧一体，不是二。定是慧体，慧是定用。
- 即慧之时定在慧，即定之时慧在定。若识此义，即是定慧等学。
- 诸学道人，莫言先定发慧、先慧发定各别。作此见者，法有二相。
- 口说善语，心中不善，空有定慧，定慧不等。
- 心口俱善，内外一如，定慧即等。
- 自悟修行，不在于诤，若诤先后，即同迷人。
- 定慧犹如何等？犹如灯光。有灯即光，无灯即暗，灯是光之体，光是灯之用。名虽有二，体本同一。此定慧法，亦复如是。
- 一行三昧者，于一切处行住坐卧，常行一直心是也。《净名经》云：直心是道场，直心是净土。
- 莫心行谄曲，口但说直。
- 但行直心，于一切法勿有执着。
- 迷人著法相，执一行三昧，直言常坐不动，妄不起心，即是一行三昧。作此解者，即同无情，却是障道因缘。
- 道须通流，何以却滞？心不住法，道即通流。心若住法，名为自缚。

- 若言常坐不动是，只如舍利弗宴坐林中，却被维摩诘诃。
- 有人教坐，看心观静，不动不起，从此置功。迷人不会，便执成颠。
- 本来正教，无有顿渐。人性自有利钝，迷人渐修，悟人顿契。自识本心，自见本性，即无差别。所以立顿渐之假名。
- 无念为宗，无相为体，无住为本。
- 无相者，于相而离相；无念者，于念而无念；无住者，人之本性。于世间善恶好丑，乃至冤之与亲，言语触刺欺争之时，并将为空，不思酬害。
- 念念之中，不思前境。若前念今念后念，念念相续不断，名为系缚。于诸法上，念念不住，即无缚也。此是以无住为本。
- 外离一切相，名为无相。能离于相，则法体清净，此是以无相为体。
- 于诸境上，心不染，曰无念。于自念上，常离诸境，不于境上生心。若只百物不思，念尽除却，一念绝即死，别处受生，是为大错。
- 云何立无念为宗？只缘口说见性迷人，于境上有念，念上便起邪见，一切尘劳妄想，从此而生。
- 自性本无一法可得。若有所得，妄说祸福，即是尘劳邪见。
- 无者，无何事？念者，念何物？无者，无二相，无诸尘劳之心；念者，念真如本性，真如即是念之体，念即是真如之用。真如自性起念，非眼耳鼻舌能念。真如有性，所以起念。真如若无，眼耳色声当时即坏。
- 真如自性起念，六根虽有见闻觉知，不染万境，而真性常自在。
- 经云：能善分别诸法相，于第一义而不动。

核心理论

"定慧不二"：人言定慧，偏修一方，落入心正行邪的陷阱。"定慧不

坛经心读：品真性妙美

二"的玄机在于体用一体，定如灯，慧如光。

【缘起】

六祖直接提出本门修行的基本宗旨——"定慧为本"，又针对现实中人们一旦使用词汇，就容易将整体分离看待的错误倾向，提出"定慧不二"的法则。

【审心】

稍微熟悉佛学知识的人可能都知道，戒定慧合称为"三学"，也是佛陀教导我们修行中要进行的三项训练：修戒，完善道德品行；修定，致力于内心平静；修慧，培育智慧。

一般认为，戒定慧"三学"在修行中是循序渐进的关系。先要完善自己的品德；有了好的品德，就要让自己的内心平静；内心平静了，就要进一步提升智慧。

是啊，一般人认为这样的解释是对的，事物的发展都是循序渐进的，从量变再到质变。对于这个问题，难道还有别的理解吗？

【真意】

六祖发起了一场佛学思想的革命，在佛学基本思想的基础上进一步深化和提升。

在此，六祖专讲"定慧"的关系，核心思想基于心智的真实发展进程：在修行中，定慧不是简单的先后关系，而是彼此连续互动、互为因果、交替进行、螺旋上升的关系，而且，二者只是从主观上进行的概念区分，其实是一体的，在真实的心智发展进程中是无法截然分开的。一旦分开，定也非定，慧也非慧。

想想看，若只修"定"，处在愚痴状态，内心思绪烦乱，剪不断理还乱，还能够修出"定"来吗？可能在外人看来，只是发呆、傻坐而已。若只修"慧"，当心绪和身体都难以自控时，哪里还有什么智慧可言？

由此可见，"定"的功劳，必有"慧"的贡献。真正的"定"，必然有相应的"慧";真正的"慧",必然会有内心的"定"。"定慧不二"和"定慧一体"这两个基本论断,真实地反映了心性的状态与变化。

【境界】

修行者若是能够领悟"定慧不二"和"定慧一体"这两个法则,就能进入心智真正的运行过程中,就能够体会"定慧互为因果"的连续不断的相互强化以及螺旋式上升。

按照心智的客观状态与变化的规律来修行,这才是"以道修道"的绝妙法门啊!

"直心道场":若僵坐如尸,表情如痴,身静心迷,就是走了邪路。

【缘起】

六祖应当是遇到过很多不懂得坐禅要义的修行者,所以才会不厌其烦地向大家解说"身心不二"的"直心"法则。

【审心】

我们在修行中,是不是认为打坐很重要?

我们是否会为自己能够一坐几个小时一动不动而感到骄傲和自豪?

我们在打坐的过程中,是否很久才能让自己的内心平静下来?是不是越想静,内心的杂念越是赶不走?

我们在打坐中是不是渐渐地能够保持心空而无一念?还是坐下之后很快陷入红尘烦扰?

这些情况对不对呀?这正常吗?怎么就没法将心中杂乱的念头根除呢?

【真意】

六祖是修行者,而且是大根器的修行者,是顿悟法门的祖师,自然知道修行中关于打坐的常见错误。

原来,人们又"二"了,没有开启内心的智慧,只停留在身体外形上的枯坐，已经走上外道了。

身形的静止、内心的息念、心性的智慧，是相互联系的。若是身形静止不能有效促进内心息念，就说明这个方法出了问题。若是不省思问题的根源，还一味地坚持枯坐的形式，不就陷入另一种执着了吗？不也是愚痴的表现吗？

人打坐时，身形乱动，是内心躁动的表现。而内心躁动，一定是因为各种念头相互冲突。若是不能开启智慧，让思维超越过去那种对立、冲突的模式，恐怕内心的安定和外形的安静永远无法实现。这个问题若是解决不了，修行就变成了"枯坐"，沦为形式主义。

看来，问题的核心在于，是什么让内心躁动不安。佛祖已经讲过，"贪嗔痴慢疑"这心中的"五毒"就是祸根。若心中这"五毒"不除而修禅定，终究是邪定。修大神通或各种玄妙的大法时，若"五毒"心尚存，可能会变成魔通或各种恶法。

"贪"有很多种，较为典型的有"财、色、名、食、睡"五欲之贪。"贪"绑架人的心智，"贪"即是超出了正常需要，扰乱心智，劳烦身心。"贪"就是利己，不断追求更多更大的快乐，以至于忘记了任何事情只要过了头都会转向负面。原来，追求过了头，也就不再是有利的了。只是许多人看不清楚，一直追求下去，即贪婪无度。

"嗔"是生气的意思，生气有很多种，比如别人不顺从我们的心思，别人不够尊重我们，别人负面评价我们，别人侵犯我们的利益，等等。受到了侵犯和伤害，会产生愤怒和恼恨。"嗔"就是因为遇到不开心、不喜欢的事，不期而遇，很想抛弃它或者改变它，但又做不到。这样的负面情绪一旦产生，就更无助于解决问题。况且，别人怎么会总是顺我们的心思呢？怎么可能我们自认为的好处或者领地就是永远属于我们的呢？原来，背后的思维就错了，即"愤怒背后一定藏着愚蠢"。

"痴"也称之为愚痴，也即是"无明"，是"贪嗔慢疑"四毒的根。"痴"者往往不明事理，是非不分，自以为是，唯我独尊，自私自利，损人利己或者损人不利己,等等。"痴"就是面对人生中各种各样的价值,不会算账:要么把吃亏当成占便宜;要么自以为是,当别人都傻;要么自私,不知道别人对他的负面评价;要么一味追求物质利益,人格变得低下。总之,人若是脱离不了"痴",就一定会产生另外的四毒。

"慢"就是傲慢、我慢。典型表现有:总是高抬自己、贬低别人;总是沾沾自喜,拿自己的长处与别人的短处比较;总是以为自己的工作才是最重要的,别人比不上;做了一点本职工作,就以为大有功劳,就期望或者要求奖赏;若是别人的做法触犯了他的利益,他就会发疯,想要置人于死地;看不到自己的短处,在任何时候,面对任何事情,都认为自己是正确的。

"疑",就是习惯性地做逻辑不通的负面联想,抓住一丁点信息就开始受害联想;看到一丁点负面信息,就彻底地否定别人;与别人一旦有了过节,就会势不两立;任何时候都只做有利于自己的思考,一旦不能实现预期,就会恼恨。

从修行者的角度看,主要有以下情形:疑病倾向——不了解自己的身体,却胡思乱想;疑人倾向——难以相信任何人,始终处在防备状态;迷我倾向——自己永远是对的,错都是别人的;幻听倾向——经常听到莫名其妙的声音,心惊胆战;迷信倾向——以为身外有神灵之类超自然的力量,时刻左右着自己,所以经常拜神;对立倾向——生活与工作中总是跟人发生冲突;邪恶倾向——内心深处坚信"钱才是最重要的""自己才是可信任的""别人都是不怀好意的""遇到冒犯绝不能心慈手软"等邪见;歪曲倾向——完全按自己的标准,片面理解别人的语言,看书听课、学佛修行也只按自己的理解去诠释;封闭倾向——听不进任何人的话,遇事不听任何人的劝告,跟任何人都难以交心,很纠结、很孤独,表情通常很冷漠、阴险。总之,这类人始终龟缩在愚蠢的"小我"硬壳里。

有人也许会说:这"五毒"中任何一毒都可能把人毁了呀!是的,所以人生必须修行,否则,在"五毒"的作用下,人不仅会伤害别人,也会伤害自己，会给自己制造一个广大无边的苦海，让生命、生活和事业深陷于邪恶、错误之中，越是挣扎就越是沉沦，直至被心中的邪念淹没。

由此可见，心有"五毒"，躁动难静；不除"五毒"，难免万劫不复。"五毒"一旦与任何修行和佛言混杂，人的内心与佛的话语都会被歪曲，任何修行都会误入外道。

【境界】

我们知道了内心的"不静"原来是因为自心"不净"，若是带着"五毒"，带着肮脏的心去修行、去打坐，难道还会有益处吗？

若是清除了心中的"五毒"，从"贪"转向适度、利人利他、合作共赢，心就会变得干净，心就会清静，智慧就会产生；从"嗔"转向理解他人的合理性和善意、放松了自己认识和观念上的执着、放弃了对别人的过度期待与要求，遇到不同的人和事，知道去商量，内心就不会再频起波澜；从"痴"转向学习、请教、欣赏、超越、尊重、进步，人就不会再因为自以为是而做蠢事；从"慢"转向谦卑、自律、自省、忏悔和改过，就会与他人建立和谐的关系，也会将自己的小我发展成大我，最终达到无限的我——无我无不我。这才是修行的至高境界啊！

禅宗心法："无念为宗，无相为体，无住为本。"一切以无念为宗，破一切相见性，心来去自由，没有染杂。

【缘起】

六祖提出了禅宗修行的"十二字心法"，是对禅宗思想与修行方法的最精炼的概括。

【审心】

想想看，有多少人相信"无念"的功能与价值？很多人不正因为自己念头很多而自豪？可是，我们的念头就是真理吗？如果不是真理，这样的念头多了，我们又会变成什么样子呢？

可以问问自己，我们看问题时有多少次能透过现象直达本质？大部分时候不都是看见、听见什么，就不加分析和调查，几乎全部相信，进而做出判断、产生情绪吗？我们听到、看到的信息都是片段，都是不完整的。依此做出的判断，可能正确吗？

静心想想，有谁能把从过去经历中产生的念头彻底忘记？有谁不是带着过去生活的？有多少人能带着过去的美好回忆走向未来？又有几个人能够把过去的痛苦彻底忘掉？

【真意】

六祖以自己的智慧，为解决这些典型的问题给出了答案。

"无念为宗"：让人意想不到的是，我们自己的念头往往都是基于主观的认识、有限和残缺不全的信息、带有个人色彩的价值观而产生的，其所反映的并非客观事物的真相。于是，不修行的人，念头多，错误就多。当然，也会有人问，现实中那么多成功者，难道都是修行者吗？成功不能证明他们的念头是正确的吗？要回答这个问题，需要搞清楚两个观点：一是关于成功，是事业的成功，永久的成功还是全方位的成功呢？是俗人标准下的成功还是人类公认的成功？人类有公认的成功标准吗？二是这些所谓的成功者，你怎么知道他们不修行呢？也许他们身在红尘，但心在梵界，事事自省，永远学习进取，不断自我突破，恪守正道，决不懈怠，善于倾听不同意见，善于调查研究，善于做出基于事实的决断，等等。若是这样，他们与修行者何异？"无念"的准确含义是：无私念、无邪念、无边见，但要有正念、正道和善行。

"无相为体"：一般人困惑的是，若是没有了相，还到哪里去找本体呢？可是，相有许多种：假相、幻相、虚相、表相，等等。这些难道都能代表本体吗？一般而言，"相"与"体"是一体的，但限于人感官的能力，我们通常只能看到"相"而看不到"体"。再加上自己的经验、知识、偏好以及认识问题的方法影响，我们往往会根据各种现象、表相、假相、虚相、幻相进行思考和判断，当然就会出错。若是能够透过现象看本质，深入细致地进行调查研究,多听不同方面的不同意见,静观一段时间看变化,才能进行正确、全面、辩证的判断。

"无住为本":人类有强大的记忆力,人类有个性化的记忆偏好,人类对于未知是充满恐惧的。于是,在缺乏自我审视的前提下,人们往往要么根据过去的经验和感受,对现在进行判断、对未来进行预测;要么根据已有的基本知识,对当下种种个别的事件进行笼统的思考和判断;要么沉溺于了个人情感和情绪,根据过去的结论来解释现在的情况、预测未来;要么人在此时此地,心却飞到另外的地方,造成心身分离;要么让自己的心念执着于某一件事,难以自拔,进而拒绝新的事物。你看,心无所住,可不是件简单的事情。一旦心住在某个时刻、某个人物、某个事件,我们的心智就会产生错位,哪里还有智慧可言?

【境界】

人若修到"无念"的境界,就会悦纳一切,就会随时随地以事实和真相作为思考的依据,就会超越世俗中一切低级的是非善恶之分。这样的境界就会让人变得通情达理,理解一切,体谅所有,内心通达无挂碍。人若修到"无相"的境界,就会见相不动心,就会随相而不着相,就会在必要时深入调查了解,以便贴近真相。人若修到"无住"的境界,前念已灭,随境起念,念念不着,皆是善念,犹如在真空中穿行,无滞无留,皆是欢喜。修行到这样的境界,才能真正体会到修行的价值和人生的快乐。

本品总评

在本品中,惠能向信众讲解了定与慧的关系,定是慧的体,慧是定的用,定慧一体,落实到日常活动中,就是心口俱善。定与慧均等修持,是禅宗的一大特色。

由戒生定,由定发慧,这是渐修次第的观点,不是禅宗的观点。在这里,六祖开示我们:定慧一体,不是二。定是慧体,慧是定用,犹如灯光。有灯即光，无灯即暗，灯是光之体，光是灯之用。名虽有二，体本同一，此定慧法，亦复如是。所以，宗下行人，要把定与慧看成一个统一体。定而无慧是枯寂，死水不会藏龙；慧而无定是狂慧，纷然而失其心。所以，寂寂是惺惺的寂寂，惺惺是寂寂的惺惺，这才是禅宗定慧等持的本旨。

　　在这里，六祖阐述了禅宗"无念为宗，无相为体，无住为本"十二字法门。大家要清楚什么是无念，什么是无相，什么是无住，这是禅宗修持的关键，不要含糊不清。无念的念，就是在境上所生的心，这就是妄念。那么，无念就是无妄念，妄念就是邪念，无妄念也就是无邪念。那么，什么是无相的相呢？这里所说的相，就是有差别的二边之相，如有与无、善与恶、苦与乐、生与灭、爱与憎、怨与亲等，这些都是境相。而无相就是没有这些差别之相，脱离这些差别之相。六祖说：能离于相，则法体清净，此是以无相为体。最后再说一下"无住为本"，这里的住就是执着。六祖说：于诸法上，念念不住，即无缚也。此是以无住为本。

坐禅品第五

在这一品中，六祖讲的主题就是"坐禅"。他讲解了"坐禅"的原理，指出了"坐禅"时易犯的错误，确定了"禅定"和"坐禅"的概念。故名"坐禅品"。

本品主题

- 提出了"坐禅"的基本思想原理。
- 指出了"坐禅"和"禅定"的常见错误。
- 确定了"坐禅"与"禅定"的基本概念。

人间惑问

- 打坐和坐禅是一回事吗？
- 平时很忙，也没时间坐禅啊，怎么办？
- 偶尔也打坐，可是心不静，是什么让我心烦呢？
- 禅定是不是指像有些高僧那样不吃不喝，像死了一样？
- 这么多年来，很多人修佛，有多少人成佛？

内容解读

【原文】

师示众云："此门坐禅，元不著心，亦不著净，亦不是不动。若言著心，心元是妄，知心如幻，故无所著也。若言著净，人性本净，由妄念故，盖覆真如，但无妄想，性自清净。起心著净，却生净妄，妄无处所，著者是妄。净无形相，却立净相，言是工夫，作此见者，障自本性，却被净缚。

"善知识！若修不动者，但见一切人时，不见人之是非善恶过患，即是自性不动。

"善知识！迷人身虽不动，开口便说他人是非长短好恶，与道违背。若著心著净，即障道也。"

师示众云："善知识！何名坐禅？此法门中，无障无碍。外于一切善恶境界心念不起，名为坐；内见自性不动，名为禅。

"善知识！何名禅定？外离相为禅，内不乱为定。外若著相，内心即乱；外若离相，心即不乱。本性自净自定，只为见境思境即乱。若见诸境心不乱者，是真定也。

"善知识！外离相即禅，内不乱即定。外禅内定，是为禅定。《菩萨戒经》云：'我本元自性清净。'

"善知识！于念念中，自见本性清净，自修，自行，自成佛道。"

【关键字词】

[净缚] 过分追求"净相"而被"净相"所束缚。

【释义】

大师对众人说："这个法门中的坐禅，本来就不强调返内视心，也不是观想清洁净土，更不是枯坐着一动不动。如果说返内视心，心原本就是虚妄不实的，既然知道心乃虚妄，就没有什么可内视的。如果说观想清洁净土，人性本来就是清净的，只是产生了妄想，才把真如佛性给遮蔽住了。只要没有妄想，本性自然就变清净了。刻意地观想净土，就产生了执着于净土的妄想。妄想没有什么固定生成的处所，观想本身也是虚妄的。洁净本来也是无形无象的，现在却要给净土定一个具体形象，说符合这个

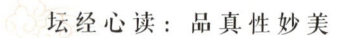

形象的才是真功夫，持有这种认识的人，障碍就从自己的本性中产生了，反倒被所谓净土的观想束缚住了。

"善知识们，如果修行坐禅不动法门，见任何人时，都要对他的是和非、长和短、好和坏、过失和毛病等视而不见，这才是修到自己的本性真正不动的境界。

"善知识们，迷惑的人打坐时，身体虽然不动，一开口就说别人的是和非、长和短、好和坏，这是从根本上违背佛道的，就好比所谓的返视内心，观想净土，都是阻碍智慧产生的歪门邪道。"

大师又对众人说："善知识们，什么叫坐禅呢？这个法门中的坐禅是指，消除了任何障碍，对外在的一切或善或恶的情况，都不产生心思，这就叫坐；对内在，则能体会到自己的真如佛性是永不动摇的，这才叫禅。

"善知识们，什么叫禅定呢？外在任何事相永远都不会干扰自己，就叫禅，内心永远平和不纷乱，就是定。如果执着于外在事相，内心就会纷乱；如果能远离外在事相，内心就不纷乱。人的本性自然是清净和安定的，只是因为执着于外在境界，内在的思想境界就跟着乱了。如果对于外在一切境界，内心都能不乱，那就是真正的入定。

"善知识们，外在离开各种境界、不受干扰就是禅，内在保持不乱就是定，外禅内定，就是禅定。《菩萨戒经》中说：'我的本性原本就是清净的。'

"善知识们，从自己产生的每一个念头中，去体会自己的本性中原本的清净吧，自己修，自己行，佛道自然就修成功了。"

【导读】

- 坐禅本意：不著心，不著静。
- 新妄又生："坐禅"中的净妄和净缚之错误。
- 修静不动：本意是自性不动。
- 假静：身不动，见人则心生是非，也就是内外不一。
- 定义坐禅：入境不起念，见相性不动。

- 定义禅定：外不著相为禅，内心不乱为定。
- 自成佛道：于念念中，自见本性清净，自修，自行。

【赏析】

不要把方法当成目的：禅门修行，著心是手段，不是目的。著净只是过程，让人了悟自性清净，非肉眼可见。修静，要先发现不静的缘由，破除障碍，达到不起妄念的境界。现实中很多人可能搞错了：著心，把心当实相著，并没有著到妄心，也没有及时消除心乱的根源。如此作为，著上一百年，也不可能心静、心净、心定。著净，是要让人了悟自性本是清净，一切杂染全是人的妄念在捣乱。若是不能消除作乱的妄念，清净的心中总有小鬼在乱动。如此著净，著上一百年，依然是妄念难消。如果妄念乱动再加上自性未悟，一切修行也不过是增加内心的烦恼。修静，大部分人只是身体不动，但管不住自己的心。虽然外表安静，但见人生是非，见境生妄念，一张嘴就会把混乱的自己全部暴露。

坐禅是为了见性：很多人打坐，似乎就是为了让自己安静下来，这固然有些益处，可是，不打坐时呢？大部分人也不能整天坐着不动或者什么也不干啊！

实际上，坐禅是在给予生命一段特殊的时光，这段时光是完全属于自己的，坐禅是观察自己身体与思想的特殊精神生活。通过坐禅，我们要去观察：我是不是在用自己的标准看别人？是不是对人有亲疏与好恶的分别？我的标准一定是对的吗？如何放下自己的标准，去了解全部的真相？若是不关掉自己错误的程序，总用纯粹个人的标准、不全面的信息判断别人？这样不公平，也没有什么益处！

当我们把自己心妄、心乱的过程著清楚了，是不是也就释然了？想想自己的生活经历：有时，对于某件事情或某个人，我们有了看法。过了一段时间，又有些关于那件事和那个人的新信息进入我们的头脑，于是，我们的想法就会发生改变，只是不知道过程需要多久。在这个过程中，我们的心中会一直存在着偏见与成见，会影响甚至决定我们对待那件事和那个人的态度与行为。若是相信自己在那样一个特殊的时间点，基于有限的信息、个人主观有限的认识产生的看法是正确的，就会产生障碍，我们就会带着自制的有色眼镜去著、去想、去判断、去行动。如此重复，就会形成一套坚固的著法体系，形成证明与强化自己错误的典型模式。因此，在人间，成见难破，偏见难改。我们知道了这些，就要在生活中处处去留心观察自己内心的游戏程序，就会觉得可笑，就会走出自我愚弄的圈套。

经典名言

- 此门坐禅，元不著心，亦不著净，亦不是不动。
- 若言著心，心元是妄，知心如幻，故无所著也。
- 若言著净，人性本净，由妄念故，盖覆真如。
- 但无妄想，性自清净。
- 起心著净，却生净妄，妄无处所。
- 著者是妄，净无形相，却立净相，言是工夫，作此见者，障自本性，却被净缚。
- 若修不动者，但见一切人时，不见人之是非善恶过患，即是自性不动。
- 迷人身虽不动，开口便说他人是非长短好恶，与道违背，若著心著净，即障道也。
- 何名坐禅？此法门中，无障无碍。外于一切善恶境界心念不起，名为坐；内见自性不动，名为禅。
- 何名禅定？外离相为禅，内不乱为定。
- 外若著相，内心即乱；外若离相，心即不乱，本性自净自定。
- 只为见境思境即乱，若见诸境心不乱者，是真定也。
- 外离相即禅，内不乱即定。外禅内定，是为禅定。《菩萨戒经》云：我本元自性清净。
- 于念念中，自见本性清净，自修，自行，自成佛道。

坐禅品第五

核心理论

坐禅：既不著心，也不著净，面对万境，自心如如不动。外于一切善恶境界心念不起，名为坐；内见自性不动，名为禅。

【缘起】

坐禅的人多，但明白坐禅真意的人少，于是就出现了各种问题。六祖针对坐禅的常见错误，从正面给出定义。

【审心】

首先，很多人认为坐禅这事跟自己是没有关系的，要么是因为禅很难搞得懂，让人望而却步；要么自己红尘琐事缠身，根本没有时间；要么心中怀疑坐禅的作用。于是，红尘中的很多人是不坐禅的。

其次，红尘中的很多修行者，佛学或者禅宗思想还没有完全吃透，处于一知半解的状态。虽然已经接受了坐禅这个修行方式，但不解其中真意，于是"坐而不定"，徒有其形而没有见性。

如此"坐禅"，失去真意，也就很难"坐"出真正的"禅"效。相反，还会走向外道。

【真意】

六祖针对坐禅中普遍存在的问题，给出了清晰的定义。这一点十分难得。因为我们在读经典时遇到最大的困难往往就是，很多说法或者词汇没有清晰的定义。

六祖从内外两个方向，分别对"坐"和"禅"的真意进行了界定：外于一切善恶境界心念不起，名为坐；内见自性不动，名为禅。

从这里可以看出，六祖认为，外在形体上的"坐"，必须连动内心的状态，面对一切，心念不起，这才是真正的"坐"。从内在来看，自性永恒，非人力可变，若能领悟那个永恒的自性，就入了"禅"境。

【境界】

人若领悟了坐禅的真意，面对世间一切境况都能保持心念不起，也就是不用世俗价值标准去思考和评判，这就是"坐定"了自己，不再被外在的境况左右。此时此刻，人才是自己的主人，才会远离因评判而生出的烦恼与痛苦。若能够见到自性的如如不动，人力不能改且包含万法，与万法融通一体，即自性和万法空寂的状态，哪里还会有什么忧愁和苦恼？这样的坐禅才是修行的最高境界啊！

自缚：著心，心是虚妄，是为心缚。若是著净，净也虚妄，是为净缚。若是为静，也是著相，是为静缚。

【缘起】

唉！看来这修行中的问题实在太多了，稍不留意就会走错路！

【审心】

如果你现在还不是修行者，这些修行中的问题也只能看看，很难有什么体会。

如果你是修行者，是不是听说过或者正在观自心呢？可是，心在哪里？这里的心绝对不是指心脏。是心灵？那就更无法找到具体位置了。你在观什么呢？

如果你是修行者，是不是听说过或者正在修净？这净又是什么样子的？也是无形无相的吧，那又要如何观呢？

如果你是修行者，是不是听说过或者正在努力修静呢？这静又是什么样子的？同样也是无形无相的啊，你想着相都没法着，也就只能着在"静"这个字上了。

这一切，都被六祖归为外道修行，是着相的做法。以外道的方式修正道，岂不越修越远！

【真意】

六祖看到了修行者的这几类典型错误，指出了"三缚"问题：心缚、净缚和静缚。

发现问题是解决问题的开始，若是连有没有问题、问题是什么都不知道，那还怎么解决问题？

这"三缚"问题有一个共同特点，其对象都是无形无相的。同时，人被这三类无形无相的概念捆绑，也是一种着相。可是，无形无相的概念怎么还会有着相的问题呢？实际上，着相不仅仅是执着于有形的相，也包括执着于无形的相，如文字、观念、原理、知识和经验等精神层面的相。能破有形之相已属不易，若是能破无形之相，便可真正领略无念法门的妙处。也就是说，要吃透文字的真意，不要执着于文字的意象，要将文字、概念等当成门径。

【境界】

若能解除"三缚"，修行者就过了两关：有形相和无形相。

若是着心而知心之运动，但又不执着于所谓的心，就接近见性。

若是着净而心达到无染状态，但又不执着于染与不染，就接近洞见自性。

若是心达到寂静状态，但又不执着于静与不静，就接近领悟自性。

这样的境界，在修禅中是十分难得的。到了这样的境界，自心就没有了挂碍，没有了一切相，没有来也没有去，自由自在。

修静：见一切人，不生善恶是非之心；见一切相，不生好恶分别之心。入一切境而不染杂，自性不动，是为修静。

【缘起】

修静，在禅修中占有非常重要的位置。可是，心静太难了。你想静，可念头死死缠绕着你，就是不肯离去！

【审心】

你若不是修行者，毫无疑问，你很少有心静的时候。

你若是修行者，基本功课就是修静，无静，一切修行都无从谈起。

坛经心读：品真性妙美

你若是修行者，几乎无法避免地会遇到这种情况：想静却很难静下来，各种念头纷至沓来，赶都赶不走，真是让人困扰。

【真意】

我们曾经分析过这种困扰的成因，就是心中"五毒"在作怪。在此基础上，六祖又给大家介绍了更加方便的法门：管住自己的念头，别让主观出来捣乱，破解那些世俗念头的存在机制，使其不复存在。最为典型的就是要破除"是非心""分别心"和"著境心"。只要破除了这"三心"，见一切人，不生善恶是非之心；见一切相，不生好恶分别之心。入一切境而不杂染，也即自性不动，是为修静。

【境界】

人若能识别"三心"，破除"三心"，就能达到真正修静的状态，能体悟自性的如如不动，即是见性，也就是成佛。

禅定：外离相为禅，内不乱为定。外若着相，内心即乱；外若离相，心即不乱，本性自净自定。只为见境思境即乱，若见诸境心不乱者，是真定也。

【缘起】

学佛修禅，必修禅定。何为"禅定"？很多人没有真正搞清楚其含义，理解得也不准确，这还怎么修禅呢？于是，六祖来给大家开示。

【审心】

不修行的人可能也听说过"禅定"，搞不太懂，觉得很神秘。

修行的人，相互交流时会提到禅定的问题，但许多人觉得很难。那些能够达到所谓禅定的人，则很让人佩服。

到底什么才是真正的禅定？很多人说不清楚。

若是连禅定究竟是什么都说不清楚，那还修什么禅呢？

【真意】

六祖真是伟大，他洞察了人们的心理，知道人们会被什么困住，于是对真正的"禅定"下了定义：外离相为禅，内不乱为定。外若著相，内心即乱；外若离相，心即不乱，本性自净自定。只为见境思境即乱，若见诸境心不乱者，是真定也。可见，"禅"与"定"也是"不二"的，外部没有离相，内心就容易乱。外若离相，内心即定。"禅"与"定"的指向，一外一内，实则是连动的整体，而非彼此独立。

【境界】

由以上可知，真正的"禅定"不是枯坐，不是外形上的不动，而是见相离相，不着相，不被相束缚。也不是傻呆呆的，而是内心不乱，见相非相，心不随相走，自性如如不动。这才是禅定的本质，也是禅定的真义。

修佛：于念念中，自见本性清净，自修、自行，自成佛道。

【缘起】

学佛修禅，目的只有一个，就是成佛。可是修行什么才能成佛呢？六祖给众人做了开示。

【审心】

平时能见到念经、磕头、朝拜礼佛的人，可这样做真能解脱痛苦、最终成佛吗？

若是这样做就能成佛，真是有点让人不屑一顾，难以置信。

修行若是不以成佛为目标，那么大功大就真的有点不值。

能让人成佛的修行，又是什么样的呢？

【真意】

六祖为困惑的人们指点迷津、拨云见日：于念念中，自见本性清净，自修、自行，自成佛道。

原来，成佛道路只有一条，那就是明心见性！

如何才能明心见性？在念念之中，本性不被熏染，自性永远保持清净，随时修正自己的错误，随时按照佛学的原理调整自己，最终就能成佛！也就是见性，也就是自性光明显现。

【境界】

原来，成佛如此简单！

说起来简单，做起来可不简单。自我的意念经常会出来捣乱，不能一蹴而就。只有根器大利者才能顿悟。

六祖告诉我们，成佛的本质，就是于红尘万境之中，念念本性清净，发现问题随时修正，须臾不离道。这既是成佛路，也是人间正道！如果没有觉悟作为前提，不见自性，总是外求，又怎么能达到人生的至高境界？

本品总评

在这一品中，六祖主要阐述了禅宗对坐禅的理解和态度，要不要坐禅？该不该坐禅？答案是肯定的。什么是禅宗所倡导的坐禅？禅宗学人到底应该怎样理解坐禅？

在这里，六祖清楚地说：外于一切境界心念不起，名为坐；内见自性不动，名为禅。这就是说，面对一切外境而不起心动念，就是坐，这个坐并不是指坐在那里，而是一切时中，一切处所，只要你遇外境能够保持心念不起，就是六祖讲的坐。当然，坐也包括打坐，正如证道歌上说的，"行亦禅，坐亦禅，语默动静体安然"。

禅宗贵在破执，就像文字，不立文字，也不能离开文字。坐禅也是如此。面对那些执着于坐的人，就要为其破掉坐相；面对那些钻研经文的学人，就要说："百年钻故纸，何日出头时？"这就是打破执着。

最后，六祖还讲了什么是禅定：外离相即禅，内不乱为定，外禅内定，是为禅定。

忏悔品第六

在本品中,六祖以忏悔为主线,先讲解了"五分法身香",接着讲解禅宗之"无相忏悔"真意,传授"发四弘誓愿",紧接着讲授了"无相三皈依戒",劝众生皈依"自性三宝",还要言明心志,发誓将自色身皈依自性三宝。而后讲解了"自性三宝"的内涵。最后,六祖为了帮助众生修行,亲授《无相颂》。本品以忏悔为核心,形成了一个思想体系,故称"忏悔品"。

本品主题

- 讲解"五分法身香"。
- 亲授"无相忏悔"妙法。
- 传授"发四弘誓愿"。
- 详解"无相三皈依戒"。
- 讲解"三身一体佛"。
- 亲送忏悔《无相颂》。

人间惑问

- 最初以为忏悔是外国宗教的事,中国也讲忏悔吗?
- 忏悔好像是信教的人才做的,我们普通人也需要忏悔吗?
- 忏悔就是承认自己的错误吗?
- 知道上香这个事,还有"法身香"吗?

- 发愿和守戒也是修行的程序吗?
- 我是个俗人,也是"三身一体佛"吗?
- "忏悔无相"的意思是抽象的忏悔吗?

内容解读

【原文】祖师亲授"五分法身香"和"无相忏悔"

时,大师见广韶洎四方士庶骈集山中听法,于是升座告众曰:"来,诸善知识,此事须从自性中起,于一切时,念念自净其心,自修其行,见自己法身,见自心佛,自度自戒,始得不假到此。既从远来,一会于此,皆共有缘,今可各各胡跪,先为传自性五分法身香,次授无相忏悔。"众胡跪。

师曰:

"一戒香,即自心中,无非、无恶、无嫉妒、无贪嗔、无劫害,名戒香。

"二定香,即睹诸善恶境相,自心不乱,名定香。

"三慧香,自心无碍,常以智慧观照自性,不造诸恶,虽修众善,心不执着,敬上念下,矜恤孤贫,名慧香。

"四解脱香,即自心无所攀缘,不思善,不思恶,自在无碍,名解脱香。

"五解脱知见香,自心既无所攀缘善恶,不可沉空守寂,即须广学多闻,识自本心,达诸佛理,和光接物,无我无人,直至菩提,真性不易,名解脱知见香。

"善知识,此香各自内熏,莫向外觅。

"今与汝等授无相忏悔,灭三世罪,令得三业清净。

"善知识,各随我语,一时道:弟子等,从前念、今念及后念,念念不被愚迷染;从前所有恶业、愚迷等罪,悉皆忏悔,愿一时销灭,永不复起。弟子等，从前念、今念及后念，念念不被骄诳染，从前所有恶业骄诳等罪，悉皆忏悔，愿一时销灭，永不复起。弟子等，从前念、今念及后念，念念不被嫉妒染，从前所有恶业、嫉妒等罪，悉皆忏悔，愿一时销灭，永不复起。

"善知识，已上是为无相忏悔。云何名忏？云何名悔？忏者，忏其前愆。从前所有恶业，愚迷、骄诳、嫉妒等罪，悉皆尽忏，永不复起，是名为忏。悔者，悔其后过，从今已后，所有恶业，愚迷、骄诳、嫉妒等罪，今已觉悟，悉皆永断，更不复作，是名为悔。故称忏悔。凡夫愚迷，只知忏其前愆，不知悔其后过，以不悔故，前罪不灭，后过又生，前罪既不灭，后过复又生，何名忏悔？"

【关键字词】

[胡跪] 即北方少数民族的跪坐方法。胡，指北方少数民族。古代僧人跪坐致敬的礼节，右膝着地，竖左膝危坐，倦则两膝姿势互换。又称互跪。

[攀缘] 如猿猴攀附树枝藤蔓，比喻人的心思随外物而变化。

[三业] 身业、口业、意业，即做的坏事、说的恶语、想的邪念。

[愆] 音 qiān，指罪过、过失。

【释义】

当时，惠能大师看到广州、韶关等地，四面八方有不少读书人和百姓，都聚集到山里来听讲佛法，就升上法座，对大众说："来吧，各位善知识，修行佛法必须从认识自己的本性做起。在任何时候，在每一个念头中，都要让自己的心清洁，自己修行，明白自己的法身，认识自己心中的佛，自我度化，自觉持守戒律，前来听法才不虚此行。既然大家都是远道而来，能够一起于此聚会，可见是有缘分的，那么大家现在都右膝着地胡跪，我先为你们传授自性五分法身香，然后再传授无相忏悔。"众人就都胡跪了。

大师说：

"第一，戒香，就是自己心中没有是非，没有善恶，没有嫉妒，没有贪婪嗔怒，没有抢劫伤害之心，这就叫戒香。

"第二，定香，就是看到各种善境恶事，都能保持自心不乱，这就叫定香。

"第三，慧香，自己的心中自由通达而没有阻滞，经常用智慧观照自己的本性，不做恶，虽然做了许多善事，但心中并不执着自得，仍然尊敬长辈，关心晚辈，体恤孤独和贫穷的人，这就叫慧香。

"第四，解脱香，就是自己的心不去追逐什么，既不想善，又不想恶，总是自由自在而没有障碍，这就叫解脱香。

"第五，解脱知见香，自己既不追求分辨善恶，又不沉溺于空虚，耽爱寂寞，必须多多学习，增长见闻，认识自己的本心，通晓各种佛理，与世俗之人和睦相处，不把自己和别人的区别放在心上，直接达到菩提境界，真实的本性一点都不改变，这就叫解脱知见香。

"善知识们，这些香，各人都要在自己内心熏染，不要到外面去寻求。

"现在再给你们传授无相忏悔，消除你们过去、现在、未来三世的罪孽，让你们的身、口、意三业都得到清净。

"善知识们，每个人都跟着我一起说：弟子等人，从前的念头，现在的念头以及今后的念头，每一个念头都不要被愚蠢所污染；对于从前所有造下的孽，愚蠢痴迷等罪孽，都一起忏悔，希望立刻消灭它们，并永远不会再作孽。弟子等人，从前的念头，现在的念头，以后的念头，每一个念头都不要被骄傲狂妄所污染；以前所犯的骄傲狂妄等罪孽，全部忏悔，但愿它们马上消灭，永不再有。弟子等人，从前的念头，现在的念头，还有今后的念头，每一个念头都不要被嫉妒之心污染；过去犯下的嫉妒等所有罪孽，也全都忏悔，但愿它们即刻消灭，永远不再产生。

"善知识们，以上就是无相忏悔。什么是忏？什么叫悔？所谓忏，就是反省以前的过错。从前所有犯下的恶业，愚蠢、痴迷、骄傲、狂妄、嫉妒等罪过，全部反省，永远不再犯，这就叫忏。所谓悔，是警惕以后可能犯的错误，从今以后可能犯的所有恶业，愚蠢、痴迷、骄傲、狂妄、嫉妒等罪过，现在已经觉悟了，永远斩断，再不会犯，这就叫悔。所以叫忏悔。凡俗的人，只知道反省以前犯的过错，却不知道警惕今后可能犯的过错，由于不知警惕将来，以致先前的罪孽没有消灭，后来的过失又产生了。既然先前的罪孽没消灭，后来的过失又产生，那还说什么忏悔呢？"

【导读】

- 大师升坛：四面八方信众云集，大师升坛说法。
- 自性自净：万事从自性中起，于一切时，念念自净其心，自修其行，见自己法身，见自心佛，自度自戒。
- 众人胡跪：大师言众人有缘，可以胡跪。
- 先传自性五香：戒香、定香、慧香、解脱香、解脱知见香。嘱众各自内薰，莫向外觅。
- 再授无相忏悔：除三世罪孽，得自性清净。
- 领众无相忏悔：忏悔一切愚痴罪孽，发愿不再重犯。
- 定义忏悔：忏者，忏其前愆。悔者，悔其后过。
- 忏悔之误：只知忏其前愆，不知悔其后过，导致前罪不灭，后过又生。

【赏析】

  修行要义：六祖升坛说：一切事，皆要从自性而起，要净自心，要修自行，这是一切修行的根本。现实中的修行者，多不解修行要义，徒然外求，罔顾自心，带着污染的心去学习高贵的智慧，怎么可能让自心变得干净呢？内心污浊，怎么会有大智慧出呢？故而，许多修行者不得修行之法，做了诸多徒劳之事，常年没有精进。世俗之人，看人错易，认己错难。认错往往勉强而缺乏足够的诚意，改错也往往虎头蛇尾。这样的心智模式若不能彻底改变，即使有忏悔之意也往往无改过之功。每一次都这样虚情假意、自我欺骗，让错误的伤口永远渗血而不得愈合，这是一种十分残忍的自我伤害。

  胡跪深意：大师为何在此时此刻令大家胡跪呢？按理说，大师说法时，众人都应该毕恭毕敬。大师让大家胡跪，也有深意。此举形式上是想让大家的身体自在舒服，本质上是想让大家更加关注自己的内心，将重点集中在自心的无相忏悔上。

五分法身香：这是佛教的一种修身方法。香的意义，是以智慧火烧灼自心的"心灵垃圾"，也是借香借相清理自心，从自证自性法身来成佛。戒香，谓自心中无过失，无罪恶，无嫉贤妒能的心理，无悭贪嗔忿的念头，无劫掠杀害的意图。定香，是说看到一切善恶之境相时，自心不会散乱。慧香，是说自心无障无碍，常以智慧观照自己的真如自性，不作一切恶事。尊敬长辈，体念晚辈，怜悯孤苦，救济贫穷。虽修行种种善事，但心中不执着于所作的善行。解脱香，是说自心在外境上无所攀缘，不思善，不思恶，安然自在，没有挂碍。解脱知见香，是说自心于善恶都无所攀缘，但也不可以沉落断空，顽守枯寂，应当广泛参学，认识自己的本心，通达诸佛的道法，从初发心一直到圆满菩提时，真如自性毫不变易。这"五分法身香"告诉了人们净心时的五项内容和法则。如果只是拜佛上香，却不能上升到"法身香"，就是外道外求，依然无法自净其心。带着污浊的心学习一切知识和智慧，只是徒有其表、事倍功半。你能从"相香"上升到"法身香"吗？

授"无相忏悔"："弟子等，从前念、今念及后念，念念不被愚迷染；从前所有恶业、愚迷等罪，悉皆忏悔，愿一时销灭，永不复起。弟子等，从前念、今念及后念，念念不被骄诳染，从前所有恶业骄诳等罪，悉皆忏悔，愿一时消灭，永不复起。弟子等，从前念、今念及后念，念念不被嫉妒染，从前所有恶业嫉妒等罪，悉皆忏悔，愿一时销灭，永不复起。"这是一段六祖亲传的"无相忏悔"禅语，要点有四个：一是起忏悔意；二是念念不再被愚迷所困；三是以前的恶业皆须悔改；四是"永不复起"，也就是绝不重犯。这是对自己的郑重检讨，从内心深处认错，并发誓绝不重犯。世俗中的人，哪有不犯错的？如何面对错误，则是一个人能否精进的关键。一个人若是勇于认错改错，发誓不重犯，每一个错误就都会成为他进步的台阶。事事自省，处处进步，勇往直前，绝不倒退，如此的人生，定有不凡的成就。

解忏悔迷：大部分人都知道"忏悔"一词，也能明白个大概，但往往并不精通。六祖在这里确定了"忏悔"一词的内涵：忏者，忏其前愆。悔者，悔其后过。说得直白一点就是有错必认，绝不遮掩，绝不自辩，绝不搪塞。既然认错，就要举一反三，举一反十，乃至举一反万。如果前面认了错，后面还继续犯错，这样的认错又有何益处呢？在忏悔这个问题上，世俗之人往往会犯三类典型错误：一是不敢承认已经发生的错误，总是遮遮掩掩，总在寻找客观理由，总是耻于面对。这样做的结果，就是把错误留在内心，任其发酵，犹如遮掩身上的伤口，任其糜烂，长期危害自己，最终病发全身。二是一事一时犯错，也能深刻认识，事后不重犯，但也只是限于此类事项，着于错相，并没有从自心根源上查找病因，也就无法举一反三。于是，某类事不再犯错，但其他事依然犯错。显然，这是一种低效的改过模式。三是认识深刻、决心很大，落实到行动上却虎头蛇尾，"勇于认错，坚决不改"。

脏水洗衣：人们对于成功往往有美好的期待，对于自己的错误却往往抱着侥幸心理。对错误的侥幸心理，往往会让错误继续存在，病种自心，病根不除。这样即使对成功怀有美好期待，也往往是贪欲之心作祟。犹如"脏水洗衣"，如何能净？人啊，怎么可以如此糊弄自己？很多人因此堕入愚昧的苦海。

【原文】发四弘誓愿、无相三皈依戒、一体三身自性佛

"善知识，既忏悔已，与善知识发四弘誓愿，各须用心正听：自心众生无边誓愿度，自心烦恼无边誓愿断，自性法门无尽誓愿学，自性无上佛道誓愿成。

"善知识，大家岂不道众生无边誓愿度，怎么道，且不是惠能度。

"善知识，心中众生，所谓邪迷心、诳妄心、不善心、嫉妒心、恶毒心，如是等心，尽是众生，各须自性自度，是名真度。

"何名自性自度？即自心中邪见、烦恼、愚痴众生，将正见度。既有正见，使般若智打破愚痴迷妄众生，各各自度。邪来正度，迷来悟度，愚来智度，恶来善度，如是度者，名为真度。又烦恼无边誓愿断，将自性般若智除却虚妄思想心是也。又法门无尽誓愿学，须自见性，常行正法，是名真学。又无上佛道誓愿成，既常能下心，行于真正，离迷离觉，常生般若，除真除妄，即见佛性，即言下佛道成。常念修行，是愿力法。

"善知识，今发四弘愿了，更与善知识授'无相三皈依戒'。

"善知识，皈依觉，两足尊；皈依正，离欲尊；皈依净，众中尊。从今日去，称觉为师，更不皈依邪魔外道，以自性三宝常自证明。劝善知识，皈依自性三宝。佛者，觉也；法者，正也；僧者，净也。自心皈依觉，邪迷不生。少欲知足，能离财色，名两足尊。自心皈依正，念念无邪见，以无邪见故，即无人我贡高，贪爱执着，名离欲尊。自心皈依净，一切尘劳爱欲境界，自性皆不染著，名众中尊。若修此行，是自皈依。凡夫不会，从日至夜，受三归戒，若言皈依佛，佛在何处？若不见佛，凭何所归？言却成妄。

"善知识，各自观察，莫错用心，经文分明言自皈依佛，不言皈依他佛，自佛不归，无所依处。今既自悟，各须皈依自心三宝，内调心性，外敬他人，是自皈依也。"

【关键字词】

[四弘誓愿] 大乘佛教中，菩萨为拯救众生出苦海，立下了四个誓愿，这里指禅宗的明心见性。

[两足尊] 对佛的尊称，意为佛在两足、多足、无足之中最尊，而以两足为贵。

【释义】

"善知识们，讲过了无相忏悔，再与各位善知识发四弘誓愿，大家要用心听：自己心中的无数众生要发誓度化，自己心中的无边烦恼要发誓断

忏悔品第六

绝,自己本性中的无尽法门要发誓学习,自己本性中的无上佛道要发誓修成。各位善知识,大家不都说,无边的众生自己要发誓度化吗?这么说,就不是惠能去度化。

"善知识们,所谓心中的众生,就是邪迷之心、狂妄之心、不善之心、嫉妒之心、恶毒之心,像这样的心思,都是众生,必须各人靠自己的本性自我度化,这才是真正的度化。

"什么叫靠自己的本性自我度化呢?就是用正确的见识来度化自己心中偏见、烦恼、愚痴的众生。既然有了正确的见识,就用般若智慧来打破愚痴迷妄的众生,各人度化各人。邪念来了就用正见度化,迷惑来了就用觉悟度化,愚蠢来了就用智慧度化,恶念来了就用善念度化,像这样的度化,就叫真正的度化。再说无边的烦恼要发誓断绝,是指用自己本性中的般若智慧,除掉虚妄的念头想法。无尽法门要发誓学习,就必须自己明白了悟自己的本性,经常按照正确的佛法行动,这才叫真正的学习。无上的佛道发誓要修成,就必须经常虚心体会,按照真正的佛法行动,不要刻意偏执地追求所谓觉悟,就能经常产生般若智慧,不偏执于真,也不偏执于妄,这样就可以见到佛性了,就可以很快成就佛道了。大家要永远记住修行四弘誓愿的有效方法。

"善知识们,现在已经发过四弘誓愿了,再给各位传授'无相三皈依戒'。

"善知识们,皈依觉悟,'两足尊';皈依正法,'离欲尊';皈依净土,'众中尊'。从今天开始,要把觉悟当作老师,再不要皈依各种邪魔外道,要以自己本性中的佛、法、僧三宝来自证自悟。奉劝各位善知识,要皈依自己本性中的三宝。佛,就是觉悟;法,就是正道;僧,就是净土。自己的心皈依了觉悟,邪迷之见就不会产生。不再有邪迷之见,就减少了尘俗的欲望而能知足,就能远离金钱美色的引诱,这就叫'两足尊'。自己的心皈依了正道,每一个念头都不再有邪见,因为不再有邪见,就不再有别人和自我的区分意识,不再有骄傲、贪恋、爱恋、执着,这就叫'离欲尊'。自己的心皈依了净土，所有的凡俗牵累和爱欲的境界，都不会再污染自己的本性，这就叫'众中尊'。能够这样修行，就是自然皈依。凡俗之人不理解这一点，从早到晚，在形式上接受三皈依的戒律，却不明白说皈依佛，佛在哪儿？如果不知道佛在哪儿，又凭什么皈依呢？这样说皈依佛，就是说谎。

"各位善知识，各人要自己观察，不要用错了心思，经文上说得很清楚，要皈依自己本性中的佛，没有说要皈依别的佛，不皈依自己本性中的佛，那就没有找到皈依之处。现在既然已经自己觉悟了，各人都要皈依自己内心的三宝，在内调理自己的心性，在外尊敬别人，这就是自然皈依。"

【导读】

- 发"四弘誓愿"：如果忏悔能够认真完成，接着就要发"四弘誓愿"：自心众生无边誓愿度，自心烦恼无边誓愿断，自性法门无尽誓愿学，自性无上佛道誓愿成。
- 授"无相三皈依戒"：如果四弘愿誓也发了，那就要再进一步，六祖亲授"无相三皈依戒"。"三皈依"：佛者，觉也，皈依佛，即是皈依觉；法者，正也，皈依法，即是皈依正；僧者，净也，皈依僧，即是皈依净。

【赏析】

忏悔接誓：修行是一个成体系的生命活动。明白了忏悔之理，了解了忏悔之误。紧接着，就要进入"发誓"阶段，一步步强化自己修行的决心和意志。这"四弘愿誓"均从自心自性出发，瞄准四大目标"愿度，愿断，愿学，愿成"，谓之法门四大弘愿。真修行者，还是要常诵"四弘愿誓"：自心众生无边誓愿度，自心烦恼无边誓愿断，自性法门无尽誓愿学，自性无上佛道誓愿成。很多修行者，往往没花心思认真学习祖师的经典，自己一知半解就去修行了，断章取义，或者搞得支离破碎，最终顾此失彼，难成系统、见成效。唯有跟随祖师，一步步深入，步步不断，方可修成正果。

命归何处：接续忏悔和发愿，下一步就是完成生命的皈依。佛教徒都知道"佛教三宝"，"三宝"是佛教的教法和证法的核心。一般人知道的"三宝"是指"佛法僧"，也即"佛宝、法宝、僧宝"。具体来说，"佛宝"是指已经成就圆满佛道的一切诸佛，"法宝"即诸佛的教法，"僧宝"即依诸佛教法如实修行的出家人。这"三宝"也是帮助人们修行的"佛相"，但很多人不解这些"相"后的真意，往往就是在形式上完成了皈依，但没有彻底在真意上完成皈依。于是，又陷入了形式主义的误区。六祖慈悲，看到世俗之人的诸多错误，给予人们智慧的指引，亲授"无相三皈依戒"：佛者，觉也，皈依佛，即是皈依觉；法者，正也，皈依法，即是皈依正；僧者，净也，皈依僧，即是皈依净。这秉承了禅宗六祖一贯的智慧模式，也即借相悟真，一切源自自性。这是多么伟大的智慧啊，吾等修行者若是能够从形式上的皈依晋升到真意的皈依，回归自性的源头，方是让生命回归正道。

【原文】解读清净法身佛、圆满报身佛和千百亿化身佛

"善知识，既皈依自三宝竟，各各志心。吾与说'一体三身自性佛'，令汝等见三身，了然自悟自性。总随我道：于自色身皈依清净法身佛，于自色身皈依圆满报身佛，于自色身皈依千百亿化身佛。

"善知识，色身是舍宅，不可言归，向者三身佛，在自性中。世人总有，为自心迷，不见内性，外觅三身如来，不见自身中有三身佛。汝等听说，令汝等于自身中见自性有三身佛。此三身佛，从自性生，不从外得。

"何名清净法身佛？世人性本清净，万法从自性生。思量一切恶事，即生恶行；思量一切善事，即生善行。如是诸法在自性中，如天常清，日月常明。为浮云盖覆，上明下暗，忽遇风吹云散，上下俱明，万象皆现，世人性常浮游，如彼天云。

"善知识，智如日，慧如月，智慧常明，于外著境，被自念浮云盖覆自性，不得明朗。若遇善知识，闻真正法，自除迷妄，内外明彻，

于自性中万法皆现。见性之人，亦复如是，此名清净法身佛。

"善知识，自心皈依自性，是皈依真佛。自皈依者，除却自性中不善心、嫉妒心、谄曲心、吾我心、诳妄心、轻人心、慢他心、邪见心、贡高心，及一切时中不善之行，常自见己过，不说他人好恶，是自皈依。常须下心，普行恭敬，即是见性通达，更无滞碍，是自皈依。

"何名圆满报身？譬如一灯能除千年暗，一智能灭万年愚。莫思向前，已过不可得，常思于后，念念圆明，自见本性。善恶虽殊，本性无二。无二之性，名为实性。于实性中，不染善恶，此名圆满报身佛。自性起一念恶，灭万劫善因。自性起一念善，得恒沙恶尽，直至无上菩提。念念自见，不失本念，名为报身。

"何名千百亿化身，若不思万法，性本如空。一念思量，名为变化，思量恶事，化为地狱；思量善事，化为天堂。毒害化为龙蛇，慈悲化为菩萨，智慧化为上界，愚痴化为下方。自性变化甚多，迷人不能省觉，念念起恶，常行恶道。回一念善，智慧即生。此名自性化身佛。

"善知识，法身本具，念念自性自见，即是报身佛。从报身思量，即是化身佛，自悟自修自性功德，是真皈依。皮肉是色身，色身是宅舍，不言皈依也。但悟自性三身，即识自性佛。"

【释义】

"善知识们，讲完了皈依自己的三宝，各人都要牢记于心。我再给大家说一体三身自性佛，让你们见到三身佛，了解自我，觉悟自己的本性。现在跟着惠能说：以自己的色身皈依清净法身之佛，以自己的色身皈依圆满报身之佛，以自己的色身皈依千百亿化身之佛。各位善知识，色身就像房屋，不能说归向房屋，向来的三身佛，都在自己的本性之中。每一个世人都有这三身佛，只是因为自己的心被迷惑，不能认识自己内在的本性，却到外面去寻觅三身如来佛，看不见自己身中就有三身佛。你们听着，让你们在自身当中见到自己本性中原有的三身佛。这三身佛，是从自己的本性中产生的，不是从外边找得到的。

"什么叫清净法身佛呢？世人的本性原来就是清净的，万种佛法都从自己的本性中产生，但思想意念所有的恶事，就会产生邪恶的行为；思想意念所有的善事，就会产生善良的行为。像这样，各种佛法出现在自己的本性中，好似天空本是清明的，太阳和月亮本是照耀着的，只是因为浮云的遮盖，变得上边明亮而下边阴暗，忽然遇上风吹来，云散了，上边和下边又都变明亮了，天地万象又都显现出来了，但世人的本性经常浮游不定，就像那天上的云。

"各位善知识，智就像太阳，慧就像月亮，智慧总是在照亮。如果执着于外在的境界，妄念就会像浮云一样遮蔽自己的本性，不得明朗；如果遇上了善知识，听他讲真正的佛法，自己除掉迷妄，内和外都变得光明透彻，这样，在自己的本性中，万种佛法都会显现，能够认识自己本性的人也会如此，这就叫清净法身佛。

"善知识们，自己的心皈依了自己的本性，就是皈依了真正的佛。所谓自我皈依，就是除掉自己本性中的不善心、嫉妒心、谄曲心、自大心、轻蔑心、傲慢心、邪见心、骄狂心，以及在任何时候产生的不良行为，能经常自我反省错误，而不说别人的好坏，这就是皈依自己的本性。经常保持体恤别人的心，对所有的人都谦恭有礼，这就是能认识自己的本性而通达流畅，一点没有阻滞妨碍，就是自我皈依。

"什么叫圆满报身？就像一盏灯能够除去千年的黑暗，一点智慧能够消灭万年的愚昧。不要总想以前的事，已经过去的就不能再得到了。要经常想以后的事，让每一个念头都圆满和融、通达明亮，这就能自己认识自己的本性。人的善和恶虽然不同，本性却没有两样。这种没有区别的本性，就叫真实的本性（也就是如来佛性），在这种真实的本性中，不会沾染善，也不会沾染恶，这就叫圆满报身佛。自己的本性中只要产生一个坏念头，就消灭了经历万劫而来的善因。如果在本性中产生了一个好念头，就能将恒河里的沙那样多的恶业除尽，直到获得无上的觉悟。从每一个念头中都能认识自己的本性，不失掉本来的善念，这就叫圆满报身佛。

"什么叫千百亿化身？如果什么都不思想，那么人的本性本来就像虚空一样。只要产生了一个念头的思想，就叫变化，想坏事，就变为地狱；想善事，就变为天堂。想恶毒伤害，就会变成凶恶的龙和蛇；想慈善悲悯，就会变成救苦的菩萨；想智慧，就会变成上界；想愚蠢，就会变成下界。自我的本性变化很多，迷惑之人不能反省察觉，每一个念头都产生恶的意向，就会常做坏事。如果想一个善念头，智慧就立刻产生了。这就叫自性化身佛。

"善知识们，人本来具有佛法之身，因此在每一个念头中都能认识自己的本性，这就是报身佛。从报身佛的角度考虑，就是化身佛，自己觉悟，自己修行，积累自己本性的功德，就是真正的皈依。皮和肉构成人的色身，色身就像房屋一般，并不是皈依。只要能觉悟自己本性中的三身佛，就认识了自己本性中真正的佛。"

【导读】

- 再立志心，随师同道：于自色身皈依清净法身佛，于自色身皈依圆满报身佛，于自色身皈依千百亿化身佛。
- 法身佛：详解何为清净法身佛。
- 报身佛：详解何为圆满报身佛。
- 化身佛：详解何为千百亿化身佛。
- 做总结：进一步提炼三佛之精要。

【赏析】

立志圆梦：又是忏悔，又是发愿，又是皈依，还不够啊，还要再立志圆梦。你看看，想战胜心中的恶魔，人需要多大的努力和意志才行啊！也许，由此我们就能理解为何"修行者众，得道者寡"了。不管怎么说，还是老老实实跟着祖师同道志心吧："于自色身皈依清净法身佛，于自色身皈依圆满报身佛，于自色身皈依千百亿化身佛。"

认识"清净法身佛"：世人本性清净，万法自本性而生。可是，总有一种力量出来捣乱，这就是我们在俗世中的诸多思考，思恶生恶，思善生善。这样的思考，我们往往会信以为真，实则都是主观制造出来的，是虚幻的，如果我们相信这种虚幻的东西，就如同有人信誓旦旦地宣称："我是爱憎分明的！"于是，我们的本心之光明如同被乌云遮住了。若是遇到正道的上师给我们开示，就如同拨云见日，自性佛性就会显现出来。

六祖将此定义为"自我皈依"：自己的心皈依了自己的本性，就是皈依了真正的佛，这就是"自我皈依"。"自我皈依"的内涵就是除掉自己的不善心、嫉妒心、谄曲心、自大心、轻蔑心、傲慢心、邪见心、骄狂心，以及消除任何时候产生的不良行为，能经常自我反省错误，而不说别人的好坏，这就是从俗心皈依到自己的本心。经常保持体恤别人的心，对所有的人都谦恭有礼，这就能让自己的本心通达流畅，没有一点阻滞妨碍，就实现了自我皈依。

认识"圆满报身佛"：人人求圆满，又有几人可得圆满？圆满又是什么呢？按照我们通常的理解，就是一切都好，事事和谐顺畅。那为什么众人很难获得这样美好的圆满呢？根源就在于心中有个"小鬼"，一直在胡乱指挥我们去干那些自认为合理的事情。这个"小鬼"在我们心里做什么呢？让我们思善思恶，以至于我们再也无法理解无善无恶的本心状态；让我们总是思考留恋已经过去的事情和人，以至于我们无法把现实当下活好；让我们总是计较得失，以至于再也无法理解"得到即失去，失去即得到"的真相。如此这般，怎么还会有圆满可言呢？只要看清楚心中"小鬼"是如何作乱的，只要战胜心中的"小鬼"，一切冲突对立就都消失了，万事皆为我而来，皆是上天所赐之礼，在红尘中就能与万事、万物、万人、万相和谐共处，这就是圆满报身佛。当然，修行中要格外小心，因为"小鬼"时常会跳出来，让我们回到愚昧的模式中去，只要生出一念之恶，我们就会被打回原形。若是时时处处事事人人总能持善念和感恩之心，就能让色身转成"圆满报身"。

认识"千百亿化身佛"：人心中念头的力量是巨大的：想坏事，就变为地狱；想善事，就变为天堂。想恶毒伤害，就会变成凶恶的龙和蛇；想慈善悲悯，就会变成救苦的菩萨；想智慧，就会变成上界；想愚蠢，就会变成下界。如果什么都不思想，心中的"小鬼"也就熄火了，不再作乱，人的本性就如同虚空一样。于是，一切皆好，事事万般好，一切是一，一即一切，你是众生万物万相，众生万物万相皆是佛的化身，你也是佛的化身，你被千百亿佛的化身所围绕，你与千百亿佛是一体的。如此化身的神奇，会让生命沉浸在无限无边的美好中。

当然，修行中也要格外小心，随时觉察自己心中"小鬼"的活动，随时与"小鬼"作战。只要有恶念生出，就直接将其转化成善念，智慧就会因此而生。如此，就可成"自性化身佛"。

三佛一体：修行的根本皆在于自净其心，皈依法身佛，超越自我的色身。有了这个基础，就可以走向"圆满报身""千百亿化身"的高度和境界。

也许，很多人能念出这样的志心，但不懂法身佛、报身佛和化身佛的关系与真意。六祖开示众生：只有从"自色身"上升到"法身"，才能奠定觉悟的基础。也就是说，我们的思维要从"肉眼世界"转换到"法身世界"，也就是去除私念，去除私欲，彻底地脱离主观作乱的模式，回归清净的本源。若是能够做到，就能与世间万物、万事、万人、万相保持圆满的关系，没有对立，没有冲突，没有隔阂，没有怀疑，没有算计，没有得失，没有亲疏，没有爱憎，没有你我分别，一切都是自我觉命的一部分，还有何可挑剔和拒绝的呢？如此就可以体会圆满的美好。体悟了这一层次，就能够自显佛性，就能够观到众生众相乃是万千亿佛的化身，就能够礼敬众生与万物，这才是真实的佛性呈现。想想看，俗人到庙里看到佛像，才会心生敬意与喜悦，离开了寺庙的佛像，就又被打回原形，重新堕入苦海。想想看，去庙里拜佛时的短暂快乐，又怎么能够对治现实人生中随时随地随事而生的万千亿苦恼呢？若是将现实生活中各式各类的事物、各种不同类型的众生，都觉察成佛的化身，礼敬他们、善待他们、跟随他们，岂不就是被众佛包围和簇拥着？这是何等美好的世界啊！

忏悔品第六

【原文】六祖亲授修行《无相颂》

吾有一《无相颂》，若能诵持，言下令汝积劫迷罪，一时销灭。

颂曰：

迷人修福不修道，只言修福便是道。
布施供养福无边，心中三恶元来造。
拟将修福欲灭罪，后世得福罪还在。
但向心中除罪缘，各自性中真忏悔。
忽悟大乘真忏悔，除邪行正即无罪。
学道常于自性观，即与诸佛同一类。
吾祖唯传此顿法，普愿见性同一体。
若欲当来觅法身，离诸法相心中洗。
努力自见莫悠悠，后念忽绝一世休。
若悟大乘得见性，虔恭合掌至心求。

师言："善知识，总须诵取，依此修行，言下见性，虽去吾千里，如常在吾边。于此言下不悟，即对面千里，何勤远来？珍重好去。"

一众闻法，靡不开悟，欢喜奉行。

【释义】

我有一篇《无相颂》，如果你们能诵读修行，就能立刻消除积累的劫数、迷惑、罪孽。

颂说：

迷人修福不修道，只言修福便是道。
布施供养福无边，心中三恶元来造。
拟将修福欲灭罪，后世得福罪还在。
但向心中除罪缘，各自性中真忏悔。
忽悟大乘真忏悔，除邪行正即无罪。
学道常于自性观，即与诸佛同一类。

坛经心读：品真性妙美

> 吾祖唯传此顿法，普愿见性同一体。
> 若欲当来觅法身，离诸法相心中洗。
> 努力自见莫悠悠，后念忽绝一世休。
> 若悟大乘得见性，虔恭合掌至心求。

惠能大师说："善知识们，大家都要诵读理解这首偈语，按照它来修行，就能在念诵中认识自己的本性。这样即使和我相距千里之遥，也能像常在我身边一样。如果诵读它，仍然不能觉悟，那么即使和我面对面，也和相距千里一样，又何必辛苦远道而来听惠能说法呢？大家各自珍重，回去好自为之吧。"

大家听惠能大师讲说佛法后，没有不豁然开朗的，都欢欢喜喜，遵嘱修行。

【导读】

- 无相颂：亲授消劫灭罪的《无相颂》。
- 亲嘱托：嘱咐众徒经常诵读《无相颂》并依此修行。
- 开悟喜：众徒开悟，满心欢喜。
- 六祖亲授《无相颂》：六祖慈悲，为帮助众生修行觉悟，亲授《无相颂》，照此修行，可消除以往积累的劫数、迷惑和罪孽。
  - 迷人修福不修道，只言修福便是道。(**解**) 道是根，福是果。
  - 布施供养福无边，心中三恶元来造。(**解**) 外修善，心造恶。
  - 拟将修福欲灭罪，后世得福罪还在。(**解**) 罪不灭，福难得。
  - 但向心中除罪缘，各自性中真忏悔。(**解**) 除心罪，真忏悔。
  - 忽悟大乘真忏悔，除邪行正即无罪。(**解**) 真忏悔，心罪灭。
  - 学道常于自性观，即与诸佛同一类。(**解**) 见自性，同诸佛。
  - 吾祖唯传此顿法，普愿见性同一体。(**解**) 祖顿法，同佛体。
  - 若欲当来觅法身，离诸法相心中洗。(**解**) 觅法身，心中洗。
  - 努力自见莫悠悠，后念忽绝一世休。(**解**) 力见性，无断绝。

- 若悟大乘得见性，虔恭合掌至心求。（解）悟大成，自心求。

◎ 大师又提醒大家，认真诵读这《无相颂》，就能认识自性。到了这种状态，即使与大师相距千里，也如同在大师身边听法一般。如果没有用心诵读，就不能见自性，即使人在大师身边，心也相距千里之远。要是这样，很多信众长途劳苦，远道而来，又有何益处呢？大家要好自为之。是啊，既然认师归祖，就要诚心诚意，让自己的心跟着祖师的心走，虔诚跟随祖师的指引，真诚践行祖师的教导。正所谓："有缘千里来相会，无缘对面不相识。"既然心已经让我们走到大师身边，为何不让心紧跟着大师？既然千里来求法，为何让心四处飞？想想现实，也是啊，许多人能发心来到此处，但很少有人能一直专心致志。往往人在此处，身在此处，心却到处游走。这样的状态是很难修行得道的！以这样的心来生活，往往也会心不在焉、三心二意。我们不用心、心乱不静，生活也会以混乱、飘忽不定来回报。这当然不是我们所期望的。

本品再思

◎ 过去只知道拜佛烧香，现在才知还有"法身香"。

◎ 听说过忏悔，也见过有人磕头忏悔，还有"无相忏悔"吗？

◎ 原以为忏悔就是认错，没想到还有那么多具体内容，之前好无知啊！

◎ 听说过修行要发愿，但不知发愿的内容，原来是"四弘誓"啊！

◎ 知道信奉佛教要皈依三宝"佛法僧"，还有个"无相皈依"啊！

◎ 过去认为佛在西天，佛在寺庙里。原来那么想是错的啊，原来修行好了自身，就什么都会有，是吗？

◎ 这忏悔皈依的《无相颂》说得真好，高度概括和提炼了本品的思想。

经典名言

- 须从自性中起，于一切时，念念自净其心，自修其行，见自己法身，见自心佛，自度自戒。
- 可各各胡跪，先为传自性五分法身香，次授无相忏悔。众胡跪。
- 一戒香，即自心中，无非、无恶、无嫉妒、无贪嗔、无劫害，名戒香。
- 二定香，即睹诸善恶境相，自心不乱，名定香。
- 三慧香，自心无碍，常以智慧观照自性，不造诸恶，虽修众善，心不执着，敬上念下，矜恤孤贫，名慧香。
- 四解脱香，即自心无所攀缘，不思善，不思恶，自在无碍，名解脱香。
- 五解脱知见香，自心既无所攀缘善恶，不可沉空守寂，即须广学多闻，识自本心，达诸佛理，和光接物，无我无人，直至菩提，真性不易，名解脱知见香。
- 此香各自内熏，莫向外觅。
- 今与汝等授无相忏悔，灭三世罪，令得三业清净。
- 各随我语：弟子等，从前念、今念及后念，念念不被愚迷染；从前所有恶业、愚迷等罪，悉皆忏悔，愿一时销灭，永不复起。弟子等，从前念、今念及后念，念念不被骄诳染，从前所有恶业骄诳等罪，悉皆忏悔，愿一时销灭，永不复起。弟子等，从前念、今念及后念，念念不被嫉妒染，从前所有恶业、嫉妒等罪，悉皆忏悔，愿一时销灭，永不复起。
- 无相忏悔。云何名忏？云何名悔？忏者，忏其前愆。悔者，悔其后过。
- 忏者，从前所有恶业，愚迷、骄诳、嫉妒等罪，悉皆尽忏，永不复起，是名为忏。悔者，悔其后过，从今已后，所有恶业，愚迷、骄诳、嫉妒等罪，今已觉悟，悉皆永断，更不复作，是名为悔。故称忏悔。

忏悔品 第六

◈ 凡夫愚迷，只知忏其前愆，不知悔其后过，以不悔故，前罪不灭，后过又生，前罪既不灭，后过复又生，何名忏悔？

◈ 既忏悔已，与善知识发四弘誓愿，各须用心正听：自心众生无边誓愿度，自心烦恼无边誓愿断，自性法门无尽誓愿学，自性无上佛道誓愿成。

◈ 心中众生，所谓邪迷心、诳妄心、不善心、嫉妒心、恶毒心，如是等心，尽是众生，各须自性自度，是名真度。

◈ 何名自性自度？即自心中邪见、烦恼、愚痴众生，将正见度。既有正见，使般若智打破愚痴迷妄众生，各各自度。邪来正度，迷来悟度，愚来智度，恶来善度，如是度者，名为真度。

◈ 烦恼无边誓愿断，将自性般若智除却虚妄思想心是也。

◈ 法门无尽誓愿学，须自见性，常行正法，是名真学。

◈ 无上佛道誓愿成，既常能下心，行于真正，离迷离觉，常生般若，除真除妄，即见佛性，即言下佛道成。常念修行，是愿力法。

◈ 皈依觉，两足尊；皈依正，离欲尊；皈依净，众中尊。

◈ 从今日去，称觉为师，更不皈依邪魔外道，以自性三宝常自证明。

◈ 劝善知识，皈依自性三宝。

◈ 佛者，觉也；法者，正也；僧者，净也。

◈ 自心皈依觉，邪迷不生。少欲知足，能离财色，名两足尊。

◈ 自心皈依正，念念无邪见，以无邪见故，即无人我贡高，贪爱执着，名离欲尊。

◈ 自心皈依净，一切尘劳爱欲境界，自性皆不染著，名众中尊。若修此行，是自皈依。

◈ 若言皈依佛，佛在何处？若不见佛，凭何所归？言却成妄。

◈ 各自观察，莫错用心，经文分明言自皈依佛，不言皈依他佛，自佛不归，无所依处。

◈ 自悟，各须皈依自心三宝，内调心性，外敬他人，是自皈依也。

◎ 既皈依自三宝竟，各各志心。吾与说"一体三身自性佛"，令汝等见三身，了然自悟自性。总随我道：于自色身皈依清净法身佛，于自色身皈依圆满报身佛，于自色身皈依千百亿化身佛。此三身佛，从自性生，不从外得。

◎ 色身是舍宅，不可言归，向者三身佛，在自性中。

◎ 世人总有，为自心迷，不见内性，外觅三身如来，不见自身中有三身佛。

◎ 何名清净法身佛？世人性本清净，万法从自性生，思量一切恶事，即生恶行；思量一切善事，即生善行。如是诸法在自性中，如天常清，日月常明。为浮云盖覆，上明下暗，忽遇风吹云散，上下俱明，万象皆现，世人性常浮游，如彼天云。智如日，慧如月，智慧常明，于外著境，被自念浮云盖覆自性，不得明朗，若遇善知识，闻真正法，自除迷妄，内外明彻，于自性中万法皆现，见性之人，亦复如是，此名清净法身佛。

◎ 自心皈依自性，是皈依真佛。

◎ 自皈依者，除却自性中不善心、嫉妒心、谄曲心、吾我心、诳妄心、轻人心、慢他心、邪见心、贡高心，及一切时中不善之行，常自见己过，不说他人好恶，是自皈依。常须下心，普行恭敬，即是见性通达，更无滞碍，是自皈依。

◎ 何名圆满报身？譬如一灯能除千年暗，一智能灭万年愚。莫思向前，已过不可得，常思于后，念念圆明，自见本性。善恶虽殊，本性无二。无二之性，名为实性，于实性中，不染善恶，此名圆满报身佛。自性起一念恶，灭万劫善因。自性起一念善，得恒沙恶尽，直至无上菩提。念念自见，不失本念，名为报身。

◎ 何名千百亿化身，若不思万法，性本如空。一念思量，名为变化，思量恶事，化为地狱；思量善事，化为天堂。毒害化为龙蛇，慈悲化为菩萨，智慧化为上界，愚痴化为下方。自性变化甚多，迷人不能省觉，念念起恶，常行恶道。回一念善，智慧即生。此名自性化身佛。

❀ 法身本具，念念自性自见，即是报身佛。

❀ 从报身思量，即是化身佛，自悟自修自性功德，是真皈依。皮肉是色身，色身是宅舍，不言皈依也。

❀ 但悟自性三身，即识自性佛。

❀ 吾有一《无相颂》，若能诵持，言下令汝积劫迷罪，一时消灭。

❀ 颂曰：

> 迷人修福不修道，只言修福便是道。
> 布施供养福无边，心中三恶元来造。
> 拟将修福欲灭罪，后世得福罪还在。
> 但向心中除罪缘，各自性中真忏悔。
> 忽悟大乘真忏悔，除邪行正即无罪。
> 学道常于自性观，即与诸佛同一类。
> 吾祖唯传此顿法，普愿见性同一体。
> 若欲当来觅法身，离诸法相心中洗。
> 努力自见莫悠悠，后念忽绝一世休。
> 若悟大乘得见性，虔恭合掌至心求。

核心理论

"五分法身香"：戒香、定香、慧香、解脱香、解脱知见香。

【缘起】
　　六祖大师又在向众信徒强调万法由自性而起的核心思想，并延伸讲解了"五分法身香"。

【审心】
　　说到"香"，人们并不陌生，许多人家里烧香拜佛，寺庙里更是香烟缭绕。把上香这事说得神乎其神的也大有人在。香的作用已经从一般的表达敬仰之情，上升到与梵界的沟通了，真的那么神吗？

说到底，香的作用固然是正面暗示，但靠这个修行，肯定不行吧？

【真意】

六祖似乎也看到人们在"香"这个问题上过于执着，于是有了"五分法身香"，即"戒、定、慧、解脱、解脱知见"这"五香"。

一曰"戒香"，即自心中，无非、无恶、无嫉妒、无贪嗔、无劫害，名戒香。

二曰"定香"，即睹诸善恶境相，自心不乱，名定香。

三曰"慧香"，即自心无碍，常以智慧观照自性，不造诸恶，虽修众善，心不执着，敬上念下，矜恤孤贫，名慧香。

四曰"解脱香"，即自心无所攀缘，不思善，不思恶，自在无碍，名解脱香。

五曰"解脱知见香"，即自心既无所攀缘善恶，不可沉空守寂，即须广学多闻，识自本心，达诸佛理，和光接物，无我无人，直至菩提，真性不易，名解脱知见香。

六祖讲完了这"五分法身香"之后，专门叮嘱人们"此香各自内熏，莫向外觅"。由此可见，六祖特别强调修行要从自心上下功夫，而不是向外部寻觅。

【境界】

伟大的六祖啊，一直在禅宗"无念、无相、无住"的正道上，真是祖师风范！

如果那些喜欢"香"的人，无论是在家里还是在庙里，见香即能识相，请香、点香、上香，望着香烟，马上回到内心的"戒、定、慧、解脱、解脱知见"五个心性的关键节点上，见香非香，见相非相，并能与自性连接不空，这才是"内外连通，外离相，内定心"的禅宗修行境界啊！

忏悔品第六

"无相忏悔"：忏者，忏其前愆。悔者，悔其后过。

【缘起】

六祖继"五分法身香"的讲解之后，又给信众讲授了"无相忏悔"的法门要旨。

【审心】

"忏悔"一词，人们并不陌生。很多人一听到这个词，马上联想到宗教，特别是西方宗教。

实际上，"忏悔"一词，东西方都在用，并非哪一方的专属。民间也用，并非宗教的专属。

若是问人："你做忏悔吗？"估计很多人会诧异地说："我又不信教！"

若是换个方式问人："你做过检讨吗？"估计有的人就会说"我做过"。

若是再问："你随时都在做检讨吗？"对方一定会惊讶："又不是总犯错，为什么要随时做检讨？"

假如再继续问："你会犯过去犯过的错误吗？"对方稍加思考，可能会点点头："嗯，会的。不贰过并不容易。"

哈哈，问到这里，也许你已经领悟"忏悔"背后所隐藏的真意了！

【真意】

六祖知道，真正的"忏悔"，是人们在修行中修理自心的关键与核心动作，于是专门讲解了"忏悔"的要旨：

"云何名忏？云何名悔？忏者，忏其前愆。悔者，悔其后过。忏者，从前所有恶业，愚迷、骄诳、嫉妒等罪，悉皆尽忏，永不复起，是名为忏。悔者，悔其后过，从今已后，所有恶业，愚迷、骄诳、嫉妒等罪，今已觉悟，悉皆永断，更不复作，是名为悔。故称忏悔。凡夫愚迷，只知忏其前愆，不知悔其后过，以不悔故，前罪不灭，后过又生，前罪既不灭，后过复又生，何名忏悔？"

可见，忏悔是清理自心的核心行动，要点有二：一是对于已经犯过的错，要真心认错；二是坚决不再重复以前的过错。如此，就可以断绝恶道，清净自心。

【境界】

红尘中人，皆非完人。关键在于，能否知错、认错、改错，并且不再重犯。许多坏人并非一开始就坏，只是小恶不断，恶性不断膨胀，越积越多，最终铸成大错。

孔子赞美自己的弟子颜回时，讲到颜回的两大美德：一是不迁怒，二是不贰过。这与六祖所强调的忏悔同理。

若能走出过去，勇敢自新，绝大部分人都可以自救。若是没有勇气认错改错，就会让错误不断累积和放大，最终万劫不复。

真正的忏悔，有认错改错的勇气，并且发誓不再重犯，这样就能守住自心，就能清理自心，达到清净的境界。

"誓愿自度"：自心自度，自性自成。

【缘起】

信众们既然愿意跟着六祖修习佛法，六祖就带着大家发大誓愿，并讲解了自心众生与烦恼、自性法门与佛道的原理。

【审心】

学佛信佛的修行者群体中，相当多的人都有这样一个目的：求佛祖拯救自己，求祖师度化自己。

是啊，若是投入那么多精力、心思乃至各种资源，还不能得救、不能解脱，谁还愿意做这些事呢？

可是，很多人只能读到经文，也没有足够的时间跟随祖师时时修行，这可怎么办呢？

这个世界上真的有什么力量可以帮助我们吗？

【真意】

六祖知晓众生陷入迷途的原因，于是，给信众开出了"自心自度、自性自成"的"药方"：

六祖带领大家，首先明确了自度自成的基本原则，并以"发四弘誓愿"的方式来进行确认和强化：自己心中的无数众生要发誓度化，自己心中的无边烦恼要发誓断绝，自己本性中的无尽法门要发誓学习，自己本性中的无上佛道要发誓修成。

首先，六祖为大家讲解了"第一弘誓愿"——"自心众生无边誓愿度"：先要认识自己心中的"众生"，然后掌握"如何度化心中的众生"。所谓心中的众生，就是邪迷之心、狂妄之心、不善之心、嫉妒之心、恶毒之心，像这样的心思，都是众生，各人必须靠自己的本性自我度化，这才是真正的度化。就是将自己心中偏见、烦恼、愚痴的众生，用正确的见识来度化。既然有了正确的见识，就用般若智慧来打破愚痴迷妄的众生，各人度化自己：

> 邪念来了就用正见度化；
> 迷惑来了就用觉悟度化；
> 愚蠢来了就用智慧度化；
> 恶念来了就用善念度化。

像这样度化，就叫真正的度化。

第二，六祖又给大家讲解了"第二弘誓愿"——"自心烦恼无边誓愿断"，是指用自己本性中的般若智慧，除掉虚妄的念头、想法。

第三，六祖讲解"第三弘誓愿"——"自性法门无尽誓愿学"，必须自己明白了悟自己的本性，经常按照正确的佛法行动，这才叫真正的学习。

第四，六祖讲解"第四弘誓愿"——"自性无上佛道誓愿成"。必须经常虚心体会，按照真正的佛法行动，不要刻意、偏执地追求所谓觉悟，

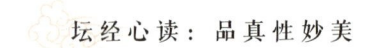

就能经常产生般若智慧，不偏执于真，也不偏执于妄，这样就可以见到佛性，就可以很快成就佛道。

六祖叮嘱大家，要永远记住修行四弘誓愿的有效方法。

【境界】

对于很多修行者来说，需要注意四个问题：

一是有愿望修行，但需要"发誓愿"才能找准生命方向的定位。

二是愿意修行了，但要有正确的方向，也就是自心自度、自性自成，不能外求，不能陷入外道。

三是要争取机缘跟随祖师修行，避免走弯路或者走向外道，修行这样重要的问题，光靠自己体悟是不够的。

四是一定要明白，祖师只是导师，不是神灵，正所谓"迷时师度，觉时自度"。"师度"和"自度"有机结合，才能真正脱离愚昧的苦恼，走进智慧的极乐世界。

"无相三皈依戒"

【缘起】

真正的修行，必讲皈依。只有皈依，才能进入修行的正道。禅宗六祖所讲的"皈依"有何内涵？

【审心】

很多人有心修行，却无心皈依，于是长期处在若即若离的状态。

修行佛法的人们都知道，学佛要皈依佛学"三宝"——"佛法僧"，学其他门道的似乎也要"入教"成为教徒。修行只有这一条路吗？

可是，"佛法僧"都是有相的，"入教"也是有相的。这种有相的皈依是真皈依吗？

六祖为人们找到的"无相皈依"，可以解决这些问题吗？

忏悔品第六

【真意】

六祖阐明了禅宗"三皈依"的真相：佛者，觉也；法者，正也；僧者，净也。皈依佛，本质是皈依觉；皈依法，本质是皈依正；皈依僧，本质是皈依净。

皈依觉，少欲知足，能离财色，名两足尊。

皈依正，念念无邪见，以无邪见故，即无人我贡高贪爱执着，名离欲尊。

皈依净，一切尘劳爱欲境界，自性皆不染著，名众中尊。

从今日去，称觉为师，更不皈依邪魔外道，以自性三宝常自证明。劝善知识，皈依自性三宝。若修此行，是自皈依。

各自观察，莫错用心，经文分明言自皈依佛，不言皈依他佛，自佛不归，无所依处。

凡夫不会，从日至夜，受三归戒，若言皈依佛，佛在何处？

若不见佛，凭何所归？言却成妄。

今既自悟，各须皈依自心三宝，内调心性，外敬他人，是自皈依也。

【境界】

啊！祖师伟大！顶礼祖师！若是六祖不向信众讲明何为真皈依，会有多少人有心修行，心中向往佛法正道，却游离于正道之外啊！

如今，找到了"无相皈依"正道，穿过了"佛法僧"三相，直入"觉正净"的真谛：离财色，得两足尊。离邪念邪见，无人我贡高贪爱执着，得离欲尊。离一切尘劳爱欲境界，自性皆不染著，得众中尊。如此这般，心中透亮，周围一片光明，再无迷惑，唯有依此勤修，让"欲"归于"觉"，让"邪"归于"正"，让"染"归于"净"。修得如此"觉正净"的境界，才是人生最大的福气啊！

"三身一体佛"："清净法身佛""圆满报身佛""千百亿化身佛"。

【缘起】

众生误以为佛在西天，于是外求，走上外道。

六祖慈悲，开示正道。

【审心】

众生皆言"佛在西天"，有几个人能到西天看看？

信众皆拜庙中的佛祖菩萨，可是有点常识的人就知道，泥胎佛像真的有神一样的力量来拯救众生吗？

既不能到西天见佛，庙中的泥胎也没有神一样的力量，那又到何处去寻找解脱和幸福的智慧与力量呢？

实际上，这些想法都是众生的迷思。

若是一直这样想，终生都找不到解脱的正道。

【真意】

六祖惠能告诉信众修行的真谛，佛是自性，外求虚妄：

色身是舍宅，不可言归，向者三身佛，在自性中。（自己的肉体只是个载体，三身佛就在自性中。）

世人总是为自心迷，不见内性，外觅三身如来，不见自身中有三身佛。（世俗中的人心迷意乱，总是看不见自身的三身佛。如此一再外求，就是走错了方向，还怎么能见到"佛"呢？）

汝等听说，令汝等于自身中见自性有三身佛。此三身佛，从自性生，不从外得。（六祖谆谆教导，从外部是找不到三身佛的。）

"何名清净法身佛？世人性本清净，万法从自性生。思量一切恶事，即生恶行；思量一切善事，即生善行。如是诸法在自性中，如天常清，日月常明。为浮云盖覆，上明下暗，忽遇风吹云散，上下俱明，万象皆现，世人性常浮游，如彼天云。"（自性清净，然只要心起恶念，即是自我背叛；时时善念，事事善行，即是成佛。）

"善知识，自心皈依自性，是皈依真佛。自皈依者，除却自性中不善心、嫉妒心、谄曲心、吾我心、诳妄心、轻人心、慢他心、邪见心、贡高心，及一切时中不善之行，常自见己过，不说他人好恶，是自皈依。常须下心，普行恭敬，即是见性通达，更无滞碍，是自皈依。"（自皈依，见真佛，即自性。只要除去一切邪恶之心，省己过，学人长。人犯我，知考验。鬼说我，佛开示。）

"何名圆满报身？譬如一灯能除千年暗，一智能灭万年愚。莫思向前，已过不可得，常思于后，念念圆明，自见本性。善恶虽殊，本性无二。无二之性，名为实性，于实性中，不染善恶，此名圆满报身佛。自性起一念恶，灭万劫善因。自性起一念善，得恒沙恶尽，直至无上菩提。念念自见，不失本念，名为报身。"（圆满者，无善恶，无好恶，无分别。一切人，皆是佛，一切事，皆度我。）

"何名千百亿化身，若不思万法，性本如空。一念思量，名为变化，思量恶事，化为地狱；思量善事，化为天堂。毒害化为龙蛇，慈悲化为菩萨，智慧化为上界，愚痴化为下方。自性变化甚多，迷人不能省觉，念念起恶，常行恶道。回一念善，智慧即生。此名自性化身佛。"（恶念造地狱，自是狱中鬼。善念造天堂，自种极乐地。万般皆我，我即万般。他人非他而是我，我也非我是他人，他人与我合成佛。）

【境界】

人若识得佛是自性，也就把目光从对西方极乐的张望转向自心，不用再跑冤枉路了。人若懂得佛像寺庙皆是照见众生的镜子，片刻即能悟见自性，也就免得见佛不识。

佛道就在眼前，开门只需善念。若是时时善念，事事善行，即是行走在佛道上。若能洞见众生皆佛，人人皆是度我，处处感恩，时时省己，须臾不离道，即是佛行天下。

如此这般，才是真性，才是实性，才是圆满，才是智慧，才是成佛的境界！

修行《无相颂》：修福与修道，忏悔与灭罪，皈依自性等修行妙法。

【缘起】

六祖为信众讲解了"五分法身香""无相忏悔""自性自度"和"三身一体佛"，然后又传授了修行的方法和要诀。

【审心】

想修行的人多，有几个人能走上正道？

修行的人不少，外求、走上外道的人也不少。

求福的人很多，可谁愿意先把心罪铲除？

拜佛的人也多，可又有谁见过真佛？

如此众多的人，到底谁能成佛？

【真意】

六祖慈悲啊！六祖智慧啊！且看六祖指出的成佛之路！

迷人修福不修道，只言修福便是道。

（**解**）道是根，福是果。不种因，妄求果，终归白忙一场。

布施供养福无边，心中三恶元来造。

（**解**）外修善，心造恶。一边求福，一边造恶，福难抵恶。

拟将修福欲灭罪，后世得福罪还在。

（**解**）罪不灭，福难得。只求福罪不除，忙来忙去无功夫。

但向心中除罪缘，各自性中真忏悔。

（**解**）除心罪，真忏悔。心罪如同毒瘤，加营养难保性命。

忽悟大乘真忏悔，除邪行正即无罪。

（**解**）真忏悔，心罪灭。真认罪归正法，灭邪行正命重生。

学道常于自性观，即与诸佛同一类。

（**解**）见自性，同诸佛。修行不再外求，自性明即与佛同。

吾祖唯传此顿法，普愿见性同一体。

（**解**）祖顿法，同佛体。祖师真传顿法，顷刻间与佛同体。

若欲当来觅法身，离诸法相心中洗。

（解）觅法身，心中洗。法身需离肉体，自性清净见佛机。

努力自见莫悠悠，后念忽绝一世休。

（解）力见性，无断绝。若信而不勤修，阎王哪等你觉悟。

若悟大乘得见性，虔恭合掌至心求。

（解）悟大成，自心求。若能悟得顿法，大乘自在你心中。

【境界】

清理自己，自罪自消，恢复清净自性，佛性显现。

识得三佛一体在自身，何须外求？收回目光守住心，佛就站在你家门。

若是恶念从此绝，若是念念皆为善，若是处处皆善行，你见人人如见佛，人人见你如见佛。

这般境界，就是众生修行成佛的景象！

本品总评

本品记述了惠能向信众讲解忏悔的要义，即每个人都要对自己瞬间生出的每个念头负责，永远去恶从善。为什么要忏悔？皆因从无始以来，烦恼根深，罪孽沉重，这些都是障道因缘。所以，我们修道之人，既然知道因果可畏，恶业难消，就必须进行忏悔，重识忏悔，认真忏悔！否则，自心不净，修行又从何谈起？脏水洗衣，岂不徒劳无功？

六祖大师说：今与汝等授无相忏悔，灭三世罪，令得三业清净。可见，忏悔的力量是多么的强大。忏悔有很多不同的仪轨和方法，有大忏、小忏、心念忏等。比如大悲忏，就是念大悲咒，并且要磕很多头来忏悔罪过。这种靠咒语、靠佛菩萨等外在的力量来忏悔的，是有相忏悔。六祖提出，禅宗所提倡的是无相忏悔，即靠自己的心念，在自性中进行的忏悔，因为佛法在自性中，明心见性，了脱生死，是修行者的本分大事。所以，忏悔也不能离开自性，而自性本空无相，所以叫无相忏悔！只有做无相忏悔，才更彻底，才更透彻，才能真正起到"灭三世罪，得三业净"的作用。

修行体系，层层递进。六祖接着阐述了"无相三皈依"：佛，法，僧三宝在自性中，佛者觉也，法者正也，僧者净也，禅宗弟子要称觉为师，皈依自性三宝，才是真皈依！如此，才能皈依一体三身自性佛。

当然，修行的体系是一个包括忏悔、发愿、皈依、立志和践行的完整体系，唯有真修实行，才能体悟佛法的精妙。

机缘品第七

本品记录了六祖开示或印证十余位修行者的案例。能够得到大师的指导，是一种殊胜的机缘，故名"机缘品"。

本品主题

- 开示无尽藏尼：诸佛妙理，非关文字。
- 开示弟子法海。即心即佛，前念不生即心，后念不灭即佛。
- 开示僧人法达：心迷法华转，心悟转法华。
- 开示僧人智通：讲授"三身"和"四智"。
- 开示僧人智常：破除修行执念。
- 开示僧人志道：莫用外道解佛道。
- 印证行思禅师：心空不落空。
- 印证怀让禅师：修证即不无，污染即不得。
- 印证玄觉禅师：破一切执念，破一切幻相。
- 开示禅者智隍：授无相禅定。
- 开示一僧：黄梅意旨谁得到了？懂佛法的。和尚得到了吗？我不会佛法。
- 开示方辩：只懂塑性，未解佛性。
- 开示一僧：以无相对治有相。

人间惑问

- 那么多修行者怎么还有疑惑呢？
- 这些修行者不都是跟着师父修行的吗？
- 怎么他们的修行中还会出问题，还会有外道和邪道？
- 念经真有念傻的吗？
- 修空还不能落空，这很难把握吧！
- 若是自己看书修行，是不是很容易走偏？

内容解读

【原文】开示无尽藏：诸佛妙理，非关文字。

师自黄梅得法，回至韶州曹侯村，人无知者。

时有儒士刘志略，礼遇甚厚。志略有姑为尼，名无尽藏，常诵《大涅槃经》。师暂听，即知妙义，遂为解说。

尼乃执卷问字，师曰："字即不识，义即请问。"

尼曰："字尚不识，焉能会义？"

师曰："诸佛妙理，非关文字。"

尼惊异之，遍告里中耆德云：此是有道之士，宜请供养。

有魏武侯玄孙曹叔良及居民，竞来瞻礼。

时，宝林古寺自隋末兵火已废，遂于故基重建梵宇，延师居之，俄成宝坊。师住九月余日，又为恶党寻逐，师乃遁于前山，被其纵火焚草木，师隐身挨入石中得免。石今有师趺坐膝痕，及衣布之纹，因名避难石。师忆五祖怀会止藏之嘱，遂行隐于二邑焉。

【释义】

惠能大师从黄梅县五祖弘忍处得到佛法真传后，回到韶州曹侯村，当地没有人知道他的来历。

当时有一个儒士叫刘志略,对大师十分尊敬,礼遇周到。刘志略有一个姑妈是尼姑,法名叫无尽藏,经常念诵《大涅槃经》。大师偶然听到她念诵,就了解了经文的妙谛真义,于是给无尽藏解说。

尼姑于是拿上经卷,向大师请教具体文字,大师回答:"字我不认识,要是义理有问题我能回答。"

尼姑说:"字还不认得,怎么能理解义理呢?"

大师说:"各种佛法的妙谛真义,和文字没有关系。"

尼姑感到很惊奇,到处告诉村里德高望重的长老,说惠能大师是一位有道高僧,应该礼遇供养。村中有魏武侯曹操的玄孙叫曹叔良的,还有其他一些村民,都争相地前来拜见。

当时,村里的宝林古寺自从隋末遭遇兵火,已经废弃,村里人就在旧址上重新修建了一座佛庙,请大师居住,这里很快就成了弘扬佛法的宝坊圣地。

大师在庙里住了九个月,又被抢夺传法衣钵的恶僧党羽追杀迫害,大师就躲到前面的山里去。恶人们放火焚烧山上的草木,大师藏到一块山石后面才得以幸免。至今石头上还有大师跌坐的膝盖痕迹和衣服的褶纹,人们将这块石头称为避难石。大师想起五祖"逢怀则止,遇会则藏"的嘱咐,于是去怀集和四会一带隐居。

【导读】

- 无人知祖:六祖回到韶州传法时,几乎无人知道他的真实来历。
- 刘志略礼:儒士刘志略对大师十分尊敬,礼遇周到。
- 无尽藏尼:刘志略有一个姑妈是尼姑,法名叫无尽藏,经常念诵《大涅槃经》。
- 听知妙义:六祖听无尽藏尼姑诵读《大涅槃经》,一听就知经文的妙义。
- 尼姑请教:无尽藏尼姑向大师请教经中文字。大师说,我不认字,但可以解说义理。

坛经心读：品真性妙美

- 无尽藏惑：不认字，怎么懂得义理？
- 大师出言：诸佛妙理，非关文字。
- 无尽藏明：无尽藏知道大师是个得道高僧，于是到处宣传。
- 魏武玄孙：村中有魏武侯曹操的玄孙叫曹叔良的，还有其他一些村民，都争相前来拜见。
- 修宝林寺：村里人为大师重修宝林古寺，这里很快成为弘法圣地。
- 恶徒追害：大师在庙里住了九个月，又被抢夺传法衣钵的恶僧党羽追杀迫害。
- 大师躲藏：大师就躲到前面的山里去，恶人们放火焚烧山上的草木。
- "避难石"：大师藏到一块山石后面才得以幸免。至今石头上还有大师趺坐的膝盖痕迹和衣服的褶纹，人们将这块石头称为避难石。
- 遵五祖训：大师想起五祖"逢怀则止，遇会则藏"的嘱咐，于是去怀集和四会一带隐居。

【赏析】

一语点醒梦中人：儒士刘志略的姑妈名无尽藏，是位尼姑，潜心诵读《大涅槃经》。向六祖请教经中文字，六祖的一句话让她十分诧异："我不认字，你来读吧。"这无尽藏尼心里困惑，又问大师："大师不认字，如何懂得佛经之意啊？"大师一句话点醒无尽藏尼："诸佛妙理，非关文字。"真是石破天惊啊，诵经多年的无尽藏尼突然意识到大师道行的高深。

是啊，佛经上的文字只是文字，并非妙理，只是帮人领悟诸佛妙理的工具和载体。如同"以手指月，手是手，月是月，手指非月"。也应了那句话：行万里路，还需名师点悟。若是没有名师的指引，也许，许多无尽藏尼这样的修行者，只会死盯文字，无法到达妙理的境界。

历史上和现实中，读书读成书虫的人还是不少的。学了一点知识，却把知识变成教条的也大有人在。张嘴就说经典，却无力践行经典中的道理的"口头理论家""嘴上修行者"，也很常见。这也是一种执着，也是着相，是嘴、心、行三者相互脱离，各走各的道，人就相当于被肢解成三份。故而圣人教导世俗之人要知行合一，心口一致，言必信，行必果。

恶人作恶，难毁正法：又有恶人追到六祖的道场，企图抢走衣钵，甚至想要伤害六祖。可是，他们能毁了庙宇，却毁不了正道正法。

世上的恶人，总是以为拥有外在之物就能占据优势，就能成为权威，就能让自己幸福。这就是"外求"，就是外道，就是邪道。

世上的恶人，总是"损人不利己"，心被恶念迷住，以为毁掉别人的房屋、财产或者身体，自己就能获得成功。实际上，人的境界全在各自的修行。伤人也耽误了自己的发展进步，只会让自己走上邪道。

世上的恶人，总是见不得别人比自己好，似乎别人的好损害了自己；别人的遭遇，似乎又满足了他们。你看，这是多么愚蠢的认识。若能转念，别人好时就向别人学习，学好了才会有利于自己。恶人也可怜，虽然长了个人的样子，内心却运行着愚昧的程序，没有得到高人名师点拨，一生纠结痛苦，身心陷入苦海，愈是挣扎，就陷得越深。

【原文】 开示法海：即心即佛

僧法海，韶州曲江人也，初参祖师。

问曰："即心即佛，愿垂指谕。"

师曰："前念不生即心，后念不灭即佛；成一切相即心，离一切相即佛。吾若具说，穷劫不尽。听吾偈。"曰：

即心名慧，即佛乃定。

定慧等持，意中清净。

悟此法门，由汝习性。

用本无生，双修是正。

法海言下大悟，以偈赞曰：

即心元是佛，不悟而自屈。

我知定慧因，双修离诸物。

【释义】

僧人法海，韶州曲江人，是最早参拜六祖大师的。

坛经心读：品真性妙美

他问大师："什么是即心即佛呢？希望能得到您的指点教导。"

大师回答："前一个念头不苦苦执着就是心，后一个念头也不执着于消除就是佛；心中想一切色相就是心，不想任何色相就是佛。我要是具体解说，永远都说不完。"

听我念这首偈语：即心名慧，即佛乃定。定慧等持，意中清净。悟此法门，由汝习性。用本无生，双修是正。

法海听了立刻觉悟，也念了一首偈语回敬赞颂：即心元是佛，不悟而自屈。我知定慧因，双修离诸物。

【导读】

- 最早弟子：韶州僧人法海，是最早参拜六祖的人。
- 法海请教：什么是即心即佛？
- 大师开示：想色相是心，无色相是佛。
- 大师诵偈：即心名慧，即佛乃定。定慧等持，意中清净。悟此法门，由汝习性。用本无生，双修是正。
- 法海偈赞：即心元是佛，不悟而自屈。我知定慧因，双修离诸物。

【赏析】

即心即佛

不少的人遇到这样的论断往往很困惑：这是什么逻辑啊？到底是心还是佛？是心为何还说佛，是佛为何还说心呢？这种来回拉抽屉式的表述真让人摸不着头脑。

这是因为，我们已经形成了固定的思维方式，并且理所当然地认为这是唯一正确的。当另外一种不同于我们的思维方式出现时，我们是很抵触的。难道我们的思维方式都是错误的吗？当然不是，只是禅宗的思维，是一种高级智慧。

也许有人会不服气，怎么就说禅宗的思维是高级的智慧呢？高级在哪里，又智慧在哪里呢？

智慧的思维，有这样的特性：一是深度。由表及里的穿透性，使我们能够不被表面现象所迷惑，从而深入看清本质。二是广度。使我们能够找到不同事物或者现象之间的联系、差异中的共同点，等等。三是高度。将我们在具体事务上得到的经验上升为规律，将我们在个别的、有限的事实上得出的感悟上升为原理和法则，进而获得通晓一切的总法则、总规律、总钥匙。

禅宗思维的智慧就是这样的。当我们死盯着现象而不能通达本质时，我们就着相了，被现象把心智锁死了，也就不能拨开现象的迷雾，见到真相的光明。当我们把内外对立、割裂开来，自己的心就是顽固和愚昧的，就会将外物视为外物，而不能借外物为镜，照见自心。在这里，法海就被"心""佛"两个字给困住了：心和佛到底是什么关系？心是佛吗？为何自心生出很多烦恼？岂不知，那是因为自心被愚痴和欲念给绑架了，是愚痴和欲念让我们生出了烦恼。若是能够不再让自己的心被外部事物的具体表相所困，心就是自由的，就不会生出烦恼。这就是佛，就是佛心。用我们今天的话来表达就是：愚昧的心即是魔，生出无尽的苦恼；智慧的心，也就是干净的心，也就是开了佛知见的心，就是佛心，就是幸福快乐的心。反过来说，苦恼不是来自原本的自心，而是来自被绑架了的心。实际上，心还是那个心，只是跟愚痴欲念连在一起，我们没法将其分开。佛心就是本心，就是干净的心，就是不会被任何力量绑架和污染的心。结论是：干净的心＝佛心＝极乐。愚昧的心＝干净的心＋欲念愚昧＝苦恼。

大师智慧

"前一个念头不苦苦执着就是心，后一个念头也不执着于消除就是佛；心中想一切色相就是心，不想任何色相就是佛。"由此可见，前一个念头不会死缠，自心就自由了。后一个念头不排斥拒绝，悦纳一切，随来随去，不刻意选择和甄别，微笑看待一切，管他花开花落！那就是自然，花开不喜，花落不悲，只是自然生生死死的规律，即是达观。一切的色相，都是我们的肉眼看到的，如果视力差了，那样的东西你也就看不清了。若

坛经心读：品真性妙美

是视力提升几百倍，万物的分别也就不存在了。想明白这一点，你就知道，色相，本来就是人的视力在欺骗自己。心里明白了，也就有智慧了，这就是"即心名慧"；心里一旦有了智慧，也就不会再被外相所迷惑，也就不会再生出苦恼，智慧的心生出了人的定，这就是"即佛乃定"。如此也就明白了为何要"定慧等持"，意中清净。正所谓：无念即心名叫慧，离相即佛就是定；定和慧均等修持，心意自然常清净。能悟这顿教法门，由人习性所自得。定体慧用本无生，定慧双修才是正。

【原文】 开示法达：诵经不知经义

僧法达，洪州人，七岁出家，常诵《法华经》。来礼祖师，头不至地。

祖诃曰："礼不投地，何如不礼？汝心中必有一物。蕴习何事耶？"

曰："念《法华经》已及三千部。"

祖曰："汝若念至万部，得其经意，不以为胜，则与吾偕行，汝今负此事业，都不知过，听吾偈曰：礼本折慢幢，头奚不至地？有我罪即生，亡功福无比。"

师又曰："汝名什么？"

曰："法达。"

师曰："汝名法达，何曾达法？"

复说偈曰：

"汝今名法达，勤诵未休歇。

空诵但循声，明心号菩萨。

汝今有缘故，吾今为汝说。

但信佛无言，莲花从口发。"

达闻偈，悔谢曰："而今而后，当谦恭一切，弟子诵《法华经》，未解经义，心常有疑，和尚智慧广大，愿略说经中义理。"

师曰："法达，法即甚达，汝心不达，经本无疑，汝心自疑。汝念此经，以何为宗？"

达曰："学人根性暗钝，从来但依文诵念，岂知宗趣？"

师曰："吾不识文字，汝试取经诵一遍，吾当为汝解说。"

法达即高声念经，至《譬喻品》。

师曰："止。此经元来以因缘出世为宗，纵说多种譬喻，亦无越于此。何者因缘？经云：诸佛世尊，唯以一大事因缘，故出现于世。一大事者，佛之知见也。

"世人外迷著相，内迷著空，若能于相离相，于空离空，即是内外不迷。若悟此法，一念心开，是为开佛知见。

"佛，犹觉也，分为四门：开觉知见，示觉知见，悟觉知见，入觉知见。若闻开示，便能悟入，即觉知见，本来真性而得出现。

"汝慎勿错解经意，见他道开示悟入，自是佛之知见，我辈无分。若作此解，乃是谤经毁佛也。彼既是佛，已具知见，何用更开？

"汝今当信佛知见者，只汝自心，更无别佛。盖为一切众生，自蔽光明，贪爱尘境，外缘内扰，甘受驱驰，便劳他世尊，从三昧起，种种苦口，劝令寝息，莫向外求，与佛无二，故云开佛知见。

"吾亦劝一切人，于自心中，常开佛之知见。世人心邪，愚迷造罪，口善心恶，贪嗔嫉妒，谄佞我慢，侵人害物，自开众生知见。若能正心，常生智慧，观照自心，止恶行善，是自开佛之知见。

"汝须念念开佛知见，勿开众生知见。开佛知见，即是出世。开众生知见，即是世间。汝若但劳劳执念，以为功课者，何异牦牛爱尾？"

达曰："若然者，但得解义，不劳诵经耶？"

师曰："经有何过，岂障汝念？只为迷悟在人，损益由己。口诵心行，即是转经。口诵心不行，即是被经转。听吾偈曰：心迷法华转，心悟转法华。诵经久不明，与义作仇家。无念念即正，有念念成邪。有无俱不计，长御白牛车。"

达闻偈，不觉悲泣，言下大悟，而告师曰："法达从昔已来，实未曾转《法华》，乃被《法华》转。"

再启曰："经云，诸大声闻乃至菩萨，皆尽思共度量，不能测佛智。今令凡夫但悟自心，便名佛之知见。自非上根，未免疑谤。又经说三车，羊鹿牛车与白牛之车，如何区别？愿和尚再垂开示。"

师曰："经意分明，汝自迷背。诸三乘人，不能测佛智者，患在度量也。饶伊尽思共推，转加悬远。佛本为凡夫说，不为佛说。此理若不肯信者，从他退席。殊不知坐却白牛车，更于门外觅三车。况经文明向汝道，唯一佛乘，无有余乘。若二若三，乃至无数方便，种种因缘，譬喻言词，是法皆为一佛乘故。汝何不省，三车是假，为昔时故。一乘是实，为今时故，只教汝去假归实，归实之后，实亦无名。应知所有珍财，尽属于汝，由汝受用，更不作父想，亦不作子想，亦无用想。是名持《法华经》，从劫至劫，手不释卷，从昼至夜，无不念时也。"

达蒙启发，踊跃欢喜，以偈赞曰："经诵三千部，曹溪一句亡。未明出世旨，宁歇累生狂？羊鹿牛权设，初中后善扬。谁知火宅内，元是法中王。"

师曰："汝今后方可名念经僧也。"

达从此领玄旨，亦不辍诵经。

【关键字词】

[白牛车] 佛教认为修行等级有差异，声闻乘羊车，缘觉乘鹿车，菩萨乘白牛车。

[声闻] 直接听了佛的讲法而觉悟者。

【释义】

僧人法达，洪州人，七岁出家，经常念诵《法华经》。

他来参拜惠能大师，叩头时头没有接触地面。

大师责备他说："行礼却头不点地，还不如不行礼。你心里面一定有什么东西。平时你修习什么？"

法达回答："我念诵《法华经》已经有三千遍了。"

六祖说："你如果念了一万遍，并且领悟了经文妙谛，却不因此骄傲，就可以和我一同修行，现在你自负于读经三千遍而目中无人，却还不知道这是罪过，你听我的偈语：礼本折慢幢，头奚不至地？有我罪即生，亡功福无比。"

大师又问："你叫什么名字？"

回答："法达。"

大师说："你名叫法达，又何曾通达了佛法呢？"

又念偈语说："汝今名法达，勤诵未休歇。空诵但循声，明心号菩萨。汝今有缘故，吾今为汝说。但信佛无言，莲花从口发。"

法达听了偈语后悔悟，向大师谢罪说："从今以后，我一定对一切都谦虚恭敬，弟子虽然熟诵《法华经》，却没有理解其中的意义，心里经常存有疑惑，和尚您的智慧广大，希望您给我解说一下经文中的义理。"

大师说："法达，佛法是通达的，是你的心没有通达；经文里是没有疑惑的，是你的心中有疑惑。你诵读这本经文，知道它的宗旨是什么吗？"

法达说："学生慧根迟钝，从来就是按照经文诵读，哪里知道宗旨义趣呢？"

大师说："我不认识文字，你试着把经文读一遍，我来给你解说。"

法达就高声诵读经文，读到《譬喻品》。

大师说："停。这部经文原本是以出世为宗旨，纵然再说多少譬喻也不会超越这个宗旨。是什么因缘呢？经上说：各位佛陀世尊，都是以一种大事的因缘而出现在世界上的。这种大事，就是佛的认知见解。世俗之人在外面执迷于表相，在内心又执迷于虚空，如果能对着表相脱离表相，对着虚空脱离虚空，那就是内外都不迷惑。如果能觉悟这种法门，在一念之间心思顿开，就是开启了佛的认知见解。

"佛，就是觉悟，分为四个法门：开启'觉'的认知见解，指示'觉'的认知见解，契合'觉'的认知见解，深入'觉'的认知见解。倘若一听开导，就能悟而入'觉'，这就是'觉'的认知见解，就是原有真实佛性的呈现。你千万不要错误地理解了经文的意思，看见别人说'开示悟人'，就以为那是佛才能有的认知，像我们这些人不沾边。倘若这样理解，就是诽谤经文和佛祖。他既然是佛，那就已经具备了认知，哪里还用得着再来开导启示呢？

"你现在应当相信，佛的认知，就是你自己的本心，除此之外再没有其他的佛了。因为一切众生，自己遮蔽了内心的光明，贪恋热衷于红尘世界，受到外部世界和自己内在欲望的引诱，心甘情愿地被驱使，这才要麻烦各位佛祖世尊，从正定中起来，苦口婆心地劝告众生，让他们停止那些贪恋欲望，不要再向外界追求，这就与佛法没有区别，所以说是开导启发佛的认知。

"我也劝导一切人，要经常在自己的内心开发佛的智慧。世俗人的心中有邪见，愚昧迷惑而造作罪孽，口出善言而心怀恶意，贪婪，嗔怒，嫉妒，谄媚，欺侮，骄傲，侵害别人，这样就开启了众生的认知。如果能够端正内心，就会经常生发智慧以观照自己的内心，停止坏的行为，从事好的行为，这就是自己开发了佛的智慧。

"你要让自己的每一个念头都开发佛的智慧，不要开启众生的认知。开发了佛的智慧，就是超凡脱俗。开启了众生的认知，就是沉迷俗世。你如果只执着于表面用功诵读经文，那和牦牛爱自己的尾巴又有什么两样？"

法达问："如果是这样，只要能理解经文的意义，就不用下功夫诵读了？"

大师说："经文有什么错，怎么能成为你诵读的障碍呢？关键是痴迷或觉悟都由自己把握，读多读少都看你自己，嘴里诵读经文，心中要体会领悟，这就是通过读《法华经》而让法轮大转。只是嘴里诵读经文，心里不能体会领悟，那就是你被经文所转了。你听我念一首偈语：心迷法华转，心悟转法华。诵经久不明，与义作仇家。无念念即正，有念念成邪。有无俱不计，长御白牛车。"

法达听了偈语，不觉感动得泪流满面，他立刻豁然开朗，对大师说："法达从前那么长时间，其实没有因诵读《法华经》而转动法轮，反而被《法华经》所转。"他又请教大师："佛经上说：各位大声闻乃至菩萨，都竭尽全力猜度考量，却不能领悟佛的智慧。现在让凡夫俗子只要觉悟了自己的内心，就号称佛的智慧。我不具备慧根，对这一点难免有疑问。还有佛经上说到声闻、缘觉和菩萨分别乘羊车、鹿车和牛车三车，这和白牛车有什么区别呢？请和尚再给予启示教导。"

大师说："经文上说得很明白，是你自己迷惑而背离了经义。那声闻、缘觉、菩萨三乘人，不能领悟佛的智慧，毛病出在把心思都用在猜度考量上。他们越是竭尽全力推测，就离佛的智慧越远。佛本来就是对凡夫俗子说法的，不是对佛自己说法的。假如连这个道理都不愿相信，那就让他从这里退席。殊不知，自己已经坐上白牛车，还到门外去寻找什么羊车、鹿车和牛车呢？何况经文已经明确地向你说了，只有唯一一种佛道，并没有其他的佛道。至于第二种或者第三种，乃至无数种方便法门，还有种种因缘，譬喻言辞，都是以这一种佛道为核心的善巧方便而已。你怎么不明白呢？所谓羊车、鹿车、牛车都是假借的名称，是为了说明当日的情况。唯一的佛道才是真实的，是为你的此时而存在的，是教导你去掉假名而回归真实即唯一佛道的，回归真实以后，真实也就不需要假名了。应当知道，所有的珍贵财宝都属于你自己，由你来独自享用，不要想这原来是属于父亲的，或将来是属于儿子的，根本不需要想。这才叫修持《法华经》，从最初的劫数到最后一个劫数，你都手不释卷，从白天到黑夜，无时无刻不在诵读。"

法达受到启发，高兴得手舞足蹈，作了一首偈语表达赞美之情："经诵三千部，曹溪一句亡。未明出世旨，宁歇累生狂？羊鹿牛权设，初中后善扬。谁知火宅内，元是法中王。"

　　大师说："你从今以后才可以叫作念经僧。"

　　法达从此领悟了佛法的微言大义，同时仍然不断地诵读经文。

【导读】

- 僧人法达：洪州人，七岁出家，经常念诵《法华经》。
- 参拜不诚：他来参拜惠能大师，叩头时头没有接触地面。
- 大师责他：既无礼貌，有何心事？
- 法达苦恼：我念诵《法华经》已经有三千遍了。
- 法达自负：被六祖看出来了。
- 大师偈语：礼本折慢幢，头奚不至地？有我罪即生，亡功福无比。
- 大师问名：法达答曰：法达。
- 大师破名：叫法达，没达法。
- 大师诵偈：汝今名法达，勤诵未休歇。空诵但循声，明心号菩萨。汝今有缘故，吾今为汝说。但信佛无言，莲花从口发。
- 法达谢罪：今后谦恭，熟读法华，未解其意，请师开示。
- 大师说法：法达法达，佛法通达，心不通达；经无疑惑，心有疑惑。
- 法达承认：只诵经文，未知宗义。
- 大师接话：我不认字，你读我解。
- 法达诵经：法达就高声诵读经文，读到《譬喻品》，大师让他暂停。
- 大事因缘：大师解读：这部经中的诸多比喻皆是以出世为宗旨。诸佛出世，皆因大事因缘，就是佛的知见。
- 俗人痴迷：外迷表相，内迷虚空。
- 佛四法门：以觉为佛，开启、指示、契合、深入。
- 佛真知见：即是每个人的本心，之外无佛可觅。
- 俗迷佛开：正因为俗人愚昧迷惑，才有佛祖出世教化。
- 心佛知见：要在自己的内心，开启佛的知见。
- 牦牛爱尾：痴迷经文，如牦牛爱尾。

机缘品第七

- 法达再问：法达问了个愚蠢的问题，以为理解经义和诵经只能二选一。
- 大师授诀：口念经文，心会经义。
- 六祖诵偈：心迷法华转，心悟转法华。诵经久不明，与义作仇家。无念念即正，有念念成邪。有无俱不计，长御白牛车。
- 法达泪流：感动，开悟，悔其过去被《法华经》所转。
- 询问三车：凡夫觉自心就能成佛？佛经上说到声闻、缘觉和菩萨分别乘羊车、鹿车和牛车三车，这和白牛车有什么区别呢？
- 大师续说：声闻、缘觉、菩萨三乘人，不能领悟佛的智慧，毛病出在把心思都用在猜度考量。越是如此，离佛的智慧越远。各种比喻和说法，皆是在指明根本的佛道——人人的自心，外求即是外道。
- 法达偈赞：经诵三千部，曹溪一句亡。未明出世旨，宁歇累生狂？羊鹿牛权设，初中后善扬。谁知火宅内，元是法中王。
- 念经僧人：大师见法达明白了，就说："你从今以后才可以叫作念经僧。"
- 法达从此领悟了佛法的微言大义，同时仍然不断地诵读经文。

【赏析】

六祖慧眼

法达来拜见六祖，叩头时竟然头不着地。此相被六祖看在眼里，这种不礼貌的行为，让六祖看到了法达心中的障碍——磕头时那个头与地之间的东西，也就是法达的心事。

法达到底有什么心事呢？六祖一问就知道了，原来是法达诵读《法华经》三千遍，心中自觉功夫深，可就是没有悟到经义的根本，反而生出了傲慢。到这里，事情就清楚了：原来磕头时头与地之间隔着一个有形的《法华经》，还有由此而生的、肉眼看不见的傲慢。法达正因为有了这个傲慢的"我"，读经也是在谤佛毁经，这是有罪的，当然也就无功无福。不知六祖的这份知见是否把法达吓坏了。

法达法达

是美好的愿望？还是叫名而说破？不得而知，不用思量。六祖借其名开示法达：诵经未达经义，是自心不通达。而佛法是通达的，仅仅念诵，而不治心，念经就没有功夫，再念千遍万遍也是耽误工夫。自心清净是佛，诵经即是佛言。若是口吐莲花，由心而生，即是佛说，也是心说。这一下子就把法达长期被绑缚的心给解开了。法达当即认错，发愿从此以后对一切恭敬，再不生傲慢之心。

佛之知见

六祖令法达诵经，至《譬喻品》时，六祖让其暂停，并为其解说佛之知见：诸佛世尊只因一种大事因缘而出现于世。这种大事是什么呢？就是"佛之知见"。世人外迷著相，内迷著空，若能于相离相，于空离空，即是内外不迷。若悟此法，一念心开，是为开佛知见。原来，诸佛世尊之所以现于世，就是来帮助人们破除"内迷外迷"的，让人们能够"于相离相，于空离空"，恢复自心的清净，就有了人生的智慧。

是啊，佛是觉悟了的人，又为何眷恋尘世？不是在眷恋尘世，而是要为众生开启"佛之知见"，恢复每个人自心的清净，也就是去迷开慧。如同红尘中的医院，因为有人生病，所以才有医院和医生，而医院和医生又是为了让人恢复健康。若是人人自心清净，也就无须诸佛世尊现世来为其开启"佛之知见"。"佛之知见"，就是觉悟了的人的知见，并非佛祖之知见。因为佛已经觉悟，无须再开什么佛之知见。众生是迷佛，去迷即成佛。

佛觉四门

六祖继续为法达讲经，提出了佛之知见的"四门"：开、示、悟、入。也就是"开觉知见，示觉知见，悟觉知见，入觉知见"。有缘相见，信者发问，祖师开口，即是"开"。见祖师的心性与智慧，听祖师阐释佛理，展示佛理的人间形态，即是"示"。如能跟上祖师的心律，亦步亦趋，即能领悟，此为"悟"。若是能够继续深入自心反观，并清理自心的迷惑，让心中充满光明，即是"入"。如此，即能让自己的本来真性显现。

现实中，也有不少人请教高人，却只为找个简洁的答案，根本无心跟着高道亦步亦趋，还没走几步就三心二意，或者心猿意马。这样学习和悟道，是根本进不去的。佛觉四门，讲了跟随祖师悟道的四个步骤，修行中若能牢记"开、示、悟、入"，定有出乎意料的惊喜。

心外无佛

从古至今，修行者众多，年头久了，也有人做到了高位。可悟道高深与年龄学问往往没有必然关系，因此有些人只因做到高位，就堂而皇之地错解经意，并引领他人"开、示、悟、入"，自以为是佛之知见，实是谤经毁佛，是典型的外道。真正信佛的人，一定要明白和坚信，传佛知见者，能令你回观自心，而不是外求诸佛，因为佛是觉悟的自己，身外无别佛。若是贪图外佛来救，自是新的迷念，也是新的愚痴，比过去更加愚昧。注意了，恶人害人，你能知晓，顶多是损失一点财物；无道者传法，一般人不知其正邪，往往还会被其所吸引，因为没有觉悟，也不知道正法，故而用俗人的愚昧标准进行判断，这个错误会引领人的心性走向更深的深渊和苦海。古往今来，江湖上以外道传法者络绎不绝，装模作样，人称大师，甚有众徒。如此乱象，当格外小心。

警惕心毒

祖师看到众生诸多典型"心毒"：自蔽光明而不知，贪爱尘境而不离，外缘内扰而不觉，甘受驱驰又无奈。也正是因为俗人已经深中"心毒"，导致心邪，愚迷造罪，口善心恶，贪嗔嫉妒，谄佞我慢，侵人害物，沉迷自我，固化成"众生知见"，绑缚自心，以为有理，但生万苦而不知自错。正因为这样，便劳诸佛世尊，从三昧起，苦口婆心，谆谆教导，核心就是：莫向外求，佛在自心，觉悟之人，与佛无二，这就是"开佛知见"。世人若能正心，常生智慧，观照自心，止恶行善，是自开"佛之知见"。念念开佛知见，不开众生知见，即是觉悟成佛。能够开佛知见，即是出世，也即脱离世俗愚痴知见。若是开启红尘中的众生知见，即是世间，也就是落入俗世和苦海。现实中的很多人，只是执着于个人见识，没有开启高级的佛之知见，就如同"牦牛爱尾""小猫戏尾"一样可笑了。

转经经转

这法达可也真够苦的，修行那么多年，心中藏着那么多的问题，又怎么能够觉悟呢？这不，又问了个傻问题："若是从自心悟，是不是就不用念经了？"六祖听到法达的问题，不知是心中苦笑呢，还是在为他着急。也许都不是，因为这是我等俗人的知见。

六祖听到法达的问题，当即就给他开示：你诵经不觉，并非经文的过错啊，经文只是度你到彼岸的"桥"，可你站在桥上就是不过去，难道是桥阻碍了你？自己不想过，心被什么念头给拴住了，岂能怪桥？自心迷惑，用口诵经，心却不悟，于是乎，纠缠的心又多了一层束缚——经文。这就是不觉之人被经所转的现象。若能口诵心行，按照经中祖师的教导去做，经文就是帮你过河的桥，即是转经。

听起来好简单，佛经因人而生，嘴用心不用，佛经也没用。概括起来说就是：口诵心行，即是转经；口诵心不行，即是被经转。对于念诵《法华经》三千遍的法达，祖师专门指出：心迷法华转，心悟转法华。

法达苦大

看来，法达这些年的修行真是辛苦，那么多愚昧知见存于自心，构筑了自己的苦海。这回算是遇到名师了。

法达又问了六祖两个问题：一是佛经上说，各位大声闻乃至菩萨，都竭尽全力猜度考量，却不能领悟佛的智慧。现在让凡夫俗子只要觉悟了自己的内心，就号称达到了佛的智慧。我不具备慧根，对这一点难免有疑惑要胡问了。二是佛经上又说声闻、缘觉和菩萨分别乘羊车、鹿车和牛车三车，这和白牛车有什么区别呢？请大师再给予启示教导。

是啊，一个没有觉悟的人，定会用没有觉悟的心来看佛经，看出来的怎么可能是佛的知见呢？还是借佛经在开启众生知见。看看六祖是如何用佛之知见开示法达的吧。

六祖开示道：经意说得很清楚，是你自己迷惑而背离了经义。你提到佛经中说的诸三乘人，之所以不能成佛，问题就出在用自己的知见去揣度佛的智慧。也就是说，还保留着个人的有限知见，以有限知见来揣量佛的知见，当然又是一道很大的心坎，拦住了诸三乘人。

法达啊法达，你正在跟六祖修悟佛道，这不就是白牛车吗？骑驴找驴，坐车找车，你这不是糊涂了吗？什么牛车，羊车鹿车，只是为了借助那些说法让人领悟佛道，你可好，竟然像孩子一样，把这些譬喻当成了真实，还要到处去找。什么三乘四乘的，佛经明确告诉你，只有唯一的正道，也即"唯一佛乘，无有余乘"。佛经中所言几乘之说，只是基于当时情况的方便说法，也是用比喻方便人领悟，并非真有那些东西。

六祖这样不厌其烦地教导法达，解开了法达多年的心结，法达由衷喜悦，也做了偈语赞美六祖："经诵三千部，曹溪一句亡。未明出世旨，宁歇累生狂？羊鹿牛权设，初中后善扬。谁知火宅内，元是法中王。"

既然法达已经觉悟，六祖也很高兴，又对他说：你今后就叫"念经僧"吧。"念经僧"形式上是对过去痴迷的一种告诫，实际上是对念经法理的一种觉悟。

【原文】 开示智通：三身四智。

僧智通，寿州安丰人。初看《楞伽经》约千余遍，而不会"三身""四智"，礼师求解其义。

师曰："三身者，清净法身，汝之性也；圆满报身，汝之智也；千百亿化身，汝之行也。若离本性，别说三身，即名有身无智；若悟三身无有自性，即名四智菩提。听吾偈曰：自性具三身，发明成四智。不离见闻缘，超然登佛地。吾今为汝说，谛信永无迷。莫学驰求者，终日说菩提。"

通再启曰："四智之义，可得闻乎？"

师曰："既会三身，便明四智，何更问耶？若离三身，别谈四智，此名有智无身，即此有智，还成无智。"复说偈曰："大圆镜智性清净，平等性智心无病。妙观察智见非功，成所作智同圆镜。五八六七果因转，但用名言无实性。若于转处不留情，繁兴永处那伽定。"

通顿悟性智，遂呈偈曰："三身元我体，四智本心明。身智融无碍，应物任随形。起修皆妄动，守住匪真精。妙旨因师晓，终亡染污名。"

【关键字词】

[三身] 惠能大师以自性来解释三身：①清净法身，谓吾人之自性身即是如来法身，故吾人之自性本即清净，并能生出一切诸法。②圆满报身，谓自性所生般若之光，若能涤除一切情感欲望，则如一轮明日高悬于万里晴空之中，光芒万丈，照遍十方，圆满无缺。③自性化身，谓吾人若能坚信自性之力比拟于一切化身佛，若此心向善，便生智慧；若起慈悲之心，便变为菩萨。无知之凡夫，此心向恶，造三业便入地狱；若起毒害之心，便变为龙蛇之属。如何应化，实是修行者的重要议题。

[四智] ①"大圆镜智相应心品"，又称大圆镜智、圆镜智、镜智，乃转第八阿赖耶识所得之智。此智离诸分别，所缘行相微细难知，不妄不愚一切镜相，性相清净，离诸杂染，如大圆镜之光明，遍映万象事理，纤毫不遗。②"平等性智相应心品"，又称平等性智、平等智，系转第七末那识所得之智。此智观一切法，自他有情，悉皆平等，与大慈悲等恒共相应，平等普度一切众生。③"妙观察智相应心品"，又称妙观察智、观察智，系转第六意识所得之智。此智善观诸法自相、共相，无碍而转，依有情众生不同根机，自在说法，教化众生。④"成所作智相应心品"，又称成所作智、作事智，系转眼、耳、鼻、舌、身这前五识所得之智。此智欲利乐诸有情，故能于十方以身、口、意三业为众生行善，成本愿力所应作事，具此四智即可达于佛果。

【释义】

僧人智通，寿州安丰人。

他最初读《楞伽经》，读了一千多遍，却没有理解"三身"和"四智"，因此拜见惠能大师，请求讲解经文妙谛。

大师说："所谓'三身'，第一是清净的法身，是你的本性；第二是圆满的报身，是你的智慧；第三是千百亿化身，是你的行为。如果离开你的本性来谈'三身'，就叫有身无智；如果领悟了三身'并没有它自己的本性，就叫四智菩提。听我念一首偈语：自性具三身，发明成四智。不离见闻缘，超然登佛地。吾今为汝说，谛信永无迷。莫学驰求者，终日说菩提。"

智通又问："'四智'的妙义，我可以听听吗？"

大师说："既然已经领悟了'三身'，自然就懂'四智'了，还问什么呢？如果离开'三身'，另外再谈'四智'，这就叫有智无身，即使有智，也相当于无智。"

大师接着又念诵了一首偈语："大圆镜智性清净，平等性智心无病。妙观察智见非功，成所作智同圆镜。五八六七果因转，但用名言无实性。若于转处不留情，繁兴永处那伽定。"

智通立刻领悟了本性的智慧，也念了一首偈语呈献给大师："三身元我体，四智本心明。身智融无碍，应物任随形。起修皆妄动，守住匪真精。妙旨因师晓，终亡染污名。"

【导读】

- 僧人智通：寿州安丰人。
- 读《楞伽经》：智通读了一千多遍，也没有理解"三身"和"四智"，于是来请教六祖大师。
- 大师解义："所谓'三身'，第一是清净的法身，是你的本性；第二是圆满的报身，是你的智慧；第三是千百亿化身，是你的行为。如果离开你的本性来谈'三身'，就叫有身无智；如果领悟了'三身'并没有它自己的本性，就叫四智菩提。"
- 大师作偈：自性具三身，发明成四智。不离见闻缘，超然登佛地。吾今为汝说，谛信永无迷。莫学驰求者，终日说菩提。

- 智通又问："'四智'的妙义，我可以听听吗？"
- 大师续解：既悟三身，自懂四智。
- 大师诵偈："大圆镜智性清净，平等性智心无病。妙观察智见非功，成所作智同圆镜。五八六七果因转，但用名言无实性。若于转处不留情，繁兴永处那伽定。"
- 智通领悟：智通立刻领悟了本性的智慧，也念了一首偈语呈献给大师："三身元我体，四智本心明。身智融无碍，应物任随形。起修皆妄动，守住匪真精。妙旨因师晓，终亡染污名。"

【赏析】

智通不通：一个念了《楞伽经》千余遍的修行者，就是不懂"三身""四智"，于是来请教六祖。六祖为其讲解"三身四智"："三身者，清净法身，汝之性也；圆满报身，汝之智也；千百亿化身，汝之行也。若离本性，别说三身，即名有身无智；若悟三身无有自性，即名四智菩提。"祖师又用一偈语开示智通："自性具三身，发明成四智。不离见闻缘，超然登佛地。吾今为汝说，谛信永无迷。莫学驰求者，终日说菩提。"

智通好像还没有彻底明白，接着又问："四智之义，可得闻乎？"六祖继续开示他："既会三身，便明四智，何更问耶？若离三身，别谈四智，此名有智无身，即此有智，还成无智。"复说偈曰："大圆镜智性清净，平等性智心无病。妙观察智见非功，成所作智同圆镜。五八六七果因转，但用名言无实性。若于转处不留情，繁兴永处那伽定。"

至此，智通终于领悟了，也作了一首偈语："三身元我体，四智本心明。身智融无碍，应物任随形。起修皆妄动，守住匪真精。妙旨因师晓，终亡染污名。"

看到这里，我们也好生感慨：学佛念经之人，学了那么多年，怎么还有这么多困惑啊？当然，答案也很简单：内看根性，外看机缘。根性如六祖者，一听就明。再加上如五祖这样的明师开示，当下顿悟。这些来向六祖求法的修行者，根性自然比不上六祖，也没有高道指引，故而以众生知见，求佛之知见，好比用一盆脏水洗衣，自然无法让自心干净。可话又说回来，他们也是幸运的，芸芸众生中，又有几人可以像他们那样，得到像六祖这样的大师的指引呢？

【原文】开示智常：无端起知见，著相求菩提

僧智常，信州贵溪人，髫年出家，志求见性，一日参礼。

师问曰："汝从何来，欲求何事？"

曰："学人近往洪州白峰山礼大通和尚，蒙示见性成佛之义，未决狐疑，远来投礼，伏望和尚慈悲指示。"

师曰："彼有何言句，汝试举看。"

曰："智常到彼，凡经三月，未蒙示诲，为法切故，一夕独入丈室，请问如何是某甲本心本性。大通乃曰：'汝见虚空否？'对曰：'见。'彼曰：'汝见虚空有相貌否？'对曰：'虚空无形，有何相貌？'彼曰：'汝之本性，犹如虚空，了无一物可见，是名正见；无一物可知，是名真知。无有青黄长短，但见本源清净，觉体圆明，即名见性成佛，亦名如来知见。'学人虽闻此说，犹未决了，乞和尚开示。"

师曰："彼师所说，犹存见知，故令汝未了。吾今示汝一偈：

　　不见一法存无见，大似浮云遮日面。
　　不知一法守空知，还如太虚生闪电。
　　此之知见瞥然兴，错认何曾解方便？
　　汝当一念自知非，自己灵光常显现。"

常闻偈已，心意豁然，乃述偈曰：

　　无端起知见，著相求菩提。
　　情存一念悟，宁越昔时迷。
　　自性觉源体，随照枉迁流。
　　不入祖师室，茫然趣两头。

智常一日问师曰："佛说三乘法，又言最上乘，弟子未解，愿为教授。"

师曰:"汝观自本心,莫著外法相。法无四乘,人心自有等差,见闻转诵是小乘,悟法解义是中乘,依法修行是大乘。万法俱通,万法俱备,一切不染,离诸法相,一无所得,名最上乘。乘是行义,不在口争,汝须自修,莫问吾也。一切时中,自性自如。"

常礼谢执侍,终师之世。

【关键字词】

[髫年] 童年。髫(tiáo),古代指孩子下垂的头发。

【释义】

僧人智常,信州贵溪人,很小的时候就出家了。他立志要透彻地认识佛性,有一天去参拜惠能大师。

大师问他说:"你从哪里来?要求问什么事?"

智常回答:"弟子近日前往洪州白峰山参拜大通和尚,承蒙他启示了认知本性成就佛道的妙义,但仍然有一些疑惑没有解决,因此远道前来向您请教,恳请和尚您大发慈悲给予启发。"

大师说:"他讲了些什么?你试着举例说说看。"

智常回答:"智常到了他那儿,过了三个月,一直没有得到他的教诲,因为我求法的心太迫切,一天晚上,我独自一人前往方丈内室,向他请教什么才是我的本心和本性。大通和尚说:'你看见虚空了吗?'我回答:'看见了。'他又问:'你看到虚空的具体相貌了吗?'我回答:'虚空没有形状,哪有什么具体相貌呢?'他又说:'你的本性,就像虚空一样,任何具体的东西都看不见,这才叫正见。没有具体物相可以知晓,这才叫真知。没有什么青色和黄色、长和短的区别,只要见到本性的清净,智慧圆满透明,这就叫认知了本性、成就了佛道,也叫如来的认知。'弟子虽然听了这些解说,但还没有完全明白,请求和尚您再给予启示。"

大师说:"你的老师所讲的,还留有'知见'的痕迹,难怪不能让你彻底觉悟。我现在给你念诵一首偈语:

> 不见一法存无见，大似浮云遮日面。
> 不知一法守空知，还如太虚生闪电。
> 此之知见瞥然兴，错认何曾解方便？
> 汝当一念自知非，自己灵光常显现。"

智常听了偈语，心中豁然开朗，也念诵了一首偈语：

> 无端起知见，著相求菩提。
> 情存一念悟，宁越昔时迷。
> 自性觉源体，随照枉迁流。
> 不入祖师室，茫然趣两头。

有一天，智常又来问大师："佛说声闻、缘觉和菩萨这三乘妙法，又说还有最上乘的，弟子不明白这是怎么回事，希望您指点教导。"

大师说："你只内视自己的本心，不要执着于外在的法相。佛法本来并没有四乘的区别，人的悟解能力各有差异。亲见佛祖，并听佛祖讲解，再跟着诵读佛经，这是小乘法；自己领悟佛法义理，这是中乘法；按照佛法修行，这是大乘法。各种佛法其实都是相通的，能通晓所有的佛法，又不执着于某一种佛法，远离各种佛法的表相，一点也不教条，这就是最上乘法。乘是实践修行的意思，不在于口头的争论，你必须自己修习，不要来问我。在任何时候，自己的本性都要自己觉悟。"

智常拜谢大师，从此非常虔诚地侍奉人师，直到大师圆寂。

【导读】

- 僧人智常：自小出家，立志参佛，参拜惠能大师。
- 大师问缘："你从哪里来？要求问什么事？"
- 智常求解："弟子参拜大通和尚，承蒙启示，尚有疑惑，请求大师开示。"
- 大师问法："大通和尚讲了些什么？你试着举例说说看。"

- 智常回答:"智常到他那里三个月,未得教诲,求法心切,独往方丈内室,向他请教什么才是我的本心和本性。"
- 智通对话:和尚问:"'你看见虚空了吗?'我回答:'看见了。'他又问:'你看到了虚空的具体相貌了吗?'我回答:'虚空没有形状,哪有什么具体相貌呢?'他又说:'你的本性,就像虚空一样,任何具体的东西都看不见,这才叫正见。没有具体的物相可以知晓,这才叫真知。没有什么青色和黄色、长和短的区别,只要见到本性的清净,智慧圆满透明,这就叫认知了本性、成就了佛道,也叫如来的认知。'"
- 六祖点拨:"你的老师所讲的,还留有'知见'的痕迹,难怪不能让你彻底觉悟。"
- 六祖诵偈:

> 不见一法存无见,大似浮云遮日面。
> 不知一法守空知,还如太虚生闪电。
> 此之知见瞥然兴,错认何曾解方便?
> 汝当一念自知非,自己灵光常显现。

- 智常偈赞:智常听了大师的偈语,心中豁然开朗,也念诵了一首偈语:

> 无端起知见,著相求菩提。
> 情存一念悟,宁越昔时迷。
> 自性觉源体,随照枉迁流。
> 不入祖师室,茫然趣两头。

- 智常再问:佛说声闻、缘觉和菩萨这三乘妙法,又说还有最上乘,弟子没有明白这是怎么回事,希望您指点教导。
- 大师续解:"你只内视自己的本心,不要执着于外在的法相。佛法本来并没有四乘的区别,人的悟解能力各有差异,亲见佛祖并听佛祖讲解,再跟着诵读佛经,这是小乘法;自己领悟了解佛法义理,这是中乘法;按照佛法修行，这是大乘法。各种佛法其实都是相通的，能通晓所有的佛法，又不执着于某一种佛法，远离各种佛法的表面名相，一点也不教条，这就是最上乘法。乘是实践修行的意思，不在于口头上的名义争论，你必须自己修习，不要来问我。在任何时候，自己的本性都要自己觉悟。"

- 智常侍师：智常拜谢大师，从此非常虔诚地侍奉大师，直到大师圆寂。

【赏析】

智常遇空见

少年出家的僧人智常求法心切，来见六祖。六祖问他所求何事，智常就讲了他求法的一段经历：不久前去洪州白峰山，参见大通和尚，承蒙大和尚开示见性成佛之义，但依然疑惑，故来请六祖开示。

六祖就让智常说说经过，智常就说：去那里三个月，也没有机会得到教诲，自己求法心切，就直接去了大通和尚的方丈室，请教见性的法门。大通和尚开示道：汝之本性，犹如虚空，了无一物可见，是名正见。无一物可知，是名真知。无有青黄长短，但见本源清净，觉体圆明，即名见性成佛，亦名如来知见。

六祖听完，直接评论说：那是因为大通和尚所说尚存知见的痕迹，故而没能让智常明白，随后送一偈语开示智常：

> 不见一法存无见，大似浮云遮日面。
> 不知一法守空知，还如太虚生闪电。
> 此之知见瞥然兴，错认何曾解方便？
> 汝当一念自知非，自己灵光常显现。

很显然，六祖一下子就看到了问题所在：言空又落空，也是一种执着，也是着相，因而没有通达佛意。智常很聪明，一下子就明白了，也做一偈语回应六祖："无端起知见，著相求菩提。情存一念悟，宁越昔时迷。自性觉源体，随照枉迁流。不入祖师室，茫然趣两头。"

智常问乘

智常又问六祖："佛说三乘法，又说还有最上乘的，弟子不理解，请六祖开示。"

六祖于是借智常的问题开示"佛乘"："正法是观自本心，不要著外法相。正法唯一，并无四乘，只因人心存在等差，所以才说四乘。见闻转诵是小乘，悟法解义是中乘，依法修行是大乘。万法尽通，万法具备，一切不染，离诸法相，一无所得，名最上乘。'乘'是用行动践行佛意，不是在口头上争论。人只要好好自修，到时自然明白。"这下智常知道，他遇到名师了，从此他一直侍奉在六祖身边，直至大师圆寂。

你看，这些修行者中的读书人啊，往往诵经多多，却无法越过文字，到达祖师引领的佛地。说起来，这也是修行者遇到的最普遍的问题：心中存着众生知见，也就是世俗中的各种观念思维，自己无法改变，但心中又对佛道智慧充满向往，于是"浑身都是泥，躺在新被子上"，会怎么样也可想而知。许多修行者没法一开始就把自己清理干净，怎么办才好呢？最快捷的方法就是找一个得道高人，进入"开示悟入"的过程，并时刻保持"口念、心悟、身行"，同时不断地反观自身是否下道。如此，再加上随时有高道开示，当能步入佛地。

【原文】开示志道：诵经不解义，外道让心迷

僧志道，广州南海人也，请益曰："学人自出家，览《涅槃经》十载有余，未明大意，愿和尚垂诲。"

师曰："汝何处未明？"

曰："诸行无常，是生灭法，生灭灭已，寂灭为乐，于此疑惑。"

师曰："汝作么生疑？"

曰："一切众生皆有二身，谓色身、法身也。色身无常，有生有灭；法身有常，无知无觉。经云：生灭灭已，寂灭为乐者，不审何身寂灭，何身受乐？若色身者，色身灭时，四大分散，全然是苦，苦不可言乐。若法身寂灭，即同草木瓦石，谁当受乐？又，法性是生灭之体，五蕴是生灭之用，一体五用，生灭是常。生则从体起用，灭则摄用归体。若听更生，即有情之类，不断不灭；若不听更生，则永归寂灭，同于无情之物。如是，则一切诸法被涅槃之所禁伏，尚不得生，何乐之有？"

师曰："汝是释子，何习外道断常邪见，而议最上乘法？据汝所说，即色身外别有法身，离生灭求于寂灭，又推涅槃常乐，言有身受用，斯乃执吝生死，耽著世乐。汝今当知佛为一切迷人，认五蕴和合为自体相，分别一切法为外尘相，好生恶死，念念迁流，不知梦幻虚假，枉受轮回，以常乐涅槃，翻为苦相，终日驰求。佛愍此故，乃示涅槃真乐，刹那无有生相，刹那无有灭相，更无生灭可灭，是则寂灭现前，当现前时，亦无现前之量，乃谓常乐。此乐无有受者，亦无不受者，岂有一体五用之名？何况更言涅槃禁伏诸法，令永不生，斯乃谤佛毁法。听吾偈曰：

无上大涅槃，圆明常寂照。
凡愚谓之死，外道执为断。
诸求二乘人，目以为无作。
尽属情所计，六十二见本。
妄立虚假名，何为真实义？
惟有过量人，通达无取舍。
以知五蕴法，及以蕴中我。
外现众色象，一一音声相。
平等如梦幻，不起凡圣见。
不作涅槃解，二边三际断。
常应诸根用，而不起用想。
分别一切法，不起分别想。
劫火烧海底，风鼓山相击。
真常寂灭乐，涅槃相如是。

坛经心读：品真性妙美

> 吾今强言说，令汝舍邪见。
> 汝勿随言解，许汝知少分。"
> 志道闻偈大悟，踊跃作礼而退。

【关键字词】

[汝勿随言解，许汝知少分] 意思是你不要随意乱说，自负还懂点佛法。

【释义】

僧人志道，广州南海人，他来请教大师，说："弟子自从出家以来，阅览《涅槃经》十年多，也没有明了其中的大意，请和尚不吝赐教。"

大师问："你什么地方不明白？"

志道说："《涅槃经》中有一首偈语说：诸行无常，是生灭法，生灭灭已，寂灭为乐。我对它疑惑不解。"

大师说："你为什么疑惑？"

志道说："一切众生都有两个身体，就是所谓的色身和法身。血肉之躯的色身变化无常，有生有死；佛法所成的法身永恒不变，但没有知觉。佛经上说：生灭灭已，寂灭为乐（超脱了生死轮回，就是快乐境界）。我不知道是哪个身体寂灭，又是哪个身体享受快乐？如果说是色身，那么在色身死灭时，地、水、火、风四大元素就分散了，这都是痛苦，不能说是快乐。如果说是法身寂灭，那就像草木瓦石一样没有感觉，那是谁在享受快乐呢？再说，法性是生灭的本体，色、受、想、行、识这五蕴是生灭的表现，一个本体五种表现，生和灭是永恒的变化。如果有生，就会从本体中产生这五种表现；如果要灭，那么五种表现就会返回本体。如果听任它反复重生，那就是有情有感的众生，生死循环无穷无尽；如果不再重生，那就永远归于寂灭了，就等同于瓦石等无情之物。如果是这样，那么一切佛法就都被涅槃所束缚，连重生都不再可能，又有什么快乐可言？"

大师说："你是释迦牟尼的弟子，怎么学了外道关于生死的偏见，却来妄议最上乘的佛法？照你所说的，在色身之外还有法身，脱离生死而追求涅槃，还要推论涅槃的快乐，说有身体来享受它。这是执着于生和死，耽溺于世俗的享乐。你现在应该知道，佛正因为尘世愚迷之人把五蕴和合暂时构成的肉体当作自体的真实本相，把各种外界的表相作区分而当真，因此贪生怕死，念头接着念头，没有止境，不明白那一切其实都像梦幻一般虚假，徒劳地堕落于轮回之中，反而把永恒涅槃的快乐当成苦痛，因此终日在红尘中劳碌追逐。佛对此感到怜悯，于是把涅槃的真正快乐显现出来，刹那间，没有生的现象，也没有灭的现象，当然更没有生和灭本身可以消灭了，这样，真正的寂灭才显现出来。在这种时刻，也没有什么量度来衡定这种显现，这才叫永恒的快乐。这种快乐没有承受者，也没有不承受者，岂有一体五用等名目？何况你还说什么涅槃束缚了一切佛法，让其永远不会再生，这实在是毁谤佛和佛法。你听我的偈语：

> 无上大涅槃，圆明常寂照。
> 凡愚谓之死，外道执为断。
> 诸求二乘人，目以为无作。
> 尽属情所计，六十二见本。
> 妄立虚假名，何为真实义？
> 惟有过量人，通达无取舍。
> 以知五蕴法，及以蕴中我。
> 外现众色象，一一音声相。
> 平等如梦幻，不起凡圣见。
> 不作涅槃解，二边三际断。
> 常应诸根用，而不起用想。
> 分别一切法，不起分别想。
> 劫火烧海底，风鼓山相击。
> 真常寂灭乐，涅槃相如是。
> 吾今强言说，令汝舍邪见。
> 汝勿随言解，许汝知少分。"

志道听了偈语，终于觉悟，高兴得手舞足蹈，向大师行礼后退出。

坛经心读：品真性妙美

【导读】

- 僧人志道：广州南海人，请教大师："自从出家以来，阅览《涅槃经》十年多，也没有明了其中的大意，请和尚不吝赐教。"
- 大师问道："你什么地方不明白？"
- 志道问疑："《涅槃经》中有一首偈语说：'诸行无常，是生灭法，生灭灭已，寂灭为乐。'我对它疑惑不解。"
- 大师再问："你为什么疑惑？"
- 志道说明：一切众生都有两个身体，就是所谓的色身和法身。血肉之躯的色身变化无常，有生有死；佛法所成的法身永恒不变，但没有知觉。佛经上说：'生灭灭已，寂灭为乐。'（超脱了生死轮回，就是快乐境界）。我不知道是哪个身体寂灭，哪个身体享受快乐？
- 大师斥责："你是释迦牟尼的弟子，怎么学了外道关于生死的偏见，反来妄议最上乘的佛法？照你所说的，在色身之外还有法身，脱离生死而追求涅槃，还要推论涅槃的快乐，说有身体来享受它。这是执着于生和死，耽溺于世俗的享乐。你现在应该知道，佛正因为尘世愚迷之人把五蕴和合暂时构成的肉体当成自体的真实本相，把各种外界的表相作区分而当真，因此贪生怕死，念头接着念头，没有止境，不明白那一切其实都像梦幻一般虚假，徒劳地堕落于轮回之中，反而把永恒的涅槃快乐当成苦痛，因此终日在红尘中劳碌追逐。佛对此感到怜悯，于是把涅槃的真正快乐显现出来，在刹那间没有生的现象，也没有灭的现象，当然更没有生和灭本身可以消灭了，这样，真正的寂灭才显现出来，在这种时刻，也没有什么量度来衡定这种显现，这才叫永恒的快乐。这种快乐没有承受者，也没有不承受者，岂有一体五用等名目？何况你还说什么涅槃束缚了一切佛法，让其永远不会再生，这实在是毁谤佛和佛法。"
- 大师偈语：

无上大涅槃，圆明常寂照。

凡愚谓之死，外道执为断。

诸求二乘人，目以为无作。
尽属情所计，六十二见本。
妄立虚假名，何为真实义？
惟有过量人，通达无取舍。
以知五蕴法，及以蕴中我。
外现众色象，一一音声相。
平等如梦幻，不起凡圣见。
不作涅槃解，二边三际断。
常应诸根用，而不起用想。
分别一切法，不起分别想。
劫火烧海底，风鼓山相击。
真常寂灭乐，涅槃相如是。
吾今强言说，令汝舍邪见。
汝勿随言解，许汝知少分。

❀ 志道觉悟：听了大师的偈语，志道终于觉悟，高兴得手舞足蹈，向大师行礼后退出。

【赏析】

志道不明：有一个叫志道的出家僧人，诵读《涅槃经》十余载，依然不明大意，特向六祖请法。

六祖问他：什么地方不明白？

志道说，经中言：诸行无常，是生灭法，生灭灭已，寂灭为乐。此处经义难以理解。

六祖又问："你为什么生疑？"下面，志道就从人有色身法身，讲了自己对生灭道理的理解。六祖听后，很是气恼，因为志道是在用外道的思想非议佛法，落入了"二"的境地。六祖为其讲解无生无灭也无生灭可灭的不二法门，并以一首偈语开示志道：

无上大涅槃，圆明常寂照。凡愚谓之死，外道执为断。
诸求二乘人，目以为无作。尽属情所计，六十二见本。
妄立虚假名，何为真实义？惟有过量人，通达无取舍。
以知五蕴法，及以蕴中我。外现众色象，一一音声相。
平等如梦幻，不起凡圣见。不作涅槃解，二边三际断。
常应诸根用，而不起用想。分别一切法，不起分别想。
劫火烧海底，风鼓山相击。真常寂灭乐，涅槃相如是。
吾今强言说，令汝舍邪见。汝勿随言解，许汝知少分。

志道闻偈大悟，终于理解了无上不二法门，对六祖作礼而退。

你看，像志道这样修行十余年的人，都没有真正地理解佛法要义，甚至用外道的思想非议佛道。对于大部分不修行的人来说，又怎么可能理解佛家大智慧的境界呢？

现代人接受了科学知识的教育，但在人生哲学层面，却很少有人受过正规教育与训练。这恐怕也是拥有很多知识的现代人，苦恼却并没减少的原因之一吧。实际上，现代社会，科学教育基本上都是专业教育，而智慧教育往往是很薄弱的。这种局面就会进一步加强众生知见、专业知见。若是不知道这一点，有知识的人就会比没有知识的人还要固执和偏激。科学教育与智慧教育并行，才能让人的心智健康发展。

【原文】印证行思禅师

行思禅师，生吉州安城刘氏，闻曹溪法席盛化，径来参礼。

遂问曰："当何所务，即不落阶级？"

师曰："汝曾作什么来？"

曰："圣谛亦不为。"

师曰："落何阶级？"

曰："圣谛尚不为，何阶级之有！"

师深器之，令思首众。

一日，师谓曰："汝当分化一方，无令断绝。"

思既得法，遂回吉州青原山，弘法绍化，谥弘济禅师。

【关键字词】

［圣谛］佛教基本的四个教义：苦、集、灭、道。

【释义】

行思禅师，生于吉州安城一户姓刘的人家，听说曹溪这里佛法兴盛，就来参拜惠能大师。

行思请教说："应当怎样修行，才不会落入渐悟的套路？"

大师回答："你曾经怎样修行？"

行思说："四圣谛都没有修行过。"

大师说："那你落入什么套路？"

行思回答："四圣谛都没有修行，还能落入什么套路呢？"

大师对行思十分器重，让他做首席门徒。

有一天，大师对他说："你应当独当一面去教化一方，不要让法门断绝。"

行思既已得到了佛法三昧，于是就返回吉州青原山，弘扬顿教法门，圆寂后谥为弘济禅师。

【导读】

- 行思禅师：吉州安城刘姓人，听说曹溪这里佛法兴盛，就来参拜惠能大师。
- 行思请教："应当怎样修行，才不会落入渐悟的套路？"
- 大师反问："你曾经怎样修行？"
- 行思回答："四圣谛都没有修行过。"
- 大师反问："那你落入到什么套路？"
- 行思回答："四圣谛都没有修行过，还能落入什么套路呢？"
- 收为首徒：大师对行思十分器重，让他做首席门徒。

- 师示行思："你应当独当一面去教化一方，不要让法门断绝。"
- 弘济禅师：行思悟得佛法三昧，返回吉州青原山，弘扬顿教法门，圆寂后谥为弘济禅师。

【赏析】

行思来请教六祖，自然知道六祖的法门，可他好像明知故问。既知顿悟法门，为何又问"怎样才能不落入渐悟的套路"呢？

六祖没有直接回答行思的问题，因为他们已经开始进入以心印心的过程。后面的对话看似简单，可行思的话所表现出来的，即是顿教的无相法门，于是可知为何六祖收其为首席弟子。

看似简单的几句对话，在普通人眼里根本算不上什么，可在这两位禅师看来，以此便完成了印心。正所谓：外行看热闹，内行看门道。这门道对上了，一切也就无须多言。

普通人若是遇上能够跟自己心心相印、心有灵犀的人，交往起来也是非常愉悦的，不必说很多话，对方就能明白。

若是修行好了，自己心中无相、无执、无思，去念不缠，来念不拒，随来随走，来时入境入心，走时出境出心，遇万事而心不染杂，来去自由，也就是禅境了。禅者在人间，可不是只会说一些别人听不懂的话，而是总能入境，懂得他人的心，直接跟人的佛心对话。不管其现实表现如何，直接唤醒其佛性。这样的人又怎么会被视为怪人呢？怪人都是如入禅境又执着于假禅境的人。禅境俗境本无二致，只是人有了分别心，才会站在自己的立场上审视对方、陷入对峙，这就不是智慧了。

【原文】印证怀让禅师

怀让禅师，金州杜氏子也，初谒嵩山安国师，安发之曹溪参叩。让至礼拜。

师曰："甚处来？"

曰："嵩山。"

师曰："什么物，怎么来？"

曰："说似一物即不中。"

师曰："还可修证否？"

曰："修证即不无，污染即不得。"

师曰："只此不污染，诸佛之所护念，汝既如是，吾亦如是。西天般若多罗谶：'汝足下出一马驹，踏杀天下人。'应在汝心，不须速说。"

让豁然契会，遂执侍左右一十五载，日臻玄奥，后往南岳，大阐禅宗，敕谥大慧禅师。

【关键字词】

[马驹] 指马祖道一，未来将成为怀让的高足。

【释义】

怀让禅师，金州一户杜姓人家的孩子，最初参谒嵩山的安国师，安国师打发他去曹溪参拜惠能大师。

让至礼拜。大师问："你从哪里来？"

怀让回答："嵩山。"

大师又问："什么东西？怎么来的？"

怀让回答："如果说一件东西就不妙了。"

大师问："还可以修行证悟吗？"

怀让回答："修行证悟不是没有，执着于某一个念头就不会有了。"

大师说："只这不执着于某一念头，就是各位佛所护念的，你是这样，我也是这样。西天的般若多罗法师有预言说：'你门下会出一匹龙马驹，驰骋天下无敌手。'这个预言你要谨记于心，不必急着表白。"

怀让豁然贯通，心领神会，于是随侍大师左右十五年，修养和智慧与日俱增，后来前往南岳开设道场，把禅宗发扬光大，圆寂后被朝廷赐谥为大慧禅师。

【导读】

● 怀让禅师：金州杜姓人家，初参嵩山的安国师，安国师打发他去曹溪参拜惠能大师。

- 礼毕师问:"你从哪里来?"
- 怀让回答:"嵩山。"
- 大师又问:"什么东西?怎么来的?"
- 怀让回答:"如果说一件东西就不妙了。"
- 大师再问:"还可以修行证悟吗?"
- 怀让回答:"修行证悟不是没有,执着于某一念头就不会有了。"
- 大师证曰:"只这不执着于某一念头,就是各位佛所护念的,你是这样,我也是这样。西天的般若多罗法师有预言,说你门下会出一匹龙马驹,驰骋天下无敌手。这个预言你要谨记于心,不必急着表白。"
- 怀让贯通:怀让豁然贯通,心领神会,于是随侍大师左右十五年,修养和智慧与日俱增。
- 大慧禅师:后来,怀让禅师前往南岳开设道场,把禅宗发扬光大,圆寂后被朝廷赐谥为大慧禅师。

【赏析】

怀让禅师与六祖简单几句对话,就让六祖看到他掌握了无念法的核心。六祖大师于是给他印证,师徒俩又相处了十五年。

很显然,从行思禅师到怀让禅师,他们都是领悟了顿教无念法门的人,于是可以直入佛地。

由以上两位禅师与六祖的对话可以看出,心中去除了我执、法执、相执、空执、经执等一切执念后,自性清净,便没有更多要说的问题了。

想想看,现实中的人们会怎样呢?"他怎么这样?""事情不该这样啊?"等等,都在证明:一是自己心中有念,二是在用自己的知见评说世间事,自然就会觉得无法理解,也就生出了很多烦恼。若是能去除自己心中不净的念头,也就没有这些想不明白的事了。

也许有人会说,心中无念,岂不是傻?实际上,学习智慧法门,就会让人看清楚世间的一切事物背后的规律和必然性,也就不会再用自己有限

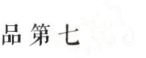

的认识能力去分析评判世间万相了。这不是傻,而是彻底明白了。倘若世俗中那些自以为聪明的人才是智慧的象征,那怎么还会有"聪明反被聪明误"呢?怎么会有"难得糊涂"的感悟呢?

【原文】印证玄觉禅师

永嘉玄觉禅师,温州戴氏子,少习经论,精天台止观法门,因看《维摩经》,发明心地。偶师弟子玄策相访,与其剧谈,出言暗合诸祖。

策云:"仁者得法师谁?"

曰:"我听方等经论,各有师承,后于《维摩经》,悟佛心宗,未有证明者。"

策云:"威音王已前即得,威音王已后,无师自悟,尽是天然外道。"

曰:"愿仁者为我证据。"

策云:"我言轻,曹溪有六祖大师,四方云集,并是受法者。若去,则与偕行。"

觉遂同策来参,绕师三匝,振锡而立。

师曰:"夫沙门者,具三千威仪,八万细行,大德自何方而来,生大我慢。"

觉曰:"生死事大,无常迅速。"

师曰:"何不体取无生,了无速乎?"

曰:"体即无生,了本无速。"

师曰:"如是如是。"

玄觉方具威仪礼拜,须臾告辞。

师曰:"返太速乎?"

曰:"本自非动,岂有速耶?"

师曰:"谁知非动?"

曰:"仁者自生分别。"

师曰:"汝甚得无生之意。"

曰："无生岂有意耶？"

师曰："无意谁当分别？"

曰："分别亦非意。"

师曰："善哉！少留一宿。"

时谓一宿觉。后著《证道歌》，盛行于世，谥曰无相大师，时称为真觉焉。

【关键字词】

[天台] 天台宗，以《法华经》为经典。

[威音王] 佛名。表示年代非常遥远，据说在威音王时代，人的精神纯正无邪。

【释义】

永嘉的玄觉禅师，是温州一户姓戴人家的孩子，少年时就学习佛教经典和理论，特别精通天台宗的止观法门，因为阅读《维摩经》而认知了心性。

一次偶然的机会，惠能的弟子玄策来访，和玄觉高谈阔论，玄觉的言谈都能和禅宗各位祖师的意思相合。

玄策问玄觉："仁者，你的老师是哪一位？"

玄觉回答："我听了各家讲论经典，各有师承，后来读《维摩经》，领悟佛祖以心传心的妙谛，但还没有遇到能与我互相印证的人。"

玄策说："威音王之前，无师自通是可以的；威音王以后，无师自悟那当然就是外道了。"

玄觉说："请仁者为我印证吧。"

玄策说："我人微言轻。曹溪有一位六祖大师，四方的高僧云集，都前去参拜他，都是去请教佛法的。你如果前去，我和你同行。"

玄觉就和玄策一起前来参拜，玄觉围绕惠能大师转了三圈，然后举起锡杖顿地而立。

大师说："做了沙门，就具有很威武的仪表，遵循细致严格的行为规范，大德你从哪里来？敢这样傲慢地对待我。"

玄觉说："生和死是大事，变化无常快得很。"

大师说："那为什么不去领会不生不灭的道理，了悟不变的宗旨呢？"

玄觉说："领会了就无所谓生死，了悟了就没有变化。"

大师说："是这样，是这样。"

玄觉这才端正仪态，重新向大师礼拜，过一会儿就告辞要走。

大师说："你回去得太快了吧？"

玄觉说："我本来没有动，哪有什么快不快呢？"

大师说："谁知道你没有动呢？"

玄觉说："仁者自然知道。"

大师说："你的确很明白无生的意义。"

玄觉说："无生难道有意义吗？"

大师说："没有意义谁能懂得？"

玄觉说："能懂得也就不是意义了。"

大师说："很好啊！就留下来住一宿吧。"

当时大家就称玄觉为"一宿觉"。

后来玄觉写出《证道歌》，盛行于世，圆寂后被谥为无相大师，当时也被称为"真觉"。

【导读】

◎ 玄觉禅师：温州戴氏，少习经论，精天台止观法门，因看《维摩经》，发明心地。

◎ 玄觉玄策：大师弟子玄策相访，交谈中玄策发现玄觉出言暗合诸祖，就问："仁者拜的是哪个师父？"

◎ 玄觉回答："我多方学习，后读《维摩经》，领悟了佛法心宗，但没有人为我证明。"

◎ 玄策则说："威音王之后，无师自悟，尽是天然外道。"

◎ 玄觉请求："请你为我印证吧。"

- 玄策推辞："我人微言轻，你去求助六祖大师吧，你如果去，我愿意随行。"
- 参师不礼：觉遂同策来参，绕师三匝，振锡而立。
- 大师假怒："夫沙门者，具三千威仪，八万细行，大德自何方而来，生大我慢。"
- 玄觉对曰："生死事大，无常迅速。"
- 大师又问："何不体取无生，了无速乎？"
- 玄觉又对："体即无生，了本无速。"
- 大师证曰："如是如是。"
- 玄觉正礼：玄觉被六祖印证后，具威仪礼拜，须臾告辞。
- 大师挽留："不用那么快就回去呀？"
- 玄觉禅对："本自非动，岂有速耶？"
- 大师诘问："谁知非动？"
- 玄觉对曰："仁者自生分别。"
- 大师证曰："你甚得无生之佛意啊！"
- 玄觉续禅："无生岂有意耶？"
- 大师续曰："无意谁当分别？"
- 玄觉对曰："分别亦非意。"
- 大师证曰："善哉！少留一宿。"
- 谓一宿觉：大师的挽留成为美谈，谓"一宿觉"。
- 无相大师：玄觉后著《证道歌》，盛行于世，谥曰无相大师，时称为真觉焉。

【赏析】

这是六祖印证修道禅师玄觉的事例。在一般人看来，他们的对话如同打哑谜，甚至有点答非所问，让人看得云里雾里。在六祖印证玄觉禅师的几轮对话中，玄觉禅师皆能运用无相法门、无念法门、无我法门与六祖对话，句句不漏，可见其修行功夫之深，因此得到了六祖的赞许。

看看现实中,聪明人听人讲话,往往都是点头,代表"我明白了"。上课时学生听老师讲,被问到时往往也说"我明白了"。实际上,你那个"我"所明白的怎么可能是"真明白",那是在自我知见的基础上明白的,根本不是明白了对方的本意。

现实中,人们思考问题,都使用现成的概念,而智慧的人总是在打破世俗概念的束缚。因为他们掌握了这些世俗概念之上的规律和真相,哪还需要这些概念呢?若是执着于已有的概念,恐怕科学也就不能发展了。一般人认为,科学往往是循序渐进的,而不像禅宗顿悟这样。实际上,重大的科学发明与发现,不都是对既有知识和结论的突破吗?不也是一种顿悟吗?

【原文】 开示智隍:无相禅定

禅者智隍,初参五祖,自谓已得正受。庵居长坐,积二十年。

师弟子玄策,游方至河朔,闻隍之名,造庵问云:"汝在此作什么?"

隍曰:"入定。"

策云:"汝云入定,为有心入耶?无心入耶?若无心入者,一切无情草木瓦石,应合得定。若有心入者,一切有情含识之流,亦应得定。"

隍曰:"我正入定时,不见有有无之心。"

策云:"不见有有无之心,即是常定,何有出入?若有出入,即非大定。"

隍无对,良久,问曰:"师嗣谁耶?"

策云:"我师曹溪六祖。"

隍云:"六祖以何为禅定?"

策云:"我师所说,妙湛圆寂,体用如如,五阴本空,六尘非有,不出不入,不定不乱。禅性无住,离住禅寂。禅性无生,离生禅想,心如虚空,亦无虚空之量。"

坛经心读：品真性妙美

隍闻是说，径来谒师。

师问云："仁者何来？"

隍具述前缘。

师云："诚如所言，汝但心如虚空，不著空见，应用无碍，动静无心，凡圣情忘，能所俱泯，性相如如，无不定时也。"

隍于是大悟，二十年所得心，都无影响。其夜河北士庶闻空中有声云："隍禅师今日得道。"

隍后礼辞，后归河北，开化四众。

【关键字词】

[庵] 音 ān，是指圆形草屋、小庙，又特指女性修行者居住的寺庙。

[河朔] 河北一带。

[四众] 比丘、比丘尼、优婆塞、优婆夷。

【释义】

有一个修禅学的人叫智隍，当初参拜过五祖弘忍，自以为已经得到了禅宗正道，长期在庵庙里打坐修行，已经二十年了。

惠能大师的徒弟玄策云游到河朔一带，听到了智隍的名声，就到庵里去拜访他，问："你待在这儿做什么？"

智隍回答："入定。"

玄策说："你说在入定，你入定时有心念还是无心念？如果是无心念入定，那么一切草木瓦石应该都能入定。如果是有心念，那么一切有情有识的普通众生也应该能入定。"

智隍说："我入定的时候，看不见有心念还是无心念。"

玄策说："看不见有心念还是无心念，就是常定，那怎么会有出定和入定？既有出定和入定，那你就不是真正的定。"

智隍没法回答了，过了很久，问玄策："你是谁的弟子啊？"

玄策回答："我的老师是曹溪六祖。"

智隍问："六祖以什么为禅定？"

玄策说："我的师父所讲的禅定，是妙不可言的圆寂境界，本体和应用融合为一，五阴（色、受、想、行、识）本来是空无一物的，六尘（色、声、香、味、触、法）也并非真正存在，所以没有出定和入定的区别，也没有神定和神乱的区别。禅的本性是不执着，对禅定不着意进入或者离开。禅的本性是不生不灭的，并不执着于产生禅思冥想，而是心如虚空，但也没有对虚空进行度量。"

智隍听了这些话，就直接来参见惠能大师。

大师问他："仁者从哪儿来？"

智隍讲述了与玄策相会的情况。

大师说："正像玄策说的，你只要心如虚空，又不着意于追求空的意识，那就能自在应对运用而通灵无所阻碍，无论动还是静都能无所用心，无论凡俗还是圣人的情感全都忘掉，主观和客观的差异全都消除，这样你的本性和表相就没有区别，你就无时无刻不在入定了。"

智隍听了以后获得大觉悟，超越了二十年的刻意修行，不再执着了。

那一天夜里，河北的士子和百姓都听见天空中有声音说："智隍禅师今天悟道了。"

智隍后来拜别大师，返回河北，弘扬禅学，教化僧俗四众弟子。

【导读】

- 禅者智隍：曾参拜过五祖，自以为悟得正道，庙中打坐二十年。
- 玄策访问：惠能大师的徒弟玄策云游到河朔一带，听到了智隍的名声，就到庵里去访问："你待在这儿做什么？"
- 智隍回答："入定。"
- 玄策质疑："你说在入定，你入定时有心念还是无心念？如果是无心念入定，那么一切草木瓦石应该都能入定。如果是有心念入定，那么一切有情有识的普通众生也应该能入定。"
- 智隍又说："我正入定的时候，看不见有心念还是无心念。"

- 玄策再问："看不见有心念还是无心念，就是常定，那怎么会有出定和入定？既有出定和入定，那你就不是真正的定。"
- 智隍无言：过了很久，问玄策说："你是谁的弟子啊？"
- 玄策回答："我的老师是曹溪六祖。"
- 智隍问道："六祖以什么为禅定？"
- 玄策解说："我的师父所讲的禅定，是妙不可言的圆寂境界，本体和应用融合为一，五阴（色、受、想、行、识）本来是空无一物的，六尘（色、声、香、味、触、法）也并非真正存有，所以没有出定和入定的区别，也没有神定和神乱的区别。禅的本性是不执着，对禅定不着意进入或者离开。禅的本性是不生不灭的，并不执着于产生禅思冥想，而是心如虚空，但也没有对虚空进行度量。"
- 智隍求见：听了玄策的介绍，智隍就直接来参见惠能大师。
- 师问智隍："仁者从哪儿来？"
- 智隍玄策：智隍讲述了与玄策相会的情况。
- 大师解说："正像玄策说的，你只要心如虚空，又不着意于追求空的意识，那就能自在应对运用而通灵无所阻碍，无论动还是静都能无所用心，无论凡俗还是圣人的情感全都忘掉，主观和客观的差异全都消除，这样你的本性就和表相没有区别，你就无时无刻不在入定了。"
- 智隍大悟：智隍听了六祖的开示后，获得大觉悟，超越了二十年的刻意修行，不再执着了。
- 天空梵音：那一天夜里，河北的士子和百姓都听见天空中有声音说："智隍禅师今天悟道了。"
- 智隍弘法：智隍后来拜辞大师，返回河北，弘扬禅学，教化僧俗四众弟子。

【赏析】

　　看看这位智隍禅师的经历，也是够感人的：禅者智隍，初参五祖，自谓已得正受，庵居长坐，积二十年。这样下功夫求法证道的人，在任何时代都不多见啊!

可即使是这样下功夫的人,依然可能落入邪道。幸遇六祖弟子玄策,针对智隍的"入定"几番追问,才让智隍略有所悟,于是跟随玄策来求法六祖。他们的对话也相当精彩,不妨赏析一番。

六祖大师弟子玄策,游方至河朔,去拜访智隍。

玄策问:"你在这里做什么呀?"

智隍答:"入定。"

玄策说:"你说入定,是有心入还是无心入呢?若是无心入,一切无情的草木瓦石,应该都可入定。若是有心入,一切众生皆可借自己的心入定。"

智隍说:"我正入定时,不见有有无之心。"

策玄说:"不见有有无之心,即是常定,何有出入?若有出入,即非大定。"

隍无对,良久,问曰:"你的师父是谁?"

玄策答:"我师曹溪六祖。"

智隍问:"六祖以何为禅定?"

玄策说:"我师所说,妙湛圆寂,体用如如,五阴本空,六尘非有,不出不入,不定不乱。禅性无住,离住禅寂。禅性无生,离生禅想,心如虚空,亦无虚空之量。"

智隍听玄策这么一说,当下就知道六祖是可以引领自己的上师,于是跟着玄策来见六祖。

六祖问智隍:"仁者何来?"

智隍就说了自己的经历以及从玄策那里听闻六祖的禅定智慧。

于是六祖结合智隍的具体情况,给他讲解了"禅定"的要义:心如虚空,不著空见,应用无碍,动静无心,凡圣情忘,能所俱泯,性相如如,无不定时也。

智隍听完,当下大悟,一下子超越了过去二十多年的修行,由此可见六祖"无相禅定"的厉害。

修行了二十多年智隍禅师，依然执着于"入定"的相，而没有达到无相的、无时的、无处的"禅定"，这就不是真功夫，因为还有很多漏。就像生活中我们遇到的高人，他们不露相，行动好像也没有套路，但他们总能根据对象和当时的情况出手。练功的人也是如此，若只是每天只一时半会儿处在练功状态，大部分时候都没有练功，这功夫又如何能炉火纯青？将功夫融入生活，处处练功、事事练功、时时练功，才能练出绝世武功啊！

【原文】 开示一僧：无相法门。

一僧问师云："黄梅意旨，甚么人得？"

师曰："会佛法人得。"

僧云："和尚还得否？"

师云："我不会佛法。"

【释义】

有一个僧人问惠能大师："黄梅五祖的真谛，谁得到传授了？"

大师回答："能领悟佛法的人得到了。"

僧人又问："和尚你得到了吗？"

大师回答："我没有领悟佛法。"

【导读】

- 一僧问师：有一个僧人问惠能大师说："黄梅五祖的真谛，谁得到传授了？"
- 大师回答："能领悟佛法的人得到了。"
- 僧人又问："和尚你得到了吗？"
- 大师回答："我没有领悟佛法。"

【赏析】

六祖与这位僧人的对话，虽然只有短短几句，却也功力非凡，值得好好欣赏。

僧人问六祖："黄梅意旨，甚么人得？"

（解）这不是明知故问吗？很显然，这是在考校六祖的功力。

六祖如此答："会佛法人得。"

（解）为何六祖不回答"是我得了"呢？想想看，若如此说，一是表明尚有"我念"，故有"我得"；二是佛法要旨并非具体的东西，怎么可以"得"呢？要用心领悟才行，而不是简单地得到。大家可能还记得，早先惠明以为夺得五祖的衣钵就可以成为祖师，可他却拿不起那衣钵。寓意很清楚，真正的佛法正法，不是可以抢夺的。三是佛是觉，佛在觉心，佛就是觉悟的人。自己不觉，外部哪有佛法可得？会佛法的人，自然就是觉者，觉者即是佛，还需要得什么佛法？

僧人不甘，又问："惠能师父得到佛法了吗？"

（解）这个僧人真像是来考问六祖的，前面的问题没有难倒六祖，他不甘心，干脆直接问："你得到佛法了吗？"那六祖怎么回答呢？

六祖轻松作答："我不会佛法。"

（解）佛法不可得，因为佛是觉，在自心，自性清净，即是佛心。佛法只是佛祖世尊为拯救众人而出世呈现的"佛之知见"，是让人觉悟的工具。如果修行是为了得到佛法，方向就错了。如同吃饭用筷子夹菜，你是在吃筷子夹的菜，而不是在吃筷子。同时，客观来讲，相对于那些常年念诵佛法经文的修行者，不识字的六祖确实不那么熟悉佛法的文字，但六祖心明，自性不染，本身就是佛地了，还要佛法做什么？

【原文】 开示方辩：塑性佛性

师一日欲濯所授之衣，而无美泉。因至寺后五里许，见山林郁茂，瑞气盘旋，师振锡卓地，泉应手而出，积以为池，乃膝跪浣衣石上。

忽有一僧来礼拜，云："方辩是西蜀人，昨于南天竺国，见达摩大师，嘱方辩速往唐土：吾传大迦叶正法眼藏及僧伽梨，见传六代于韶州曹溪，汝去瞻礼。方辩远来，愿见我师传来衣钵。"师乃出示，次

坛经心读：品真性妙美

问："上人攻何事业。"

曰："善塑。"

师正色曰："汝试塑看"。

辩罔措。过数日，塑就真相，可高七寸，曲尽其妙。

师笑曰："汝只解塑性，不解佛性。"

师舒手摩方辩顶，曰："永为人天福田。"

【释义】

惠能大师有一天要洗涤五祖传授的袈裟，附近没有清洁的泉水，就走到寺庙后边五里远的地方。大师看见那里山林郁郁葱葱，有祥瑞的云气在天上盘旋，就举起锡杖往地面用力一戳，泉水立刻从杖下喷涌出来，汇集成一个池塘，大师就以膝跪地，在水边石上洗涤袈裟。

忽然来了一个僧人向大师行礼，自称名叫方辩，是西蜀人，不久前在南天竺国遇见了达摩大师，大师嘱咐他赶快到唐朝国土来，说我传给大伽叶的正宗佛法和佛衣，现在已经传到第六代了，传人在韶州的曹溪，你可以去瞻仰礼拜。

方辩远道而来，希望见识一下初祖大师传下来的衣钵。

惠能大师就给他看了，然后问方辩精通什么事。

方辩说："我会塑像。"

大师严肃地说："你试着给我塑一尊像看看。"

方辩一时不知所措。

过了几天，方辩塑成了一尊惠能像，高七寸，惟妙惟肖。

大师笑着说："你只懂得塑像的道理，却不懂佛性。"

大师用手抚摩着方辩的头顶说："你将永远享受人间和天上的福田。"

【导读】

- 师洗袈裟：惠能大师有一天要洗涤五祖传授的袈裟，附近没有清洁的泉水，就走到寺庙后边五里远的地方。大师看见那里山林郁郁葱葱，有祥瑞的云气在盘旋，就举起锡杖往地面用力一戳，泉水立刻从杖下喷涌出

机缘品第七

来，汇集成一个池塘，大师就以膝跪地，在水边石上洗涤袈裟。

● 方辩礼师：忽然来了一个僧人向六祖行礼，自称方辩，是西蜀人，不久前在南天竺国遇见了达摩大师，大师嘱咐他赶快到唐朝国土来，说我传给大伽叶的正宗佛法和佛衣，现在已经传到第六代了，传人在韶州的曹溪，你可以去瞻仰礼拜。

● 求见衣钵：方辩远道而来，希望见识一下初祖大师传下来的衣钵。惠能大师就给他看，然后问方辩精通什么事。

● 方辩答师："我会塑像。"

● 大师考塑：大师严肃地说："你试着给我塑一尊像看看。"方辩一时不知所措。

● 大师像成：过了几天，方辩塑成了一尊惠能像，高七寸，惟妙惟肖。

● 塑性佛性：大师看了塑像后笑着说："你只懂得塑像的道理，却不懂佛性。"

● 大师祝福：六祖用手抚摩着方辩的头顶说："你将永远享受人间和天上的福田。"

【赏析】

这一段也十分有趣。昨天在天竺国见到达摩祖师的人，今天就来到了六祖跟前，这是什么人？我们俗人无法相信、无法理解，犹如看西游记里的神仙。这个僧人到底是神仙，还是在说谎呢？你自己判断吧！俗之知见，万相之中皆能见俗；禅者知见，万相之中皆能见禅；佛之知见，万相之中已无万相。

这个叫方辩的僧人善于雕塑，于是给六祖塑了一尊像，栩栩如生。可禅宗顿教的核心是无相，故而六祖借相开示方辩：你懂塑性，不懂佛性。多么绝妙啊！

【原文】开示一僧：一切无相

有僧举卧轮禅师偈云：

卧轮有伎俩，能断百思想。

对境心不起，菩提日日长。
师闻之曰："此偈未明心地，若依而行之，是加系缚。"因示一偈曰：
惠能没伎俩，不断百思想。
对境心数起，菩提作么长？

【释义】

有一个僧人举出卧轮禅师的一首偈语说：

卧轮有伎俩，能断百思想。
对境心不起，菩提日日长。

惠能大师听了以后说："这首偈语还没有明白自己的佛性，如果照它来修行，那是给自己的佛性加上了束缚。"

于是，大师也作了一首偈语：

惠能没伎俩，不断百思想。
对境心数起，菩提作么长？

【导读】

❀ 一僧诵偈：一个僧人举出卧轮禅师的偈语说："卧轮有伎俩，能断百思想。对境心不起，菩提日日长。"

❀ 六祖评偈：惠能大师听了这首偈语，说："这首偈语还没有明白自己的佛性，如果照它来修行，那是给自己的佛性加上了束缚。"

❀ 大师作偈：六祖大师也作了一首偈语："惠能没伎俩，不断百思想。对境心数起，菩提作么长？"

【赏析】

这是本品的最后一段。一僧人引用了卧轮禅师的偈语："卧轮有伎俩，能断百思想。对境心不起，菩提日日长。"

这话让六祖听见了，也许一下子想起当年神秀的《有相偈》，于是直接评述:"此偈未明心地,若依而行之,是加系缚。"

六祖也示一偈:"惠能没伎俩,不断百思想。对境心数起,菩提作么长?"

这一段是六祖以《一切无相偈》对治卧轮禅师的《有相偈》,太像六祖当年在五祖衣钵大考中的表现了。复现一下,看看是不是很像:

神秀偈曰:"身是菩提树,心如明镜台。时时勤拂拭,勿使惹尘埃。"六祖对曰:"菩提本无树,明镜亦非台。本来无一物,何处惹尘埃?"

我们再来对比一下卧轮禅师与六祖的偈语:

(卧轮禅师)卧轮有伎俩,能断百思想。对境心不起,菩提日日长。

(六祖惠能)惠能没伎俩,不断百思想。对境心数起,菩提作么长?

大家看清楚了吧,六祖的偈语与卧轮禅师的偈语完全相反。"有伎俩"对"没伎俩","能断"对"不断","心不起"对"心数起","日日长"对"作么长"。

一个执有,一个入无。一个用意念在断,一个任其思想。一个刻意对境不起心,一个任其起心却无碍。一个追求智慧日日长,一个笑说"智慧长什么长"。

很显然,卧轮禅师是个修行路上的行者,而六祖大师是已经直入佛地的觉者。行者与觉者,本都具有清净自性,也就是佛性,只是根器不同,在尘世中熏染不同,事师不同……有种种条件差异,才有了暂时的俗相之别。

经典名言

◎ 诸佛妙理,非关文字。

◎ 即心即佛。前念不生即心,后念不灭即佛;成一切相即心,离一切相即佛。

◎ 即心名慧，即佛乃定。定慧等持，意中清净。悟此法门，由汝习性。用本无生，双修是正。

◎ 即心元是佛，不悟而自屈。我知定慧因，双修离诸物。——法海

◎ 汝若念至万部，得其经意，不以为胜，则与吾偕行，汝今负此事业，都不知过，听吾偈曰：礼本折慢幢，头奚不至地？有我罪即生，亡功福无比。

◎ 汝名法达，何曾达法？偈曰：

　　汝今名法达，勤诵未休歇。
　　空诵但循声，明心号菩萨。
　　汝今有缘故，吾今为汝说。
　　但信佛无言，莲花从口发。

◎ 法达，法即甚达。汝心不达，经本无疑。汝心自疑。汝念此经，以何为宗？

◎ 此经元来以因缘出世为宗，纵说多种譬喻，亦无越于此。

◎ 诸佛世尊，唯以一大事因缘，故出现于世。一大事者，佛之知见也。

◎ 世人外迷著相，内迷著空，若能于相离相，于空离空，即是内外不迷。若悟此法，一念心开，是为开佛知见。

◎ 佛，犹觉也，分为四门：开觉知见，示觉知见，悟觉知见，入觉知见。若闻开示，便能悟入，即觉知见，本来真性而得出现。

◎ 汝今当信佛知见者，只汝自心，更无别佛。

◎ 盖为一切众生，自蔽光明，贪爱尘境，外缘内扰，甘受驱驰，便劳他世尊，从三昧起，种种苦口，劝令寝息，莫向外求，与佛无二，故云开佛知见。

◎ 于自心中，常开佛之知见。

◎ 世人心邪，愚迷造罪，口善心恶，贪嗔嫉妒，谄佞我慢，侵人害

物，自开众生知见。

- 若能正心，常生智慧，观照自心，止恶行善，是自开佛之知见。
- 须念念开佛知见，勿开众生知见。
- 开佛知见，即是出世。开众生知见，即是世间。
- 若但劳劳执念，以为功课者，何异牦牛爱尾？
- 经有何过，岂障汝念？只为迷悟在人，损益由己。
- 口诵心行，即是转经。口诵心不行，即是被经转。
- 偈曰：

> 心迷法华转，心悟转法华。
> 诵经久不明，与义作仇家。
> 无念念即正，有念念成邪。
> 有无俱不计，长御白牛车。

- 经意分明，汝自迷背。诸三乘人，不能测佛智者，患在度量也。
- 佛本为凡夫说，不为佛说。
- 以偈赞曰：

> 经诵三千部，曹溪一句亡。
> 未明出世旨，宁歇累生狂？
> 羊鹿牛权设，初中后善扬。
> 谁知火宅内，元是法中王。

法达

- 三身者，清净法身，汝之性也；圆满报身，汝之智也；千百亿化身，汝之行也。若离本性，别说三身，即名有身无智；若悟三身无有自性，即名四智菩提。
- 偈曰：

> 自性具三身，发明成四智。

坛经心读：品真性妙美

> 不离见闻缘，超然登佛地。
> 吾今为汝说，谛信永无迷。
> 莫学驰求者，终日说菩提。

❀ 既会三身，便明四智，何更问耶？若离三身，别谈四智，此名有智无身，即此有智，还成无智。

❀ 偈曰：

> 大圆镜智性清净，平等性智心无病。
> 妙观察智见非功，成所作智同圆镜。
> 五八六七果因转，但用名言无实性。
> 若于转处不留情，繁兴永处那伽定。

❀ 偈曰：

> 三身元我体，四智本心明。
> 身智融无碍，应物任随形。
> 起修皆妄动，守住匪真精。
> 妙旨因师晓，终亡染污名。

——智通

❀ 师偈：

> 不见一法存无见，大似浮云遮日面。
> 不知一法守空知，还如太虚生闪电。
> 此之知见瞥然兴，错认何曾解方便？
> 汝当一念自知非，自己灵光常显现。

❀ 偈曰：

> 无端起知见，著相求菩提。

情存一念悟，宁越昔时迷。

自性觉源体，随照枉迁流。

不入祖师室，茫然趣两头。

——智常

● 观自本心，莫著外法相。法无四乘，人心自有等差，见闻转诵是小乘，悟法解义是中乘，依法修行是大乘。

● 万法尽通，万法具备，一切不染，离诸法相，一无所得，名最上乘。

● 乘是行义，不在口争，汝须自修，莫问吾也。一切时中，自性自如。

● 汝是释子，何习外道断常邪见，而议最上乘法？

● 佛愍此故，乃示涅槃真乐，刹那无有生相，刹那无有灭相，更无生灭可灭，是则寂灭现前，当现前时，亦无现前之量，乃谓常乐。

● 偈曰：

无上大涅槃，圆明常寂照。

凡愚谓之死，外道执为断。

诸求二乘人，目以为无作。

尽属情所计，六十二见本。

妄立虚假名，何为真实义？

惟有过量人，通达无取舍。

以知五蕴法，及以蕴中我。

外现众色象，一一音声相。

平等如梦幻，不起凡圣见。

不作涅槃解，二边三际断。

常应诸根用，而不起用想。

分别一切法，不起分别想。

劫火烧海底，风鼓山相击。
真常寂灭乐，涅槃相如是。
吾今强言说，令汝舍邪见。
汝勿随言解，许汝知少分。

❀ 策云："汝云入定，为有心入耶？无心入耶？若无心入者，一切无情草木瓦石，应合得定。若有心入者，一切有情含识之流，亦应得定。"

❀ 不见有有无之心，即是常定，何有出入？若有出入，即非大定。——玄策

❀ 我师所说，妙湛圆寂，体用如如，五阴本空，六尘非有，不出不入，不定不乱。禅性无住，离住禅寂。禅性无生，离生禅想，心如虚空，亦无虚空之量。——玄策

❀ 诚如所言，汝但心如虚空，不著空见，应用无碍，动静无心，凡圣情忘，能所俱泯，性相如如，无不定时也。

❀ 轮禅师偈云："卧轮有伎俩，能断百思想。对境心不起，菩提日日长。"六祖对偈："惠能没伎俩，不断百思想。对境心数起，菩提作么长？"

核心理论

妙理非字

【缘起】

六祖的这句断言来自无尽藏尼的疑问：若不识字，怎知佛理？

【审心】

无尽藏尼对于六祖不识字却能通佛理感到不可思议。

神秀的弟子对于五祖将衣钵传给惠能这样一个不识字又资历尚浅，甚至没有真正出家拜师的人，也是很不服气的。

在现实生活中，无数人对于学识渊博的人满怀敬意，对于没什么知识

的人多有鄙视，认为拥有比较多的知识，是谋生乃至成功的基础。

可是，知识多的人一定有智慧吗？知识多的人一定幸福吗？

一般人认为，没有知识就是愚昧，拥有知识就是智慧，可是在真正的人生里，这个观点不一定是正确的。

【真意】

文字只是佛理经义的载体，而非佛理妙义本身。

若是执着于文字，就变成了文字痴，就辜负了祖师们借文字传递妙义的初衷。故而几十年，弟子们整理记录了佛经，却又以一部《金刚经》再破掉一切执着，即佛执、法执、相执、经执等。

文字是妙义的形式，而非本质。执着于文字，就无法深入妙义真谛的本质。

文字展示的往往是理，祖师们用心讲述的则是道。以理入道，方能接近本意。

【境界】

世间的很多事情，都要借助特定的工具来完成。工具只是手段，而非目的。例如，生活中人们"用筷子夹菜"，但只吃菜而不会吃筷子。

学习，贵在透彻理解，贵在举一反三，贵在实际践行，贵在结合实际做形式和方法上的变通。如此，才不负初衷。

即心即佛

【缘起】

人们对于"心"和"佛"这样关键的概念，理解起来还是很困难，因为"心"与"佛"，都是看不见摸不着的啊！

【审心】

"心"在哪里？心又不是指心脏，如何认识它呢？

"佛"在哪里？佛既不在西天，又不在庙宇中，在哪里呢？

这样核心的佛学概念，看不见摸不着，但又绕不过去，这可怎么理解啊？

【真意】

有人说，佛在心中，可又有谁能拿心出来看看呢？

实际上，佛是对究竟圆满觉者的一种称呼，你若达到"究竟圆满觉"的境界，也就是佛了。

由此可见，觉悟是佛的本质，佛只是觉者的称呼。

这样看来，"觉"是核心，可"觉义"又是什么呢？

六祖为信众开示道："前念不生即心，后念不灭即佛。"心不住于前念，也不拒绝后念。后念变成前念时，心即离开那个念，不住于那个念，又连续不断地接续着到来的后念，如此循环往复，让心不滞着于任何念头上，这就是自在之心，也就是佛心。

【境界】

是什么在想事呢？有人说是大脑，可大脑只是个物质器官啊！

原来古人说的"心"，是借助大脑来进行思考的一种精神功能啊！

对一件事生出一个判断（对错、喜恶等），就是我们的心运作的结果。于是，事来了，心也开始活动了，念头就生出来了。

可是，我们普通人的心会出错：一是会根据自己有限的知识来认识，这就产生了有局限性的念头。二是会根据自己获得的有限信息进行整体判断，这就产生了片面的结论。三是会根据自己已有的标准进行价值判断，从而有喜好或厌恶、赞同或者反对的态度。四是我们的记忆力强大，往往会让自己的心一会儿就回到过去的事件中，尽管过去的事件已经过去了；一会儿又遐想未来，尽管未来还没有到来。于是当下往往是没心的，因为心跑到过去和未来了。于是当下的事就没心可用，也就荒废了。五是我们的心不仅会被拉到过去的事件上，还会因为自己的需要或者喜好，对未来的事件挑挑拣拣，产生很多拒斥的念头，形成对立和冲突。于是我们的心就乱了，一会跑回过去，一会儿又跑到未来，一会儿被过去的事情缠绕，一会儿又被未来的事情吸引，而当下的事情往往无心可用。总之，整个心和事的关系变得混乱不堪。

六祖正是看到了人心的运动轨迹，严正地指出了我们的错误，告诉我们修行的关键诀窍与入道法门："无我、无念、无私、无住、无思"，消除"自私、贪婪、怨恨、恼怒、责难、分别、苛求、挑剔、怀疑、傲慢、自夸、自卑、自负、自满"等在心中制造痛苦的错误程序，以达清净，让"善念不断，慈悲永驻"的正确程序不断运行，就能在"无—净—**善**"的模式中，将自己的心灵转换到智慧的轨道上。

通过修行，心能自在，不困于事，不缠于人，不滞于境。来者不拒，去者不追，当下惜缘，一切随缘，因上用心，果上随缘。因为当下心力聚集，就会超越众多心不在焉的众人，就会在客观上获得相对的优势和好的结果，就可能创造人间奇迹。如此，心不游走，处处播种福田，时时传递善念，事事践行慈悲。如此这般，只需用心，无须苛求，道法自然。如此，"人事、心事、天事"完全合一，即是天人行走于世。如此就可让心住当下，心随境走，念念不滞，处处善行，这就是自由自在之心，也就是对自我心灵的解放运动！

只要做到，就能超越个人主观有限性导致的局限，就能进入悟道的轨道，就能最终修成无上正等正觉、究竟圆满觉的佛果！

对于彻底的觉者，佛学谓之成佛，道学谓之成道。世间一切大学问、大智慧，追求的都是这样的境界，只是叫法不同。若是执着于门派和叫法而彼此排斥，可能最终就会失去彻底觉悟的机会。不同门派的人们，应当格外警惕这个认知和信仰的误区。

"自心为主"

【缘起】

现实中的人追求很多：名利尊严，智慧，健康长寿，万事顺利，等等。总之，凡是自认为好的都想要。于是，陷得越来越深，沦为自己所追求的这些外在内在利益的奴隶。奴隶还能有幸福吗？

【审心】

每个人都想追求自由自在，可为何追求来追求去，反而被自己所追求的力量给控制了呢？

本来，我们所追求的这些，都是人生中的重要利益，为何很多人却因为追求而消耗或者牺牲了生命呢？"人为财死，鸟为食亡"，这难道就是人类的宿命吗？

有人说，之所以有这种困局，是因为这样追求的人都糊涂了。难道那么多人都糊涂了？世间明白的人又在哪里呢？

【真意】

祖师们自然看到了红尘中痴迷众生的错误，找到了众生陷入这种困局的原因：

心迷被外相转，心悟即能转外相。

心迷，自己就是奴隶；心悟，自己就是主人。

孔子也说："君子役物，小人役于物。"

看来，人生的一个根本的问题就是：你是外物的主人，还是外物的奴隶，人与外在，到底哪一方决定哪一方？

当一个人被外在力量控制了，就失去了自由，那么他所追逐的名利也就失去了意义。若是依然痴迷不悟，此生就会带着一颗被奴役的心忙碌，此时的心还正常吗？带着不正常的心忙碌，会有成就吗？

【境界】

我们每个人都迫切需要搞明白一件事：自己是被外界控制而失去了自心自主，还是自己控制着外界，保持本心，不被奴役呢？

不管你有多少钱、什么样的职位、多高的学历，只要你被外界奴役，你的身份就是奴隶！

只要把自己内在与外在的关系搞清楚，让自己的内在主宰外在，你就是自己的主人，你就是自己人生的主宰！

平时人们总说人生境界，境界是什么？你的心被环境决定，你就在三界中；你的心不被环境决定，你就跳出了三界！

道理非道

【缘起】

六祖见到很多学佛的人，一边皈依，一边留恋着红尘生活；这边念经，转脸就起嗔恨之心；那边想着悟道，这边却喋喋不休地讲着自以为是的道理。这样的状态，能够入道吗？

【审心】

你是不是总认为自己的观点是正确的？

你是不是总想说服别人、让别人认错？

你是不是总在喋喋不休地给别人讲自认为正确的道理？

你真的以为自己掌握真理了吗？

【真意】

大道无言，普善天下。大道无别，博爱众生。

凡是为己，即是邪道；凡是利人，即是正道。

遇事省己过，即是正道；遇事责人短，即是邪道。

夸夸其谈，不做实事，即是邪道。少言寡语，事实说话，即是正道。

形式皈依，心中质疑，即是还没入道；心形皈依，心中坚信，行中验证，即是入道。

【境界】

有时听人说，某某修行次第很高，见面时没说几句话，那个次第高的人就露出了马脚：唯我独尊，好像他自己才是世间唯一的明白人。真不知这样的状态是哪一家的次第高。

学佛悟道，很多人没有入心，也没有改道，还在用自己过去的那套系统审视一切，还是用过去那套系统上安装的喇叭（指嘴巴）在喋喋不休地广播。世人都会说很多道理，但那都是他们自己的道理。有谁能讲别人的道理，同时讲自己没理呢？唯有道者能为之！

空而不空

【缘起】

一说到"空",很多人最先想到的是天空、空间、空无、空虚等熟悉的概念。可这些还是能够看到的"空",一旦说到"色即是空,空即是色"(出自《心经》),很多人就会一头雾水。修行中,不少人在努力让自己的心变空,可这是正道吗?

【审心】

修行者都知道"空"这个概念,很多人努力让自己达到"心空",可真的能空吗?

打坐,最基本的目标就是让自己心中空无一念,可这个过程也很艰苦,你想空无一念,可很多念头却会主动找上你啊!

一些人打坐久了,还真能做到空无一念,可睁开眼睛再回到红尘中时,一大堆的念头又蜂拥而至。嗨,真是剪不断,理还乱。

【真意】

六祖慧眼,看清了红尘中修行者的一步步错误:修行发愿有真假,修行过程亦各有分别,只是悟入外道之网的人太多。更麻烦的是,很多人那种貌似打坐的枯坐、那种貌似虚空而不空的僵硬表情,实在不是修行的正道啊!六祖智慧地指出这般修行的错误本质——修什么,就着什么相。

看来,以无道状态修道,出现各种问题都是难免的!六祖慈悲,帮人们拨云见日,指出修行中各种迷相的本质:"世人外迷著相,内迷著空,若能于相离相,于空离空,即是内外不迷。若悟此法,一念心开,是为开佛知见。"

【境界】

心空是空掉妄念,而非落如全空。告别自己的妄念,恪守正道正念,任何邪念从此不生,一切正念自我强化,自成逻辑,坚不可摧,即能脱离俗身俗心,以自性畅游天地。

开佛知见

【缘起】

为何说起"开佛知见"这个话题呢？一些修道者念经念到痴迷，打坐打到枯坐，修空又入边见，等等，皆是以无道之心在修道，这不是南辕北辙吗？学佛，为何不跟随祖师的教导前行呢？

【审心】

打坐坐禅，有利于身心。但若是以肉身求佛法，岂不是缘木求鱼？

不净自心，拼命下功夫用佛法求解脱，岂不是"脏水洗衣"？

求佛于外，然佛在自性觉悟，外求岂不是南辕北辙，越走越远？

若是敬仰佛祖，就应该学习其思想，践行其道理，否则，到底是信徒还是叛徒？口头上学习佛法、敬仰佛祖，却把佛当成外道神灵，岂不是罪加一等？

【真意】

佛已经成佛，又为何现身世间？只因众多追求智慧的人，一味地用俗见接近佛法，苦求不得。佛祖慈悲，体恤众生，指引众生开启自身的佛之知见。如此才有希望洞见自性、觉悟成佛。

佛法不能用俗心领悟，也不能以肉身获得，而要去除俗心和肉身，让自性自动地呈现。吾亦劝一切人，于自心中，常开佛之知见。世人心邪，愚迷造罪，口善心恶，贪嗔嫉妒，谄佞我慢，侵人害物，自开众生知见。若能正心，常生智慧，观照自心，止恶行善，是自开佛之知见。

汝须念念开佛知见，勿开众生知见。开佛知见，即是出世。开众生知见，即是世间。盖为一切众生，自蔽光明，贪爱尘境，外缘内扰，甘受驱驰，便劳他世尊，从三昧起，种种苦口，劝令寝息，莫向外求，与佛无二，故云开佛知见。

【境界】

"以道修道"，"学佛做佛"，这是修行的直通车。"以无道修道"，"以俗修佛"，这是世间修行者最先遇到的也是最难过的一道门槛，更是修行中最艰难的悖论：以非道状态和方法求悟道，以众生知见或者俗见为基础来求佛的智慧。

若是能以极大的宏愿之力，时刻省察自身，毫不犹豫地切断以往那些心毒之力，义无反顾地恪守践行至善一念，就能完成生命中最难的一次跨越——直入佛地！

本品总评

这一品，主要阐述惠能如何点化那些追求觉悟但尚有滞碍的僧众，以一段段小故事的形式。机缘，是指惠能与僧众的机会因缘。

对于这些求法的僧众，六祖分别开示印证，给予指导。他们的问题中，比较典型的是着相而不解真相，诵经、认字而又不解经义，将打坐、入定、衣钵、说禅等变成一种新的着相，甚至还有外道思想，让人心迷。六祖使用核心的"无相"法门、佛道知见等对治这些问题，令迷者开悟。

第一，度化熟读《涅槃经》的比丘尼无尽藏。开示她：诸佛妙理，非关文字，千经万论，只为标心，佛说一切法，为除一切心，我无一切妄心，何用一切法，故知：只要明心见性，十二部经藏总是闲文字。这样，对于执着于经文的学人，让他放下执念，实际地证悟自心。

第二，开示比丘僧法海。即心即佛。日常生活中，很多人都在讲即心即佛，也都在讲这个心就是佛，在这里一定要清楚地明了，什么样的心才是佛？六祖明确指出：前念不生即心，后念不灭即佛，离一切相即心，成一切相即佛，在偈中又说：即心名慧，即佛乃定……也就是说：即心的心是妄念不生的清净心，即佛的佛是能离一切相而不被外境所干扰的清净本体，是如如不动，是大定。心与佛的关系，是体与用的关系，佛是体，心是用，也就是定与慧的关系，定是体，慧是用。

第三，开示比丘僧法达：六祖开示法达如何转经而不被经文所转，也指出了禅宗学人对待诵经的态度：支持诵经，而不是反对诵经。法达得到六祖的开示后，顿契本心，然后问六祖要不要继续诵经。六祖明确地指出：经有何过，岂障汝念？又说：汝今后可名念经僧，所以，千万不要轻视诵经的人，否则就会犯谤经谤佛之罪。

第四，为比丘僧智通讲解《楞伽经》中的三身四智。教下，学人修行的目的就是觉悟明心，怎样才能觉悟明心而脱离生死苦海呢？就是修，就要转识成智。因为识有污染意，智是清净意，成佛了，不能说有识，要说有智，因为识已经转成智了。怎样转呢？转眼识，耳识，鼻识，舌识，身识，此五识转为"成所作智"；转第六识意识为"妙观察智"；转第七识末那识为"平等性智"；转第八识阿赖耶识为"大圆镜智"。讲渐修次第，讲转识成智，而且详细阐述了转的时间和顺序，从欢喜地开始转，能入诸根境界，善能分别，不起乱想，而得自在，即转第六识为妙观察智。证入一切法平等，没有高低贵贱诸分别心，也就是能对诸尘不起爱憎，即是不二性空，不二性空就是平等性智，但此处只是转了分别我执与分别法执，我执分为人我执与法我执，此二执又分为俱生我执与分别我执两种，从学习与经验上起分别就是分别我执。俱生我执与生俱来，所以，见道后，分别我执可以断，而俱生我执还不能一下子断，要一点一点慢慢来，一直到了十地成佛，这个俱生我执才能断完。要想转前五识，必须先转第七识俱生我执，而只有第八识阿赖耶识转了，第七识所依的根才能转，前五识也才能转。这就是一个依着一个转，然后能够做到湛然空寂，圆明不动，就是转第八识为大圆镜智。能够令诸根随时应用，悉入正受，就是转前五识为成所作智，以上就是教下所说的转识成智。

在这里，六祖把最烦琐的事、最难办的事，归纳为最容易的事、最简单的事。在时间上，教下要历经三大阿僧祇劫，六祖归为当下一念。在顺序上，教下纷繁复杂，六祖归为一心，只要明心见性，一切皆办，一切圆满。六祖指出：若离本性，别说三身，即名有身无智，若离三身，别说四智，即名有智无身，即会三身，便明四智，但转其名而不转其体也。所以，在智通开悟以后说：三身元我体，四智本心明，身智融无碍，应物任随形，起心皆妄动，守住匪真精，妙旨因师晓，终亡染污名。

第五，开示比丘僧智常。大家要明了，证了空，不要被这个空相所迷，证了有，也不要被你所证的有这个相所迷，还要空掉你所证得的空与有。

第六，开示比丘僧志道。在这里，六祖系统地阐述了外道的种种断常邪见，讲解了涅槃真乐的义理，刹那无有生相，刹那无有灭相，更无生灭可灭，是则涅槃现前，当现前时，亦无现前之量，乃谓常乐，此乐无有受者，亦无不受者。

第七，开示行思禅师。青原行思禅师在六祖这里得法后，回吉州青原山弘法，禅风盛极一时，后来禅宗的五家之中，就有法眼宗、曹洞宗和云门宗三家。

第八，开示南岳山怀让禅师。在这里，大家一定要理解这句名言：修证即不无，污染即不得。很多人都会识解，认为只要见性，就没有任何事了，一说有修有证，他就引经据典反对。其实，无修无证是指我们的自性本体而言，一切具足，一切现成。而对于一个迷昧不觉的人来说，要是不用修、不用证，又与修行者有何区别？《坛经》中随处可见六祖在昭示学人如何去修，而且还特别强调，迷人口说，智者心行，所以一定要了悟祖师的本意，不要错会。另外，禅宗五家之中，沩仰宗与临济宗，就是南岳山怀让禅师的弟子所创立的。

第九，开示永嘉玄觉禅师。他是看《维摩经》而发明心地的，到六祖这里来，只为求六祖印证，在这里，我们可以看到早期禅宗的机锋禅辩。随着禅宗的发展，机锋的要求也越来越难，甚至发展到"棒喝"。后来要求一语要具备三玄，一玄要具备三要，就是从这时开始的。

第十，开示禅者智隍。你只要心如虚空，又不着意于追求空的意识，那就能自在应对运用而通灵无所阻碍，无论动还是静都能无所用心，无论凡俗人还是圣人的情感全都忘掉，主观和客观的差异全都消除，这样，你的本性和表相就没有区别,你就无时无刻不在入定了。

第十一,开示善于塑像的禅者方辩:只懂得塑像的道理,却不懂佛性。

本品也记载了尚未留下名字的两位僧人得到开示的故事,也许还有更多人得到了六祖的开示,只是没有被记录下来。

顿渐品第八

世俗之人，习惯将任何事物都"二"分看待，所以也把禅宗分成了"顿""渐"南北两宗。六祖智慧，结合世俗中的"顿渐"之见，解说了"不二法门"。是名"顿渐品"。

本品主题

- 先说南北顿渐之俗分。
- 再论心形之禅定。
- 又论戒定慧之法门。
- 再破"立义"与"次第"。
- 阐释"常"与"无常"。
- 接论"痛与不痛"与"见与不见"。
- 大师用"无名"考漏了神会。
- 劝宗门修行者莫执着于"二"，一切从实性上发。

人间惑问

- 已经习惯了禅宗分南宗北宗的说法，难道这种分法有错？
- "顿渐"不是修行中的基本规律吗？是修行方法还是教法？还是佛法本身有区别？
- "常"与"无常"是佛法还是说法？
- "痛与不痛"这个故事有点听不懂，问题出在哪里呢？

内容解读

【原文】

时,祖师居曹溪宝林,神秀大师在荆南玉泉寺,于时两宗盛化,人皆称南能北秀,故有南北二宗顿渐之分,而学者莫知宗趣。

师谓众曰:

法本一宗,人有南北;

法即一种,见有迟疾。

何名顿渐?法无顿渐,

人有利钝,故名顿渐。

然秀之徒众,往往讥南宗祖师:"不识一字,有何所长?"

秀曰:"他得无师之智,深悟上乘,吾不如也。且吾师五祖,亲传衣法,岂徒然哉?吾恨不能远去亲近,虚受国恩。汝等诸人毋滞于此,可往曹溪参决。"

一日,命门人志诚曰:"汝聪明多智,可为吾到曹溪听法,若有所闻,尽心记取,还为吾说。"

【关键字词】

［荆南玉泉寺］湖北当阳玉泉寺。

【释义】

当时,六祖大师在曹溪宝林寺,神秀大师在荆南玉泉寺。那时他们各自代表的两大禅宗流派都很兴盛,人们都称之为南能北秀,因此有南宗和北宗、顿教和渐教的分别,而学习禅法的人并不能了解两派的宗旨义趣。

惠能大师对大家说:佛法本来只有一宗,只是人有南和北之分;佛法原本只有一种,只是人的领悟有快慢。为什么用顿教和渐教的名称呢?佛法并没有顿和渐的区别,只是人有聪颖和迟钝的区别,因此才有了顿和渐的名称之别。

但神秀的门徒们,往往讽刺南宗祖师惠能大师,说:"他又不认识字,能有什么长处呢?"

神秀说:"他有无师自通的智慧,对佛法的最高境界领悟深刻,我不如他。再说我的师父五祖亲自把衣钵传给他,难道是偶然的吗?我很遗憾自己不能远道去向他请教,在这儿白白地领受朝廷的恩惠,你们不要滞留在我这儿,可以去曹溪向他学习领悟。"

有一天,神秀对门徒志诚说:"你聪明机智,可以代替我到曹溪,听惠能讲佛法,如果有什么心得,用心记住,回来给我说说。"

【导读】

- 南北二师:六祖在曹溪宝林寺,神秀大师在荆南玉泉寺。
- 南能北秀:人们因此将禅宗分成南北顿渐二宗。
- 六祖解说:南北顿渐,皆因人有南北和利钝,法本一宗。
- 秀徒讥能:神秀大师的一些徒弟很不服气,总讥讽六祖不识字。
- 秀师心明:神秀自愧不如惠能,五祖传法无错,意欲亲近惠能,让徒弟前往曹溪参拜。
- 特派志诚:志诚聪明,秀师派遣,学法回说。

【赏析】

追杀悬案:根据这段文字可以知道,江湖上传说的神秀师父派人追杀六祖,实属无稽之谈。大概是神秀大师的某些弟子愚钝,欲争衣钵,妄改祖制,才有了那些是非,实非神秀大师之愿。这让人想起了一句流行的话:不怕狼一样的对手,就怕猪一样的队友。

说到传法之事,神秀大师说得非常得体到位:首先,赞美六祖具有上乘智慧,自愧不如。其次,说五祖弘忍大师传衣钵给六祖,岂能有错?这一点神秀大师态度明确。第三,殷切表达自己求教于六祖之心,难能可贵,有大师风范。第四,嘱其信徒往曹溪向六祖学习。第五,专门派最优秀的弟子志诚前往曹溪学法。这五点,足见神秀大师心胸光明,心性朗朗,可敬可佩。当然,祖师也有责任管好自己的门徒,以免其作恶。俗众和受害的一方，也要分清是非，不能因为门徒作恶就把全部责任都归于师父神秀。若是连这等道理都不懂，也就枉费了五祖大师的多年教化。

南北俗分：关于禅宗南北两派与顿渐二教之说，六祖说得很清楚：南北之分，纯属俗人乱传。法本一宗，只是因为人的根器有利钝、人分南北，才有了形式上的南能北秀和顿渐之别。这跟俗人或者那些没有领悟佛法本质的信徒所做的门派定义完全不同，他们是运用地理方位、教门形式上的差异进行门派定义的。这种强调形式上的差别、不管本质一致的做法，常常也是世俗中各种是非和恩怨的心智基础。看看现实中拉帮结伙的人，他们往往忘记了众人的根本目标，将其降低到私人团伙的情感和非理性层次上，制造出了诸多是非恩怨。今天的人们也要以此为戒，莫犯低级错误。否则，就会有诸多麻烦。对于修行者来说，一方面会误导有志于修行的人，另一方面，这种小家子气也会让人耻笑。即使是俗众，那般认识也无益处，甚至最终会毁了自身。

【原文】

志诚禀命至曹溪，随众参请，不言来处。

时祖师告众曰："今有盗法之人，潜在此会。"

志诚即出礼拜，具陈其事。

师曰："汝从玉泉来，应是细作。"

对曰："不是。"

师曰："何得不是？"

对曰："未说即是，说了不是。"

师曰："汝师若为示众？"

对曰："常指诲大众，住心观净，长坐不卧。"

师曰：

"住心观净，是病非禅；

常坐拘身，于理何益。

坛经心读：品真性妙美

听吾偈曰：

> 生来坐不卧，死去卧不坐。
> 一具臭骨头，何为立功课？"

志诚再拜曰："弟子在秀大师处，学道九年，不得契悟，今闻和尚一说，便契本心。弟子生死事大，和尚大慈，更为教示。"

师曰："吾闻汝师教示学人戒定慧法，未审汝师说戒定慧行相如何，与吾说看。"

诚曰："秀大师说，诸恶莫作名为戒，诸善奉行名为慧，自净其意名为定。彼说如此，未审和尚以何法诲人？"

师曰："吾若言有法与人，即为诳汝，但且随方解缚，假名三昧。如汝师所说戒定慧，实不可思议也。吾所见戒定慧又别。"

志诚曰："戒定慧只合一种，如何更别？"

师曰："汝师戒定慧接大乘人，吾戒定慧接最上乘人。悟解不同，见有迟疾。汝听吾说，与彼同否？吾所说法，不离自性。离体说法，名为相说，自性常迷。须知一切万法，皆从自性起用，是真戒定慧法。

听吾偈曰：

> 心地无非自性戒，
> 心地无痴自性慧，
> 心地无乱自性定，
> 不增不减自金刚，
> 身去身来本三昧。"

诚闻偈，悔谢，乃呈一偈曰：

> 五蕴幻身，幻何究竟？
> 回趣真如，法还不净。

师然之，复语诚曰："汝师戒定慧，劝小根智人；吾戒定慧，劝大根智人。若悟自性，亦不立菩提涅槃，亦不立解脱知见，无一法可得，方能建立万法。若解此意，亦名佛身，亦名菩提涅槃，亦名解脱知见。见性之人，立亦得，不立亦得。去来自由，无滞无碍，应用随作，应语随答，普见化身，不离自性，即得自在神通，游戏三昧，是名见性。"

志诚再启师曰："如何是不立义？"

师曰："自性无非、无痴、无乱，念念般若观照，常离法相，自由自在，纵横尽得，有何可立？自性自悟，顿悟顿修，亦无渐次，所以不立一切法。诸法寂灭，有何次第？"

志诚礼拜，愿为执侍，朝夕不懈。

【关键字词】

[细作] 奸细。

【释义】

志诚遵照师父的命令来到曹溪，混在众多的门徒中听讲，没有说明自己的来历。

当时六祖大师告诉众人说："现在有一个前来偷盗佛法的人，潜藏在会场里。"

志诚听了，就出来说明情况。

大师说："你从玉泉寺来，一定是奸细吧。"

志诚回答："不是。"

大师说："怎么不是？"

志诚回答："我没有说明的时候是，说明以后就不是了。"

大师说："你师父怎样给大众开示？"

志诚回答："他经常指示教诲大众，要集中精力，观想清净的境界；要长时间打坐，不要躺卧。"

大师说："集中精力观想清净境界，这种方法是错误的，不是真正的禅修；长时间打坐，对身体是拘束，对认知佛理又有什么好处呢？你听我的偈语：

> 生来坐不卧，死去卧不坐。
> 一身臭骨头，何为立功课？"

志诚听了后再次向大师致敬，说："弟子在神秀大师那儿，学了九年佛道，从未真正领悟，现在听了和尚的一席话，立刻契合了自己的本心。弟子想，生和死是最大的事，和尚大慈大悲，请您进一步教导启发我。"

大师说："我听说你师父教给学习佛法的人戒、定、慧的方法，不知道你师父怎样解说戒、定、慧的内容和形式？你给惠能说一说。"

志诚说："神秀大师说，任何恶事都不要做就叫戒，各种善事都要做就叫慧，自己让心意变清净就叫定。他是这样说的。不知道和尚您用什么方法来教导学人？"

大师说："我如果说我自有一套方法教给别人，那就是欺骗你，我只是根据各种具体情况，解除别人的心灵束缚，借用一个三昧的代名词而已。比如你师父所解说的戒、定、慧，实在让人不可思议。我所理解的戒、定、慧是另一种。"

志诚说："戒、定、慧只应该有一种，怎么会有另一种呢？"

大师说："你师父的戒、定、慧，是为引度有大乘智慧的人；我的戒、定、慧，则是为引度有最上乘智慧的人。人的领悟能力有区别，认识有迟有快。你听我所说的，和他所说的一样吗？我所说的佛法，不离开自己的本性。离开了本性来说佛法，那就叫浮表的说法，自己的本性就常常迷惑。要知道，一切种种佛法，都是从自己的本性产生作用，这才是真正的戒、定、慧的方法。听我念偈语：

> 心地无非自性戒，
> 心地无痴自性慧，
> 心地无乱自性定，

不增不减自金刚,

身去身来本三昧。"

志诚听了偈语后,知错称谢,于是也呈给大师一首偈语:

五蕴幻身,幻何究竟?

回趣真如,法还不净。

大师听了,表示认可,又对志诚说:"你师父的戒、定、慧,只能劝化根行浅、智慧低的人;我的戒、定、慧,是要劝化那些根行深、智慧高的人。如果能领悟自己的本性,就不必讲究菩提、涅槃这些名目,也不必着意去摆脱一般见解的束缚,因为达到了不用任何方法就能觉悟的境界,所有的方法也就都通达了。如果明白了这个意思,就可以叫成就佛身了,也可以叫菩提、涅槃了,也可以叫摆脱一般见解的束缚了。认知了佛性的人,叫那些名目也能觉悟,不叫那些名目也能觉悟。去和来都很自由,没有停滞也没有阻碍,随机就用,随问就答,到处都能灵活应对,永远不会离开自己本有的佛性,这就是得到大自在的神通,游戏一样就领悟真谛了。这才叫认知了自己的佛性。"

志诚又向大师请教说:"什么叫不立义?"

大师说:"自己的佛性中没有错误,没有愚昧,没有散乱,每一个念头都被般若智慧所观照,永远不被外界的法相所迷惑,自由自在,随意而行都可领悟,还有什么需要立的呢?自己的佛性自己觉悟,顿时觉悟,顿时修持,没有什么循序渐进的修持阶段,所以不需要任何方法。各种方法都会消灭,还分什么次序阶段呢?"

志诚听了再次敬礼拜谢,愿意服侍大师,从早到晚,一点都不懈怠。

【导读】

- 志诚来访:遵神秀大师嘱托来到六祖道场,与众人一起参拜。
- 六祖警觉:向众人说,有人盗法。

- 志诚站出：此时志诚才站出来承认。
- 六祖问秀：大师也没计较，问其师是如何教化众人的。
- 神秀教法：志诚介绍了北宗教法：住心观净，长坐不卧。
- 开示志诚：神秀那种练功方法徒劳无益。
- 志诚醒悟：听闻六祖开示，志诚感慨自己九年学法而不明。
- 问戒定慧：六祖又问神秀师父如何教人定慧修行的。
- 北戒定慧：志诚说神秀大师的教法：诸恶莫作名为戒，诸善奉行名为慧，自净其意名为定。
- 六祖开示：六祖听完就说，你师法门是接上乘人，我的法门是接最上乘人，自然有分别。我的法门一切都从自性起，而不是说相。
- 志诚明白：听六祖一说，志诚当下就明白了，紧接着又发问。
- 开示志诚：法自心性，不立菩提涅槃，亦不立解脱知见，无一法可得，方能建立万法。
- 志诚又问：如何不立义。
- 六祖接说：自性无非、无痴、无乱，念念般若观照，常离法相，自由自在，纵横尽得，有何可立？自性自悟，顿悟顿修，亦无渐次，所以不立一切法。诸法寂灭，有何次第？
- 志诚侍师：从此之后，志诚侍奉六祖，朝夕不懈。

【赏析】

志诚不周：本来，志诚是遵神秀大师嘱托来六祖道场参拜学习的，应该首先去单独参拜六祖，言明神秀大师的心愿，这样才是人间的周到。也许志诚心里忐忑，故而出错了。

志诚这一出错，即违背了神秀大师的美意。在志忑中与众人一起参拜，又被六祖认出，所以才有了"盗法"的呵斥。虽然志诚及时站出来，靠一点小聪明过关，但依然反映出其当时的心性迷惑。看来，只要分门分派，只要用对立的二分思维看待世界，就会影响智慧的生成。

若是志诚先去单独拜见六祖，言明神秀大师的心愿，没准会成就禅宗史上一段了不起的美谈。但这只能是假设了。可见，会办事，成美事；不会办事，能坏事。

六祖问秀：很显然，六祖与神秀同出一个师门，也关心他是如何教授弟子的，因为这涉及禅门正义传承的大事。《坛经》中只记录了四段问答，不好说是不是全部，我们也只能借此言说。

先是六祖问："神秀大师是如何开示众生的？"志诚的回答是："住心观净，长坐不卧。"这到底是不是神秀大师开示的全部，尚存疑。志诚这个没有开悟的弟子描述师父的教法，这本身就有问题。当然，六祖也只能借志诚的话来说："住心观净，是病非禅；常坐拘身，于理何益。听吾偈曰：生来坐不卧，死去卧不坐。一具臭骨头，何为立功课？"

论戒定慧：六祖又问："神秀大师是如何教人戒定慧法的？"志诚答："秀大师说：诸恶莫作名为戒，诸善奉行名为慧，自净其意名为定。"当然，志诚也很感兴趣六祖如何教人戒定慧法。六祖直接说，我的教法与你师教法不同。但志诚又疑惑了：戒定慧法只有一种啊，怎么会有不同呢？六祖接着给志诚开示：对于戒定慧，不同的人悟解不同，针对的对象不同，故而有不同的教法。我的教法是：一切围绕着自性，离性说相，就是自性迷失。一切法皆从自性起用，是真戒定慧法。并诵一首妙偈给志诚："心地无非自性戒，心地无痴自性慧，心地无乱自性定，不增不减自金刚，身去身来本三昧。"估计六祖说到这里，志诚也快灵魂出窍了，因为这等无相法门，直指自性，没绕弯路，听起来太过瘾了！

身幻法染：志诚接着问，人的身体是虚幻的，这学法如何能够干净？六祖回答："若悟自性，亦不立菩提涅槃，亦不立解脱知见，无一法可得，方能建立万法。若解此意，亦名佛身，亦名菩提涅槃，亦名解脱知见。见性之人，立亦得，不立亦得。去来自由，无滞无碍，应用随作，应语随答，普见化身，不离自性，即得自在神通，游戏三昧，是名见性。"不知志诚当时听到这番妙论有何感想，这样的法门实在是太妙了，自己多年修行也未悟得。

问不立义：志诚对于"不立义"还是有疑惑，六祖又开示他："自性无非、无痴、无乱，念念般若观照，常离法相，自由自在，纵横尽得，有何可立？自性自悟，顿悟顿修，亦无渐次，所以不立一切法。诸法寂灭，有何次第？"志诚听到这里，心里肯定是一百个服气，要不怎么不回去了？只是可怜了神秀大师，本来一番美意，这志诚也未将其传达到位；本来想让志诚学了回来跟自己说说，结果，这弟子直接留下，不回来了。世事难料，不知神秀大师有何感想。若是为了周到，志诚应该回去一趟才对。若能促成惠能神秀这两位大师的又一次交流，那将是禅门的幸事！

【原文】

僧志彻，江西人，本姓张，名行昌，少任侠。

自南北分化，二宗主虽亡彼我，而徒侣竞起爱憎。

时，北宗门人，自立秀师为第六祖，而忌祖师传衣为天下闻，乃嘱行昌来刺师。

师心通，预知其事，即置金十两于座间。

时夜暮，行昌入祖室，将欲加害。

师舒颈就之，行昌挥刃者三，悉无所损。

师曰："正剑不邪，邪剑不正。只负汝金，不负汝命。"

行昌惊仆，久而方苏，求哀悔过，即愿出家。

师遂与金，言："汝且去，恐徒众翻害于汝。汝可他日易形而来，吾当摄受。"

行昌禀旨宵遁，后投僧出家，具戒精进。

【释义】

僧人志彻，江西人，俗家姓张，名叫行昌，少年时喜欢行侠仗义。

自从南宗和北宗分庭抗礼以来，两位宗主虽然没有彼此争锋的意思，但两派的徒众却互相竞争比拼。

当时北宗的门人们，自己拥立神秀大师做禅宗第六代祖师，又怕惠能大师得到了五祖衣钵的事被天下人所知，就派行昌前来刺杀惠能大师。

大师心有灵感，预知了这件事，就准备了十两金子放在座位上。

到了晚上，行昌潜入六祖的居室，要杀害大师。

大师伸出脖子让他砍，行昌连砍了三刀，大师毫发无损。

大师说："正直的剑客不会有邪恶的行为，邪恶的剑客就不正直。我只欠你黄金，不欠你性命。"

行昌吓得扑倒在地，过了很久才苏醒过来，向大师哀求悔过，愿意剃发出家。

大师把金子给他，说："你先去吧，恐怕我的徒弟们知道了会加害于你。你可以过几天改装再来，那时我会收你为徒。"

行昌遵照嘱咐连夜逃遁，后来皈依佛门出家，受了具足戒，努力修行。

【导读】

- 僧人志彻：江西人，本姓张，名行昌，少年时好行侠仗义。
- 僧徒肇事：禅宗立于南北两宗，宗师不分彼此，但僧徒竟起爱憎。
- 北宗刺师：北宗的门人不服六祖，又怕五祖传六祖衣钵之事被天下人知晓，就安排行昌刺杀六祖。
- 六祖心知：事先预知此事，将十两金子放在座位上。
- 行昌入室：夜里，行昌进入六祖的房间，欲加害六祖。
- 毫发无损：大师伸出脖子让他砍，行昌连砍了三刀，大师毫发无损。六祖说："正剑不邪，邪剑不正。只负汝金，不负汝命。"
- 行昌惊吓：行昌见此状，吓得扑倒在地，过了很久才苏醒过来，向大师哀求悔过，愿意剃发出家。
- 六祖指路：六祖慈悲，把金子给他，说："你先去吧，恐怕我的徒弟们知道了会加害于你。你过几天改装再来，那时我会收你为徒。"
- 行昌遵嘱：连夜逃遁，后来皈依佛门出家，受了具足戒，努力修行。

【原文】

一日，忆师之言，远来礼觐。

师曰："吾久念汝，汝来何晚？"

曰："昨蒙和尚舍罪，今虽出家苦行，终难报德，其惟传法度生乎！弟子常览《涅槃经》，未晓常、无常义，乞和尚慈悲，略为解说。"

师曰："无常者，即佛性也。有常者，即一切善恶诸法分别心也。"

曰："和尚所说，大违经文。"

师曰："吾传佛心印，安敢违于佛经？"

曰："经说佛性是常，和尚却言无常。善恶诸法乃至菩提心，皆是无常，和尚却言是常，此即相违，令学人转加疑惑。"

师曰："《涅槃经》，吾昔听尼无尽藏读诵一遍，便为讲说，无一字一义不合经文。乃至为汝，终无二说。"

曰："学人识量浅昧，愿和尚委曲开示。"

师曰：汝知否？

佛性若常，更说什么善恶诸法？乃至穷劫无有一人发菩提心者。故吾说无常，正是佛说真常之道也。

又，一切诸法若无常者，即物物皆有自性，容受生死，而真常性有不遍之处。故吾说常者，正是佛说真无常义。

佛比为凡夫外道执于邪常，诸二乘人于常计无常，共成八倒，故于涅槃了义教中，破彼偏见，而显说真常、真乐、真我、真净。

汝今依言背义，以断灭无常，及确定死常，而错解佛之圆妙最后微言，纵览千遍，有何所益？

行昌忽然大悟，说偈曰：

> 因守无常心，佛说有常性；
> 不知方便者，犹春池拾砾。
> 我今不施功，佛性而现前；
> 非师相授与，我亦无所得。

师曰："汝今彻也，宜名志彻。"彻礼谢而退。

【释义】

有一天，行昌想起了大师的话，远道前来向大师顶礼参拜。

大师说："我想念你很久了，你怎么来得这么晚？"

行昌回答："以前承蒙和尚饶恕了我的罪过，现在我虽然出家苦苦修行，但到底难以报答您的大恩大德，只有追随您弘扬佛法，普度众生，才能报答您吧！弟子经常阅览《涅槃经》，却不懂'常'和'无常'的意义，请和尚大发慈悲，给我解释一下。"

大师说："无常，就是佛性。有常，就是一切区别善和恶的心思。"

行昌说："和尚您说的，与经文上说的完全不一样。"

大师说："我传的是以心印心的佛法，怎么敢违背佛经之义呢？"

行昌说："经文上说佛性有常，和尚却说无常。分别善恶的心思乃至修行成就菩提的意识，都是无常，和尚却说是有常。这和经文上说的完全不一样，让我更加疑惑不解了。"

大师说："这《涅槃经》，我以前听无尽藏朗读了一遍，就给她解说其中微言大义，没有一字一义不符合经文。现在对你讲，也没有两样。"

行昌说："我的见识浅薄，希望和尚再具体地启发我。"

大师说：你知道吗？

佛性如果有常不变，还说什么善和恶的各种方便法门？那就到无穷劫数也没有一个人会萌发觉悟佛道的心了。所以我说佛性是无常而有变化的，这才是佛所说的真正不变的恒常的真理。

一切物象如果是变化无常的，那么所有事物的本性也都会生死无常，永恒的有常本性就不会存在了。所以惠能说的有常，就是佛所说真正无常的真谛。

佛正因为凡夫俗子、外道之人执着于错误的有常观念，那些二乘之人把常说成无常，一共形成八种错误颠倒的见解，所以在《涅槃经》中破除偏见，明确阐释真正的有常、真正的快乐、真正的本性、真正的清净。你

坛经心读：品真性妙美

现在拘泥于表面字句而违背了内在意义，不能灵活地理解，却用死板的思想方法，错误地解释佛的圆融微妙的意义，就是把经文读上千遍，又有什么益处呢？

行昌听了以后恍然大悟，作偈语说：

> 固守无常心，佛说有常性。
> 不知方便者，犹春池拾砾。
> 我今不施功，佛性而现前。
> 非师相授与，我亦无所得。

大师听了说："你现在彻底觉悟了，应该改名叫志彻。"

志彻行礼拜谢后退出。

【导读】

- 行昌拜师：有一天，行昌想起了大师的话，远道前来向大师顶礼参拜。
- 大师感叹：我想念你很久了，你怎么来得这么晚？
- 行昌谢师：行昌感谢六祖慈悲，惟愿弘扬佛法，赎罪报答，请教六祖《涅槃经》"常"与"无常"的真意。
- 六祖解释：无常即是佛性，有常即是俗心。
- 行昌疑惑：大师所说的，与经文上完全不同啊？
- 六祖作答：我传的是以心印心的佛法。
- 行昌续疑：可佛经上说有常，您说无常；佛经上说无常，您又说有常，还是不明啊！
- 六祖开示：这《涅槃经》，我以前听无尽藏朗读了一遍，就给她解说其中微言大义，没有一字一义不符合经文。佛性无常，因人而变。佛性有常，人变性常。若是颠倒，难悟真谛。
- 行昌志彻：行昌听完六祖的开示，当下就觉悟了。六祖见其彻底觉悟，就给他改名"志彻"。

【赏析】

六祖慈悲：本来行昌是来刺杀六祖的，这可是天大的仇怨啊。可是，六祖没有记恨行昌的罪过，反而替他的安危着想，让其快速离开，还送了金子，嘱其好好领悟修行。

不仅如此，六祖竟然还一直记挂着这个行刺自己的人，等到行昌再来拜见时，六祖说出了那种挂念与思念，真是感人至深！想想红尘中的恩恩怨怨，多少人结怨后再难解，耽误了一生啊！

六祖开示：这行昌还真是遵照六祖的嘱咐，认真去修行了，但是有不少疑惑，于是请教六祖。行昌问的是《涅槃经》中"常"与"无常"的问题。六祖一说，行昌很是吃惊：怎么六祖说的跟佛经上说的不一样呢？经过六祖的开示，行昌终于明白，"无常"说的是因人而异的教法，"常"说的是不变的自性。

佛经的语言表述往往都很简练，往往会省略前言后语，让很多人在理解困难。六祖的智慧就在于，能够将佛经思想与人们的习惯理解对接，并帮助人们破疑解惑，几乎瞬间就提升了人们的智慧。顶礼六祖！

【原文】

有一童子，名神会，襄阳高氏子，年十三，自玉泉来参礼。

师曰："知识远来艰辛，远将得本来否？若有本则合识主，试说看。"

会曰："以无住为本，是即是主。"

师曰："这沙弥争合取次语。"

会乃问曰："和尚坐禅，还见不见？"

师以拄杖打三下，云："吾打汝是痛不痛？"

对曰："亦痛亦不痛。"

师曰："吾亦见亦不见。"

神会问："如何是亦见亦不见？"

师云："吾之所见，常见自心过愆，不见他人是非好恶，是以亦见亦不见。汝言亦痛亦不痛如何？汝若不痛，同其木石；若痛，则同凡夫，即起恚恨。汝向前，见、不见是二边，痛、不痛是生灭。汝自性且不见，敢尔弄人。"

神会礼拜悔谢。

师又曰："汝若心迷不见，问善知识觅路；汝若心悟，即自见性，依法修行。汝自迷不见自心，却来问吾见与不见，吾见自知，岂代汝迷？汝若自见，亦不代吾迷。何不自知自见，乃问吾见与不见？"

神会再礼百余拜，求谢过愆，服勤给侍，不离左右。

【关键字词】

[神会] 俗姓高，原从神秀，四十岁左右时去韶州追随惠能。后以惠能嫡派自居，大力倡导南宗。安史之乱后病死于洛阳菏泽寺，称菏泽神会。

【释义】

有一个少年，名叫神会，是襄阳高姓人家的子弟，十三岁的时候，从神秀大师的玉泉寺来到曹溪，参见礼拜六祖大师。

大师说："善知识，你远道而来很辛苦，带来了'本'（自己的本性）没有？如果有'本'就能认识'主'（佛性）了，你试着说说看。"

神会说："我以无所住（不执着）为'本'，能认识这一点就是'主'。"

大师说："你这个小沙弥怎么尽说些老生常谈。"

神会就问大师："和尚您坐禅时，还有没有思想活动？"

大师用禅杖打了神会三下，问："我打你，你觉得痛不痛？"

神会回答："也痛也不痛。"

大师说："我也是既有思想活动又没有思想活动。"

神会问："怎样才是既有思想活动又没有思想活动？"

大师说："我的思想活动，是经常在心里想自己的错误过失，而不想别人的是非好坏，这就是既有思想活动又没有思想活动。你所说的也痛也不痛是什么样子呢？如果不痛，你就像木石一样没有感觉；如果痛，你就和凡夫俗子一样会产生愤恨。你向前来，听好了，惠能说的既有思想活动又没有思想活动是'二边'(辩证之意),你说的也痛也不痛是没有破除生死的偏见。你连自己的本性都没有认识清楚,就敢来这里卖弄。"

神会赶紧行礼表示道歉。

大师又说:"你如果心里迷惑,不能认识本性,就要向善知识请教,询问门路;你如果心里领悟了,就能自己认识自己的本性,遵从佛法修行。现在你自己迷惑,不能认识自己的本性,却来问我坐禅时有没有思想活动,我的思想活动我自己当然明白,怎么能代替你解除迷惑呢?你如果有所领悟,也不能代替我解除迷惑。你怎么不自己领悟认识本性,却来问我坐禅时的思想活动?"

神会再次行礼,拜了一百多拜,谢罪道歉,然后在大师身边勤谨服侍,不离左右。

【导读】

- 神会来见:神秀大师座下的神会来见六祖。
- 六祖考问:你远道而来,带来了"本性"没有?如果悟得本性,也就懂得佛性了。
- 神会回答:我以无住为本,这就是佛性。
- 六祖笑曰:这也太老生常谈了。也就是说,神会有点教条,说的都是正确的废话。
- 神会又问:大师坐禅时,有无思想活动?
- 六祖杖击:问神会是否觉得疼痛。
- 神会作答:痛也不痛!
- 六祖顺意:那我也是,坐禅时既有思想活动,又没有思想活动。
- 神会疑惑:那是一种什么样的感觉啊?
- 六祖开示:我想的是自己的过失,不想的是别人的是非。这就是"既想非想"。你的痛与不痛又是什么样的呢?如果不痛,即如木石一样僵死;如果痛,即如凡夫俗子。我所说的,是两边都清清楚楚;你所说的,还没有超越生死偏见,没有悟得自性,怎么还在此卖弄呢?

- 神会致歉：神会听懂了这里面的玄机，赶紧行礼致歉。
- 六祖续教：若是悟到本性，还需问我有无思想吗？若是没悟到，请教就是了，何必装模作样。
- 神会百拜：神会认错了，拜了一百多拜谢罪。之后，随侍左右不离。

【赏析】

神会教条：神会以为自己懂得"无住为本"这一《金刚经》中的信条。可知道这个信条的人很多，是不是知道这个信条，就意味着悟到自性了呢？显然不是。但从神会的回答可见，他是很自信的。

可是，经不住六祖的考问，神会露馅了。

可见，识字的人，要记住佛经中的某些文字并不困难。但认识文字，与能透过文字悟到背后的经义佛理，是两回事啊。

看看现实，随着教育的普及，认识文字的人越来越多，可有知识、有文凭和拥有能力、智慧是两回事啊！这一点，也许有人知道，但又有多少有知识、有文凭的人肯下大力气去开启自己的智慧，又要到哪里去开启自己的智慧？也许，这就是世俗中的文化人依然有众多苦恼的原因之一吧。

至此，我们也能发现神会的一大优点：不怕暴露自己，敢于发问。试想，若是他一直担心，护着自己心中的愚昧不露，又怎么会有机会得到祖师的开示呢？现实中不少人，正是因为胆小、不肯自曝其短，所以才难有精进的机会。

神会妄问：真是无知者无畏啊，神会记得住佛经的信条就很自信了，于是又大胆地问六祖坐禅时是否有想法。六祖并没有直接回答，而是先跟神会的感觉对接了一下——以杖击之，问神会"痛，还是不痛"。神会很得意地说"痛，也不痛"。六祖接着神会的说法说："我坐禅时，既有想法，也没想法。"至此，神会就跟不上了，不得不问："既有想法，也没想法是什么感觉呢？"六祖开示道："我有想法，是'思己过'的想法，我没想法，是'对人不做是非判断'的没想法。"

六祖开示：紧接着，六祖指出神会的"痛与不痛"只是表面上的说辞，并未落地，实是空谈。这样的空谈会让人误以为自己了悟真意，还会去人前卖弄，很是误人。若是真悟佛法真谛，还问什么？若是没悟，当是请教，还卖弄什么？这番话让神会一下子就明白了。于是，用百拜的重礼表达自己的悔罪和感谢，并从此侍奉六祖左右。至此，又一个在神秀大师座前修行很多年的弟子皈依了六祖，可见六祖的法门实在是厉害。

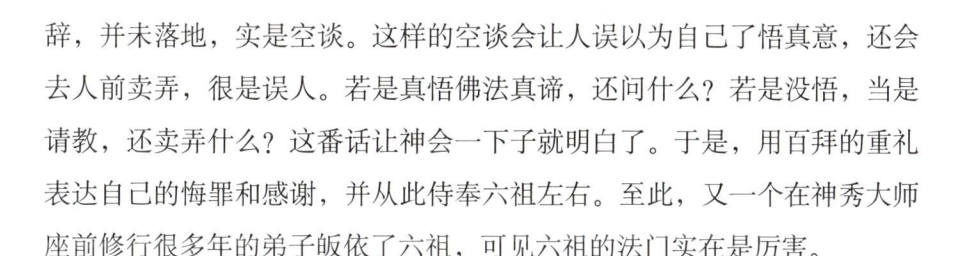

【原文】

一日，师告众曰："吾有一物，无头无尾，无名无字，无背无面，诸人还识否？"

神会出曰："是诸佛之本源，神会之佛性。"

师曰："向汝道无名无字，汝便唤作本源佛性。汝向去有把茆盖头，也只成个知解宗徒。"

祖师灭后，会入京洛，大弘曹溪顿教，著《显宗记》，盛行于世，是为菏泽禅师。

【关键字词】

［愍］音 mǐn，怜悯，哀怜。

【释义】

有一天，大师告诉众门徒说："我有一件东西，无头无尾，无名无字，无背无面，你们谁认识？"

神会走出来说："这是各位佛的本源，是神会我的佛性。"

大师说："我向你说无名无字，你却说叫佛的本源。你就是前去茅草庵苦修苦练，也只能成为一个咬文嚼字的人。"

祖师圆寂以后，神会去了京城洛阳，把曹溪门风的顿悟禅宗大加弘扬，著有《显宗记》，盛行于当世，他就是菏泽禅师。

【导读】

※ 六祖考问：我有一个东西，无头无尾，无名无字，无背无面，你们谁认识？

坛经心读：品真性妙美

- 神会犯傻：神会以为自己了悟佛法真谛，经六祖这么一问，就又露馅了。
- 神会菏泽：经过这么几次问答，或者还有后来的多次问答，神会终于领悟了六祖法门的真谛。待六祖圆寂之后，神会大力弘扬顿教法门，开悟了很多人，也赢得了众人的尊重。

【赏析】

祖师再考：跟随师父的好处，是随时随地被考。考一次，漏一次，就进一次。六祖看似游戏的一次考问，又让神会露了馅。既然无名无字，怎么能够叫出名字呢？叫出名字，就会执着于名字，就又倒退回法执、文字执了。看来彻悟不易啊。

这让我们想起了佛祖在灵山法会上"拈花一笑"的禅宗典故，那是"以心印心"的发端。神会若是有大迦叶的功夫，就只会报以一笑，也就完成了"以心印心"。

我们也不要笑话神会，毕竟神会还有勇气暴露自己的问题，毕竟他身边还有六祖随时可以开示。应该说，神会也是很幸运的。

想想我们，学了很多，悟了多少？只学不悟，又有何益？

你有随时接受考问并得到开示的机会吗？若是一直在迷惑中，没人给予开示，就会长期不得开悟。这样的生命状态是多么不幸啊！古人有千里拜师的求学传统，今天的人们，往往把毕业当成了学习的目标。这在心智上是进步了还是倒退了呢？须自思量！

【原文】

师见诸宗难问，咸起恶心，多集座下，愍而谓曰："学道之人，一切善念恶念，应当尽除，无名可名，名于自性；无二之性，是名实性。于实性上建立一切教门，言下便须自见。"

诸人闻说，总皆作礼，请事为师。

【释义】

惠能大师见禅宗门下各个宗派互相诘难，都不怀好意，就把他们都召集前来，怜悯地对他们说："学佛道的人，一切的善念和恶念，都应当尽数消除，不要用各种名称概念来标榜，要认识自己的本性。没有分歧的本质，这才是真正的本质。应该在实在的本性上建立宗派教门，这个道理你们要自己好好理解。"

众人听了，都向大师行礼，表示要以大师为表率。

【导读】

- 六祖教诲：六祖看到禅宗门派互相诘难，彼此贬斥，有些伤心。
- 召集众徒：告诫众徒，既然修行心佛法，就要身体力行，以本性为基础建宗立派。
- 众徒领旨：众徒听懂了，向祖师顶礼，愿以祖师为榜样。

【赏析】

门派之间的诘难，古已有之，祖师自然是看在眼里，伤在心里。是啊，本来就是修行者，怎么可以再像俗人那样互相嫉妒、彼此贬斥呢？这不是自己打自己的脸吗？要想开门立宗，就要从自性上下功夫，强弱大小本不足见，只见自身的功夫。

《易经》乾卦有云：天行健，君子以自强不息。若是荒废了自己的功夫，却陷入门派内斗，岂是君子所为？《道德经》有云：以其不争，故天下莫能与之争。是啊，与俗人争，岂是修行者所为？落入与俗人争俗的地步，哪里还有此生的智慧与觉悟可言呢？

经典名言

- 于时两宗盛化，人皆称南能北秀，故有南北二宗顿渐之分。
- 法本一宗，人有南北；法即一种，见有迟疾。何名顿渐？法无顿渐，人有利钝，故名顿渐。

坛经心读：品真性妙美

- 住心观净，是病非禅；常坐拘身，于理何益。
- 生来坐不卧，死去卧不坐。一具臭骨头，何为立功课？
- （神秀）诸恶莫作名为戒，诸善奉行名为慧，自净其意名为定。
- 悟解不同，见有迟疾。
- 吾所说法，不离自性。离体说法，名为相说，自性常迷。
- 须知一切万法，皆从自性起用，是真戒定慧法。
- 偈曰：

> 心地无非自性戒，
> 心地无痴自性慧，
> 心地无乱自性定，
> 不增不减自金刚，
> 身去身来本三昧。

- 若悟自性，亦不立菩提涅槃，亦不立解脱知见，无一法可得，方能建立万法。若解此意，亦名佛身，亦名菩提涅槃，亦名解脱知见。
- 见性之人，立亦得，不立亦得。去来自由，无滞无碍，应用随作，应语随答，普见化身，不离自性，即得自在神通，游戏三昧，是名见性。
- 自性无非、无痴、无乱，念念般若观照，常离法相，自由自在，纵横尽得，有何可立？
- 自性自悟，顿悟顿修，亦无渐次，所以不立一切法。诸法寂灭，有何次第？
- 师曰："正剑不邪，邪剑不正。"
- 无常者，即佛性也。有常者，即一切善恶诸法分别心也。
- 佛性若常，更说什么善恶诸法？乃至穷劫，无有一人发菩提心者。故吾说无常，正是佛说真常之道也。
- 一切诸法若无常者，即物物皆有自性，容受生死，而真常性有不遍之处。故吾说常者，正是佛说真无常义。

❀ （志彻）偈曰：

> 因守无常心，佛说有常性。
> 不知方便者，犹春池拾砾。
> 我今不施功，佛性而现前。
> 非师相授与，我亦无所得。

❀ 吾之所见，常见自心过愆，不见他人是非好恶，是以亦见亦不见。

❀ 汝言亦痛亦不痛如何？汝若不痛，同其木石；若痛，则同凡夫，即起恚恨。汝向前见、不见是二边，痛、不痛是生灭。

❀ 汝若心迷不见，问善知识觅路；汝若心悟，即自见性，依法修行。

❀ 汝自迷不见自心，却来问吾见与不见，吾见自知，岂代汝迷？汝若自见，亦不代吾迷。何不自知自见，乃问吾见与不见？

❀ 师告众曰："吾有一物，无头无尾，无名无字，无背无面，诸人还识否？"神会出曰："是诸佛之本源，神会之佛性。"

❀ 师曰："向汝道无名无字，汝便唤作本源佛性。汝向去有把茆盖头，也只成个知解宗徒。"

❀ 师曰："学道之人，一切善念恶念，应当尽除，无名可名，名于自性；无二之性，是名实性。于实性上建立一切教门，言下便须自见。"

核心理论

顿渐一体

【缘起】

当时人们对禅宗有"南宗北宗"和"南顿北渐"的说法，很显然，这是"二"分思维的结果。六祖也正是针对这种错误认识进行教化。

坛经心读：品真性妙美

【审心】

我们是不是已经习惯了使用二分法认识任何事物？

我们是不是认为事物都有两个方面？但想过没有，"两个方面"也只是人的看法，而非事物本来就有两个方面？

我们已经认定，任何事物都由相互对立的两个方面组成，但两个方面只有对立吗？

我们习惯于选择喜欢的东西，相对的，是不是就会有厌恶的东西？这两个几乎同时产生的结果，是不是厌恶的东西更容易让我们焦虑和纠结？严重时，甚至能抵消掉喜欢的东西所产生的积极效果？

【真意】

六祖针对"南宗北宗""南顿北渐"进行解析和开示：法本一宗，人有南北；法即一种，见有迟疾。何名顿渐？法无顿渐，人有利钝，悟解不同，见有迟疾，故名顿渐。

实际上，顿渐之说，只是修行中不同的表现，只是祖师针对不同人的教法，并非真法，真法不二。因此，我们要注意，以形式来命名很容易出错。即使是为了方便，也要小心，莫把方便说法当成本质。

【境界】

人类认识问题，有三种典型误区需要注意：一是习惯于用观察到的表面现象来下结论；二是使用不完全的、片段的信息来对整体下结论；三是使用非此即彼的方式将事物肢解。

有人可能会说：唯物辩证法不是讲究一分为二吗？没错，唯物辩证法确实讲究一分为二，但也讲对立统一、互相转化。更要明确的是，这是认识事物的一种方法、一种思维工具，是为认识事物的内在结构及其运动规律服务的。但事物本身都是系统和整体的，不要因为认识方法与思维工具的介入，而忽视了对整体与系统的认识。

为了认识事物方便，把事物分成两面，这有利于对事物更全面、辩证的认识。但同时也要注意，这两个方面是对立统一的，而不仅仅是对立的。若是只强调对立而忽视统一，自己的思维就会变成制造分裂与对立的工具，而分裂与对立就会带来麻烦与痛苦。

二分法只是认识方法，表面不代表本质，片段不代表整体。若是能够在使用二分法的同时，想着对立的最终都要统一，透过表面现象才能洞察本质，接触到片段就要寻找整体的其他部分，那么，认识问题才会更全面、客观。这才是修行者要达到的境界！

心形禅定

【缘起】

一般来说，修行必有打坐禅定，可是打坐禅定真的能够帮助悟道吗？

【审心】

打坐打坐，打什么？坐什么？

禅定禅定，怎么禅？如何定？

能久坐不动就是禅定吗？

【真意】

六祖看到，很多修习禅定的人只是在形体上下功夫，内心在刻意控制念头，于是指出了其中的错误。

住心观净，是病非禅；常坐拘身，于理何益。

生来坐不卧，死去卧不坐。一具臭骨头，何为立功课？

坐禅非禅，心定是根，心行一致，是谓禅定。

正如前面所说，外不着相谓之禅，内心不染谓之定。若是在外着相，哪怕着相于打坐，也是病禅，而非真禅。若是用念头观察自心，用的那个念头也是来捣乱的。

明白了佛理真谛的修行者，见相知相而不着相，这才实现了心的自由。内心如何不染？这是个难题。实际上，因为愚痴所生的心毒，就是心中的垃圾和制造痛苦的根源。若是能够解开这些愚痴的逻辑，深刻体悟其带来的严重后果，懂得了正信、正念、正行，内心自然就清净了。观察自心时，你使用的是智慧还是自己的错误认识与逻辑，才是关键。

【境界】

修行者若是懂得了打坐的真意，就能够打掉妄念，坐定自心。如此可入佛道。

修行者若是理解了禅的真意，就能够在行走坐卧中知相而不着相，于是可得身心洒脱，也就是解脱。

修行者若是领悟了定的真意，能够解除内心五毒带来的痛苦与灾难，就能够驱散心中的雾霾。

修行者若是直接对接佛道，就能够播下至善之种，就能够以慈悲观众生，以善行处世待人。如此，岂不就是人间活佛！

戒定慧体

【缘起】

佛教"三学"戒定慧，很多人都知道，但不少人在认识和实践上出现了错误。

【审心】

很多修行者持咒守戒，这是戒的本质吗？

不少修行者长时间打坐，一动不动，这是定的本质吗？

一些修行者炫耀自己熟悉的佛学语言，智慧就是这样的吗？

是啊，这些好像是，又好像不是。那到底什么才是真正的戒定慧呢？

【真意】

六祖看到，世上很多修行者处于半真半假的修行状态，就直截了当地将戒定慧的真谛告诉信众：须知一切万法，皆从自性起用，是真戒定慧法。并诵一首偈语让大家领悟：心地无非自性戒，心地无痴自性慧，心地无乱自性定，不增不减自金刚，身去身来本三昧。

可见，戒定慧法，本是一体，方便说法，终归一体。

尤为重要的是：一切正法，唯心地自性而起，离开自性就是假修行。同时，六祖又提到了"金刚"和"三昧"：金刚即是不增不减，三昧即是身去身来自由行。

【境界】

持咒守戒，这是很多修行者的基本功课，也是改变过去世俗生活习惯的重要方法。但方法终归是方法，不是目的，更无关境界。若是时时心存善念，处处有善行，慈悲对待所有生灵，即是将自己的生命与众生灵接通。这才是持咒守戒的意义。

修行要练习禅定，若没有禅——外离相，必然心乱如麻，哪里还有定力可言？若是自心不净，邪念丛生，即使没有外境相扰，也会心神不定。因此，真禅自定，心正安命。

许多修行者都追求开启生命智慧之门。如果不能见相离相，如果不能自心清净，如果恶习难改，就不可能开启智慧之门。

由此可见，"戒定慧"实是一体，由"戒"在修行与俗界建起一堵隔离墙，由"定"重新建立起自我与外在的关系，由自性开启智慧之门，与万物相合相通，合为一体。

这就是"戒定慧"三者的关系，也是修行者要追求并达到的基本境界。

立义次第

【缘起】

"不破不立"，这是人们很熟悉的一个词。"破"是"立"的前提，"立"是"破"的目的。可是，禅宗祖师却说，没什么可立的。如此一说，很多人就迷惑了，这到底是怎么回事呢？

【审心】

在我们习惯的二元对立思维中，"破"与"立"是相互联系的，既然破了旧的，就要立新的。这种景象，在世俗生活中应该说是十分常见的。

可也有另外一种情况：我们破除异常的生命状态，实际上是要回归正常的生命状态。我们破除了贪婪，是要回归自我知足、精神进取，进而将人生目的升级。可是，我们破除了愚痴，智慧就会自动显现吗？

若是只破不立，会不会又前功尽弃？

【真意】

世人学佛，最大的障碍就是过去的习气或者思维习惯。一不小心，我们就又会使用低级的思维程序，来思考开启真正大智慧的方法。弟子问六祖的立义和次第问题，就是典型一例。对此，六祖以"自性"为核心与基础，以"无相"作为智慧显现的模式，为弟子开示："立义次第"亦属有相，因为人们在彻底觉悟之前，几乎会着一切相，故而也会着"立义次第"之相，反而忘记自性是根本，远离自性觉悟之门。有鉴于此，六祖又为弟子破除"立义次第"的心障。

"若悟自性，亦不立菩提涅槃，亦不立解脱知见，无一法可得，方能建立万法。若解此意，亦名佛身，亦名菩提涅槃，亦名解脱知见。"

"见性之人，立亦得，不立亦得。去来自由，无滞无碍，应用随作，应语随答，普见化身，不离自性，即得自在神通，游戏三昧，是名见性。"

"自性无非、无痴、无乱，念念般若观照，常离法相，自由自在，纵横尽得，有何可立？"

"自性自悟，顿悟顿修，亦无渐次，所以不立一切法。诸法寂灭，有何次第？"

如此，六祖结合"立义次第"的话题，又将自性与无相的禅宗智慧做了一次运用和演绎。正所谓，自性自在，立义非义，法统唯一，次第不二。

【境界】

若是真的理解了祖师的开示，也许一切都会变得极其简单。

智慧开启的基本逻辑是：

只要去除心毒心障的阻碍，恪守至善信念，自性智慧就会自动显现，无须苛求。

若是出于世俗习惯远离自性，再对智慧立义和区分次第，又会落回到世俗层面，属于画蛇添足，反而又一次污染了自性。

看来，修行路上心障重重，要时刻提防俗心中的小鬼跳出来捣乱。这让人想起老子的"道法自然"，这"自然"绝非自然界，但又是人生来具足的天性，与佛家的"自性"实在太相似了。到了这里，真的让人十分感慨，我们努力了几十年，积累了好多经验和知识，最终竟然发现，积累下来的恰恰是要放下的，否则就永远无法到达真正智慧的境界！原来，积累了半辈子，学习了几十年，引以为豪的那点聪明，最终恰恰却是为了彻底自我否定！原来，人生的根本问题就是发展主观，最终再放弃主观！原来，心的唯一作用就是否定自己、超越主观，直达客观真相与真理！

对于积累了几十年人生经验的人来说，这个结局也许连想都没有想过。也许，很多学富五车的人，最终只能带着知识走进坟墓，而那近在咫尺的方寸之地——自心自性，也就是智慧的宝库，他们至死也未曾打开！

常与无常

【缘起】

弟子志彻，屡览《涅槃经》，对"常与无常"之议与六祖的解说充满疑惑，故而请求六祖开示。

【审心】

"常与无常"，在我们的世俗生活中也会经常被提起。

普通人"经常"做的是什么？是习惯与习气！

普通人"经常"气恼的是什么？是世事的变化无常，是人心莫测。

普通人"经常"坚守的是什么？是自我，是自我的主观，是对自我的维护。

可那"真常""常在"的自性，又有几人识得呢？

【真意】

佛性若常，更说什么善恶诸法？乃至穷劫，无有一人发菩提心者。故吾说无常，正是佛说真常之道也。

（解）禅宗的语言真可谓玄妙，一个"常与无常"，把修行多年的人也给绕进去了。原来，佛性也即自性是"常"，人的愚痴是千变万化的，故而祖师所说的佛法，是在运用各种方便法门，解说那个"常"的真谛。

又，一切诸法若无常者，即物物皆有自性，容受生死，而真常性有不遍之处。故吾说常者，正是佛说真无常义。

（解）万物有自性，万物在表相上有生生死死，这是"无常"。可那自性却不会随相生灭，这是万物万相之"无常"与自性之"常"的关系。

佛比为凡夫外道执于邪常，诸二乘人于常计无常，共成八倒，故于涅槃了义教中，破彼偏见，而显说真常、真乐、真我、真净。

（解）凡夫外道执着于"邪常"，把一切相固化，故而远离真性自性。正因为把"相"当成了"常"，自性真常反而见不到了，于是生出很多偏见和痛苦。唯有真常才能真乐，唯有真我才是真净啊！

汝今依言背义，以断灭无常，及确定死常，错解佛之圆妙最后微言，纵览千遍，有何所益？

（解）虽然读经千遍，却错误地将断灭无常的"相"当成了"常"，那自性的"常"就见不到了。如此这般，读经又有什么用呢？岂不是错解了佛祖的真意！

【境界】

通过六祖的开示，志彻终于明白了"常与非常"的妙理。这让人想起了老子《道德经》开篇的一句话，"道可道，非常道"。大道，也就是万物的自性，也就是有情之佛性，那是真常，而佛性是常在。俗性无常，故而祖师对治无常之方便法门，只是教法而已，并非正法真谛。若是执着于教法，不能抵达自性真谛，即使能听闻祖师讲法或者读祖师的经典，也无法进入祖师引领前往的真性境界。若是那样念经学法，就与初衷背道而驰了。

有句古训：学师者死。用来警示那些过度虔诚敬师的学生。他们往往执着于师父讲法所用的文字与方法，却不明师父所要达成的目的。这样的学生学习再好，也是鹦鹉学舌，难悟师父的用意。

修行不容易啊，不虔诚吧，进不了门；过于虔诚吧，又容易执着于师者与师者的语言。弄明白这个问题的真相，才能成为祖师的真信徒。

见与不见

【缘起】

我们通常认为，自己活在"看得见"的世界里，实际上，看得见的世界与看不见的世界共同组成了一个完整的世界。而且，看不见的东西常常决定着看得见的东西。修行者一旦用"看得见"的思维去思考看不见的世界，就又落入了"执着于见而不能见"的陷阱。正因如此，弟子向六祖请法开示。

【审心】

看得见的世界，是我们生活的基础，所以盲人生活中会遇到很多困难。

可是，我们健全人的视力也是有限的，再广大的、再精微的世界，我们的肉眼也无法全部看见。

我们能够看见视野内有形的存在，却看不见无形的存在，比如我们自己的感情、思维、观念，等等。若是不借助显微镜，我们就看不见肉眼难以看见的细菌；若是不借助太空望远镜，我们就看不到其他遥远的星球。

修行者能看到自心吗？知道你自己在想什么、干什么吗？

修行者，能看到万事万物的运动规律吗？

修行者，能用规律思考，而不是用自己有限的知识经验吗？

【真意】

修行的弟子中，不少人还是有所领悟的，在外人看来已经是很深很高的境界了。

可是，"内行看门道，外行看热闹"。弟子们那些阶段性的领悟和自以

坛经心读：品真性妙美

为是真谛的收获，正是他们进一步升级的障碍。这一点六祖看得清清楚楚。于是，六祖秉承一贯教法，从自性启迪弟子们：汝若心迷不见，问善知识觅路；汝若心悟，即自见性，依法修行。汝自迷不见自心，却来问吾见与不见，吾见自知，岂代汝迷？汝若自见，亦不代吾迷。何不自知自见，乃问吾见与不见？

是啊，祖师自见自性，正是弟子学习的榜样，但祖师无法代替弟子悟道，只能引领弟子悟道。若是弟子自以为悟道，还用那执着来问祖师，岂不是以愚问智？当然，祖师是诲人不倦的，见迷破迷，见障破障。

【境界】

也许，修行中最可怕的事就是自以为悟道。

也许，当别人称你为专家，最可怕的是你也自以为是专家。

自以为悟道，是在没有悟道的情况下得出的主观判断，很显然是修行中的一道魔障。

自以为是专家，那就是被不如自己的人贴了标签，自己若迷，必然会以专家自居。实际上，专家也只是某一个方面，一旦以专家自居，就会膨胀，就会摆架子，就会傲慢，就会犯愚蠢的错误。

六祖说，自性常在，不悟不见，若悟自性，开佛知见。

有功劳让人家说，有过错要自己说。对别人的恩情要连续地说，要通过行动来表示感激。对自己的过错，要用坚决明确的态度来对待，要用不懈的行动来改正。对自己欠缺的，要不耻下问、学习请教，而不是装模作样。

直心即佛，佛即自性，自性即智慧，自性含万法。

心有自性明灯，周身光明！这样的人生境界多么美妙啊！

无名之本

【缘起】

六祖给弟子们出了个小小的试题："吾有一物，无头无尾，无名无字，无背无面，诸人还识否？"你能猜出答案吗？那个很聪明的神会就干了个傻事：抢答。

【审心】

遇到这样的问题，我们一定会想：那是什么？

遇到这样的问题，我们多半会想：是个什么具体的物件。

因为，我们习惯于思考有形的东西，而对于至高的智慧，很多人真不知该如何去领悟。

【真意】

六祖出了个题，聪明伶俐的弟子神会就抢答了，六祖说的是个什么物件呢？神会的答案是："是诸佛之本源，神会之佛性。"

哈哈，弟子果然"中计"。六祖接续神会的回答给予开示："向汝道无名无字，汝便唤作本源佛性。汝向去有把茆盖头，也只成个知解宗徒。"

（解）明明告诉你那是个无名无字的，你却偏偏给起了个名字。哈哈，看来，反应快并会抢答，是很容易出错的。当然，一般知识竞赛中的抢答也许可能是对的，但对于修行者来说，抢答绝非明智，最起码要先把题审清楚才行啊！否则，最多算是个能读书诵经的学生，而不是真正的修行者！

紧接着，六祖继续为神会和众弟子开示："学道之人，一切善念恶念，应当尽除，无名可名，名于自性；无二之性，是名实性。于实性上建立一切教门，言下便须自见。"

（解）原来，六祖是要用这样一个小考题，让大家进一步领悟自性。六祖自己就是无处不践行自性特质的人！

【境界】

看到神会的狼狈相，我们不由得想起禅宗最根本的心法：以心传心。最初，禅宗有一个"拈花一笑"的典故，据宋释普济《五灯会元·七佛·释迦牟尼佛》："世尊在灵山会上，拈花示众，是时众皆默然，唯迦叶尊者破颜微笑。"世尊拈花示众,"众皆默然",唯有迦叶尊者破颜微笑。当然,只是微笑,并没说什么。因为,这是佛祖尊者在"以心传心",一说就错了。这个"以心传心"的禅宗第一典故,包含了两层意思:一是迦叶尊者对禅理有了透彻的理解;二是迦叶尊者与世尊彼此默契、心领神会、心意相通、心心相印。

人在世间,多会遇到"心心相印"的时刻和"心有灵犀"的对象,那肯定是很美妙的沟通体验。

若是修行者修到"无言自通"的地步,与人与物皆能连通,就省了很多思考的工夫,也能避免主观错误。这才是修行的真境界啊!

本品总评

在这一品中,六祖主要阐述了:法本一宗,人有南北;法即一种,见有迟疾。法无顿渐,人有利钝,因此才有顿与渐之假名。

继而,六祖阐述了禅宗关于戒定慧的理解:心地无非自性戒,心地无痴自性慧,心地无乱自性定。若悟自性,亦不立菩提涅槃,亦不立解脱知见,无一法可得,方能建立万法。若解此意,亦名佛身,亦名菩提涅槃,亦名解脱知见,见性认,立亦得,不立亦得。去来自由,无滞无碍,应用随作,应语随答,普见化身,不离自性,即得自在神通,佛道三昧,是名见性。见性之人,任运从容,纵横无碍。佛法,本来就没有定法,"吾若言有法与人,即为诳汝,但且随方解缚"。六祖因行昌执着于佛性为"常",所以说佛性"无常"来为其破执;众人执着于善恶诸法"无常",所以用"常"来为其破执。佛性非常非无常,常与无常,二执尽除,才能显出中道胜义的理体,佛性才能发明,自性才能显现。常与无常,二道相因,相因互破,方显中道。这就是六祖所说的随方解缚,随机对治,应缘说法,不拘形式,洒脱自如。

护法品第九

　　护法，保护、维持正法的意思。祖师不为俗世名利所动，是以心护法。这一品中，六祖对着内侍薛简传法，也是以人传法、护法。最后，又得到皇家认可，可谓皇家护法。故名"护法品"。

本品主题

- 武则天与唐中宗拟请禅宗祖师进宫供养。
- 安秀二师推辞，向皇帝推荐六祖惠能。
- 六祖借病推辞。
- 皇帝派遣使者薛简迎请。
- 薛简向六祖请教禅宗修行法门。
- 薛简回宫禀报，皇帝给予六祖惠能丰厚的赏赐。

人间惑问

- 以往听说，各门祖师也是互不服气的，慧安和神秀两位大师怎么还会推荐六祖惠能呢？
- 皇帝也需要请师父去教化自己吗？
- 六祖为何拒绝了这份无与伦比的殊荣呢？
- 薛简也很厉害啊，张嘴就能问出那么靠谱的专业问题，也是有些功夫的吧？

❀ 皇帝没有请动大师，竟然不恼，看来对佛法还真是够尊重的。但六祖不怕得罪皇帝吗？

❀ 六祖本无所求，却也得到了无上殊荣，他会因此而高兴吗？

内容解读

【原文】

神龙元年上元日，则天中宗诏云："朕请安秀二师，宫中供养，万机之暇，每究一乘。二师推让云：'南方有能禅师，密授忍大师衣法，传佛心印，可请彼问。'今遣内侍薛简，驰诏迎请，愿师慈念，速赴上京。"

师上表辞疾，愿终林麓。

【关键字词】

[神龙元年] 神龙是武则的天年号，唐中宗沿用，神龙元年即公元705年。

[上元日] 阴历正月十五。

[中宗] 唐中宗李显，武则天之子，公元683年即帝位，公元684年被武则天废黜，公元705年复位。

[安秀二师] 安，指嵩山少林寺慧安大师；秀，指玉泉寺神秀大师。

[内侍] 皇宫内庭的侍官，当指太监。

【释义】

神龙元年正月十五日，武则天和唐中宗下诏说："朕已经迎请慧安大师和神秀大师到皇宫中供养，想在日理万机之余，每天钻研学习一点佛法。两位大师都推辞说：'南方有一位惠能大师，受弘忍大师密传的衣钵佛法，得到以心传心的法门，可以向他请教。'现在派遣内侍薛简，驰马奉诏前去迎请您，希望大师能大发慈悲，赶快来京城吧。"

惠能大师向来使呈交了一封称病辞谢的表章，表示自己更愿意在山林里终老。

【导读】

- 神龙元年，则天、中宗颁诏，拟请安秀二师宫中供养。
- 二师推让，荐请六祖。
- 上遣内侍薛简，持诏迎请。
- 六祖以身体不适为由请辞。

【赏析】

皇帝请师：武则天和唐中宗爱好佛学，天下人都知道。他们二位拟请慧安大师和神秀大师到皇宫中供养，但两位大师都推辞了，并且推荐了得到五祖弘忍衣钵的六祖惠能。

我们尚不知武则天和唐中宗供养大师的真实用意，是为自己求福保平安，还是要悟得治理天下的智慧？若是后者，权倾天下，还愿意学习更高的智慧，也是很难得的。

有些人当领导，很多时候也被权力绑架，被事务缠绕，哪还顾得上学习？况且，手握权力，又得到部下的百般恭维，自我早已不知道膨胀到什么程度了，哪还知道自己需要学习？可若是领导都不带头学习，下属更变本加厉，整个团队就更易陷入事务之争、权力之争。学习的功用绝不仅限于自我的提高。

大师智慧：这些祖师互相推荐，可见彼此是非常尊重欣赏的。当然，这其中有六祖衣钵正宗的因素。现实中，很多门派都自视正宗，对其他门派贬低、排斥。也许正如禅宗门派过去那样，可能是下面的门徒所为，但师父是否旗帜鲜明地反对门派之争，遏制门徒的造次，也有很大影响。

惠安、神秀这两位大师都没有接受邀请，而是推荐六祖大师，但六祖也借故拒绝了。恐怕大师们知道封建社会伴君如伴虎的凶险吧。这三位大师的做法，实际上反映的是一种修道者的性格：不愿意被红尘一隅所局限，也不愿意仅仅被皇家所用，而要泽被众生。皇帝若是悟得智慧，也是天下人的福气！

【原文】薛简问大师禅定、智慧光明和大乘之义

薛简曰:"京城禅德皆云:欲得会道,必须坐禅习定;若不因禅定而得解脱者,未之有也。未审师所说法如何?"

师曰:"道由心悟,岂在坐也?经云:若言如来若坐若卧,是行邪道。何故?无所从来,亦无所去,无生无灭,是如来清净禅;诸法空寂,是如来清净坐。究竟无证,岂况坐耶?"

简曰:"弟子回京,主上必问,愿师慈悲,指示心要,传奏两宫,及京城学道者。譬如一灯,燃百千灯,冥者皆明,明明无尽。"

师云:"道无明暗,明暗是代谢之义。明明无尽,亦是有尽,相待立名。故《净名经》云:法无有比,无相待故。"

简曰:"明喻智慧,暗喻烦恼。修道之人,倘不以智慧照破烦恼,无始生死,凭何出离?"

师曰:"烦恼即是菩提,无二无别。若以智慧照破烦恼者,此是二乘见解,羊鹿等机;上智大根,悉不如是。"

简曰:"如何是大乘见解?"

师曰:"明与无明,凡夫见二;智者了达,其性无二。无二之性,即是实性。实性者,处凡愚而不减,在贤圣而不增;住烦恼而不乱,居禅定而不寂。不断不常,不来不去,不在中间及其内外。不生不灭,性相如如,常住不迁,名之曰道。"

简曰:"师说不生不灭,何异外道?"

师曰:"外道所说不生不灭者,将灭止生,以生显灭,灭犹不灭,生说不生。我说不生不灭者,本自无生,今亦不灭,所以不同外道。汝若欲知心要,但一切善恶都莫思量,自然得入清净心体,湛然常寂,妙用恒沙。"

简蒙指教,豁然大悟。礼辞归阙,表奏师语。

【释义】

薛简说:"京城的禅师大德们都说,要想得到佛道的真谛,必须打坐学习禅定,不经过禅定的功夫而获得觉悟解脱的,还从来没有过。不知道大师您所讲说的佛法宗旨是什么?"

大师说:"佛道是从内心得到觉悟,哪里是靠打坐呢?佛经上说,如果说如来佛是从坐、卧中得道,那就是邪门歪道。为什么这样说?因为无处可来,也无处可去,没有生也没有灭,这就是如来真正的清净禅意。一切法门本质上都是空寂,这就是如来真正的清净打坐禅修。其深奥的境界无法作有形的证明,岂是打坐所能包括的?"

薛简说:"弟子回到京城,主上必然要问我,还请大师大发慈悲,指示佛法的要旨,我好禀报两宫的圣上,并告知京城里修学佛道的人。这就像一盏灯,又点亮了千百盏灯,让黑暗都变成了光明,光明普照无有穷尽。"

大师说:"佛道无所谓光明和黑暗,明暗是代谢变化的意思。所谓光明普照无有穷尽,其实也是有尽头的,因为光明和黑暗是相对存在的两个名称。所以《净名经》上说:佛法是不能比喻的,因为佛法不是相对而存在的。"

薛简说:"用光明比喻智慧,用黑暗比喻烦恼,修佛道的人,如果不用智慧照耀并破除烦恼,那么无始无终的生死轮回又怎么能解脱呢?"

大师说:"烦恼就是菩提,它们并不是两个东西,二者并没有区别。如果想用智慧来照破烦恼,这是声闻、缘觉二乘的初级看法,是坐羊车、鹿车的阶段,真正的大慧根、大智慧,都不是这样看的。"

薛简问:"大乘境界的见解是什么?"

大师说:"明和无明,凡夫俗子们看作两个东西,智慧的人就明白它们没有区别。没有区别的本性就是真实的本性。真实的本性,在凡俗的地位不会减少,在圣贤的地位也不会增加,停留在烦恼中不会因此而迷乱,到了禅定的境界中也不会因此而空寂。它是不会中断也不会永恒存在的,

坛经心读：品真性妙美

是不来也不去的，不在中间，也不在内部或外部，不生也不灭，它的性质和表相如一，总是存在而没有变化，它的名字叫道。"

薛简问："大师说不生也不灭，这和外道的说法有什么区别？"

大师说："外道所说的不生也不灭，是用灭来停止生，用生来显示灭，这样的灭等于不灭，这样的生等于不生。我所说的不生也不灭，是本来就没有生，现在也就无所谓灭，这和外道的说法是不同的。要想获得佛法要领，只要对一切善和恶都不思考，自然就进入清净的心之本体了，那时你就清湛宁静，妙用像恒河里的沙粒一样无穷无尽。"

薛简得了大师指教，豁然开朗，大彻大悟。他行礼告别大师，返回皇宫，把大师说的话上奏。

【导读】

- 薛简问师："学佛都要经过禅定而获得智慧，不知大师你的法旨如何？"
- 六祖对曰：佛道是从内心悟的，哪能靠打坐呢？若是从坐卧中得道，那就是歪门邪道。
- 薛简请益：我回京，主上必然问我，请大师教我佛法要旨好回去交差，并帮助众多修行人修佛，好比用光明驱散黑暗。
- 大师开示：你刚刚说到佛法的光明和黑暗，实际上，佛法不能用现实中的具体事物来比较，佛法是唯一的，现实中的事物往往被人们用二分法看待。
- 薛简依惑：如果不用光明照耀，又如何除去苦恼？
- 六祖续解：烦恼即菩提，这不是两个东西，二者没有区别。若是当成两个东西，那都是二乘境界的初级看法。
- 薛简再问：那么大乘境界的看法是什么呢？
- 六祖说性：有区别的就是俗性，没区别的就是本性。真性自在、自由，不生不灭，无处不在，就叫作道。
- 薛简又问：大师的"不生不灭"之说，与外道的区别是什么呢？
- 六祖深解：我所说的生灭，本来无生灭，是无相。外道说的生灭，生灭是两个东西，是有相的。只要有相，就无法进入清湛宁静的心之本体。

● 薛简受教：薛简听了大师的指教，大彻大悟，行礼谢师，回奏去了。

【赏析】

薛问禅定：薛简的看法代表了很多人的观点，那就是：要悟得佛法真意、要获得觉悟而解脱苦恼，就要打坐、禅定。六祖简要地给薛简讲解了佛法必须内求、从心上悟，而不是靠打坐来获得智慧。依靠有相的外部动作来获得内心的觉悟，这恰恰是外道的作为。

薛请法旨：也许是因为总在爱好佛学的皇帝身边的缘故，内侍薛简也能张口说出佛理，如光明驱走黑暗等，正好被六祖发现其对佛道的歪曲。这类说法对着初级水平的人说尚可，六祖却能直接指出问题：什么光明黑暗，这种分法本身就不是佛学正道，大乘要义是超越世俗的"二分"思维的，不是在肉眼可见的世界里思考，而是悟到了本性唯一、佛性唯一、迷相千万的根本。

爱好佛学的薛简听六祖这般解说，醍醐灌顶，这等法门在皇宫里肯定是听不到的。于是，心中也有了底，高高兴兴行礼拜师，然后回宫禀报去了。

【原文】

其年九月三日，有诏奖谕师曰："师辞老疾，为朕修道，国之福田。师若净名，托疾毗耶，阐扬大乘，传诸佛心，谈不二法。薛简传师指授如来知见，朕积善余庆，宿种善根，值师出世，顿悟上乘。感荷师恩，顶戴无已。并奉磨衲袈裟及水晶钵，敕韶州刺史修饰寺宇，赐师旧居为国恩寺焉。"

【关键字词】

[磨衲袈裟] 一种名贵的袈裟，据说是高丽国（朝鲜）所出产。

【释义】

那年九月三日，朝廷下诏，对大师给予表扬："惠能大师因年老多病而辞谢进宫的召请，留在民间为朕修行佛道，这是在为国家种福田，修功德。大师就像《净名经》里的维摩诘居士一样，托病在毗耶城，阐扬大乘教法，传授各位佛的教义，宣讲不二的法门。薛简带回了大师传授的如来智慧，朕多年行善积德，种下善根，才有这样的善果，幸遇大师出世，让朕顿悟了上乘的智慧。感谢大师的恩惠，感激无限。并奉上磨衲袈裟和水晶钵盂，敕命韶州刺史重新装修佛寺庙宇，赐名大师旧居寺庙为国恩寺。"

【导读】

- 九月三日：皇帝下诏给予大师嘉奖。
- 感恩师道：大师虽以老疾辞请，依然在为天下人修道。
- 赞美大乘：诏书赞美了六祖的大乘不二法门。
- 顿悟上乘：皇帝听薛简回传如来知见，顿悟上乘。
- 颁诏皇赐：除了表示感谢之外，还专门为大师奉上磨衲袈裟与水晶钵盂，派人重修庙宇，赐名旧居为国恩寺。

【赏析】

皇帝真修：封建社会，皇帝要是请谁，那是天大的面子！俗人不听召唤，就是抗旨不遵，那就是弥天大罪。可对待祖师，这唐朝的皇帝还是分外尊敬的，即使请不动也没有恼怒。一方面可能是因大师的威名广播，另一方面，皇帝自己还真是有些修行的。不仅仅没有恼怒，而且听了薛简的回传，竟然领会了顿教的核心思想，赞其大乘智慧和不二法门。由此可见，即使是皇帝，若想悟得大智慧，也要经名师指点，毕竟皇帝也身陷红尘，有诸多不得已。

皇赐宝物：皇帝也真是不简单，不仅自己有所领悟，还专门责成地方官吏重修庙宇，向大师奉上珍品磨衲袈裟和水晶钵盂，还将六祖旧居寺庙赐名为国恩寺，算是官方对六祖大乘智慧的一种认可。这种认可，在禅宗看来也许没多么重要，但对于红尘中人，这可不得了。皇帝都认可的教门正法，普通人还有什么好怀疑的呢？

看来，一个人要名扬天下，也需要有无上上乘的智慧，也就是要有真功夫。只要有了真功夫，就不用再想名扬天下的事，由此可见，人生只有一个问题：你自己做得有多好？若是好到天下无双、人人渴求，你就无须再考虑个人得失了。当然，这等上乘功夫，前提就是不能考虑个人得失，否则只会将道变成术，修来修去，都是无法悟道的。六祖无心得衣钵而得衣钵，无心争祖位而得祖位，正好也验证了六祖所倡导的无相、无心而直入佛地的智慧。

经典名言

◎ 道由心悟，岂在坐也？经云：若言如来若坐若卧，是行邪道。

◎ 无所从来，亦无所去，无生无灭，是如来清净禅；诸法空寂，是如来清净坐。究竟无证，岂况坐耶？

◎ 道无明暗，明暗是代谢之义。明明无尽，亦是有尽，相待立名。故《净名经》云：法无有比，无相待故。

◎ 烦恼即是菩提，无二无别。若以智慧照破烦恼者，此是二乘见解，羊鹿等机；上智大根，悉不如是。

◎ 明与无明，凡夫见二；智者了达，其性无二。无二之性，即是实性。

◎ 实性者，处凡愚而不减，在贤圣而不增；住烦恼而不乱，居禅定而不寂。

◎ 不断不常，不来不去，不在中间及其内外。不生不灭，性相如如，常住不迁，名之曰道。

◎ 外道所说不生不灭者，将灭止生，以生显灭，灭犹不灭，生说不生。

◎ 我说不生不灭者，本自无生，今亦不灭，所以不同外道。汝若欲知心要，但一切善恶，都莫思量，自然得入清净心体，湛然常寂，妙用恒沙。

核心理论

道由心悟

【缘起】

六祖在教化弟子、修行者和信众时发现，追求悟道的人们落入了身体外形的修炼，没有真正借外形的修炼到达内心的修炼。

【审心】

哲学总结了人类的一个基本规律：知行合一。

修行中，若是只迷恋一个方面，要么是看不见的心，要么是孤立的形，这本身不就是将身心分离了吗？

按照身心分离的套路去修炼，本身不就是为痴迷的心又增加了一份智障吗？

【真意】

六祖开示：若言如来若坐若卧，是行邪道。坐也好，卧也好，行也好，站也好，皆是外形，若是外形犹如枯枝，内心却不明，空劳其身，却不可能悟道。

实际上，在任何时候，心与行都是统一的。

只是，心智低迷时，就会出现低迷的外形，低迷的外形是低迷心智的外在表现。心智与外形时刻保持一种相互印证、相互强化的状态。

若是谈修行，若是要用外形来促进内心的改变，就必须身心联动，而不能各自独立。身体外形的静，是为了内心的净，这一"静"一"净"相互呼应，才是修行的正常状态。

若是外形不能触动内心使之改变，就是徒有其表。内心若是不能见诸行动，谁能看得见内心呢？由此可见，外形是证明内心的外在形态，也是触发内心的外在力量。内心是外形的内在驱动力量，也会因为外形的强化而改变。

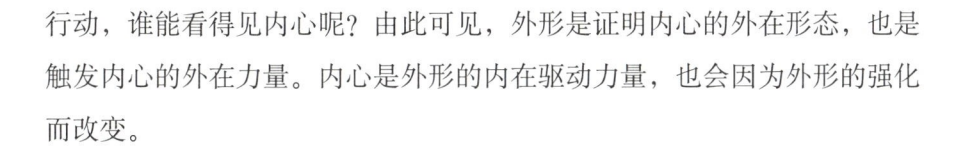

【境界】

"知行合一"是人类基本的心智模式：

若是只知不行，就不能算是真知。

若是只行不知，就不能算是真行。

若是知行错位，就只能算是错乱。

若是方向错误，知行就没有善果。

知与行、心与形都是一体的，最终要破除内外、心形这样的概念，达到浑然一体，才能避免落入了"二"的俗界，才是修行的真境界。

清净禅坐

【缘起】

一般认为，坐禅是修禅的基本功夫，可六祖看到很多人对于坐禅的理解和做法出现了错误，故而给予开示。

【审心】

一般人不会坐禅的，整天有那么多事要想要做，哪里有空坐在那里什么都不想？这太耽误工夫了。

可是，如果内心混乱，心绪烦乱，此时去做事，难道能把事情做好吗？做了又没做好，这是真做事吗？如此循环下去，不好的心态和不好的结果连环互动，未来会是什么样子呢，不难想象出来吧？

不少人认可坐禅的价值，可若是形体枯坐，内心却不能清净，岂不是坐在这里独受折磨？

这可怎么办啊？心绪烦乱时做事只能坏事，坐禅又无法让心清净，这该怎么办呢？

【真意】

六祖开示：无所从来，亦无所去，无生无灭，是如来清净禅；诸法空寂，是如来清净坐。若是心有执着和滞留，即非坐禅。

坐禅的本质，就是让自己的心随境而起，随缘而灭，既不固守在已经过去的事物上，也不拒绝即将到来的事物，只是不再用自己二分对立的价值标准来进行评判，心中有了对万物本质的洞察，恪守与万物和谐的慈悲信念。

真正的坐禅之所以被祖师所重视，就是因为祖师看清楚了人间苦恼产生的心理机制：因前事前人所生之念，并没有随着人和事成为过去而在自己的记忆中消失，对痛苦的"选择性强记"，使得人的感受从过去一直延续到现在，从而成为心理的负担，进而影响当下的状态。

这样发展的结果，就是过去放不下的越积越多，心里被混乱的信息充满，影响心智的运行效率。再加上以往积累的沉重负担，又会成为看待眼前与未来的一种偏见。于是，人就越走越偏，直至生命被心智垃圾（主观强记、情绪纠结、理性偏执）所掩埋。

【境界】

坐禅对人的积极作用就不用赘述了。形体上静坐，能够借此改变心智模式，破除主观认识与判断的枷锁，那些因偏见和成见而生出来的各种冲突的念头，就会在新的模式下得到统一和化解。只有让内心产生对立与冲突的心智程序被改变，那些杂乱的念头才会消失。心智升级到这个高度，行走坐卧，内心都不会烦乱，这就是真正的坐禅，无处不禅，禅在处处，是谓真禅。

道无明暗

【缘起】

薛简在向六祖请教的过程中，顺口说出"明暗"之语，即被六祖抓到，于是对其明暗之说进行开示。

【审心】

关于光明与黑暗，我们在日常生活中已经十分熟悉。

只是，我们所说的光明与黑暗，都是肉眼中具象的存在形态。打个比方，晚上回家，开门后一片黑暗，打开灯，屋子里就充满了光明。这就是我们所熟悉的光明与黑暗。

生活中的光明与黑暗，我们能够识别，可心中的光明与黑暗用眼睛是看不见的呀！内心里哪儿是光明？哪儿是黑暗呢？

【真意】

六祖为薛简开示：明暗是人心分别之义，明明无尽，亦是有尽，相待立名。若言光明驱走黑暗，黑暗何去？此是外道之言。

明暗等两极分化，只是红尘中的思维方法，是人根据认识和价值标准做的主观区分，并非事物本身的属性。

人们常借这样的说法来完成一方胜于另一方的思维游戏，但破坏了阴阳平衡，只是不停地奔跑在跷跷板的两端，按下葫芦起了瓢，总是不能从主观上解决对立的二者之间的平衡，也无法消灭其中任何一方。

"道无明暗"则是上升了一个思维层次与高度，站在新的思维高度上，以没有主观价值偏好的心态，看到事物的一体两面的有机统一和相互转化。

因此，"道无明暗"的思维，就破除了将主观自见视为客观本体、用概念执着撕裂事物的有机组成以及静止地看问题等错误。

【境界】

"道无明暗"的论断，给现实中许多用对立思维构筑的人生困局提供了一个智慧的破解模式：面对面的平视往往是对立的根源，上升一个高度，将困局作为身外的对象进行俯视，就能找到破除对立、达到统一的方法。抗日战争时期，中国共产党力促成功的抗日统一战线，即是这一智慧思维的典范。

只要走出利己和自私的"阴影"，就能站在战略增益的高度，找到更加"明亮"的双赢。

烦恼菩提

【缘起】

烦恼与智慧，前者是人们力图去除的，后者是人们努力追求的。可是，这种思维和追求方式本身就是错误的。因此，红尘中的人们追求了那么久，最终还是无法实现愿望。

【审心】

人们有一种先天的本能：趋利避害！

人们总想占有更多好的，总想把坏的扔掉。

大家都想要好的，好的就变得稀缺，因而难求。

大家都不想要坏的，坏的就变得富余，就会不期而遇。

你说，这样的状况，又如何改变呢？

【真意】

六祖开示道：烦恼与菩提，无二无别。若以智慧照破烦恼者，此是二乘见解，羊鹿等机。烦恼即是菩提根，透过烦恼，即见菩提。若无烦恼，何处见菩提？

在人们的常规认识中，烦恼即是烦恼，智慧就是智慧，这二者怎么会是一回事呢？

实际上，烦恼的产生，正是智慧被弃置的结果；烦恼的解除，又是智慧复活的结果。智慧是根、是因，烦恼或者快乐是末梢、是结果。

智慧的提升，往往都是因为解决了过去没法解决的烦恼。新的烦恼，又往往是促使智慧提升的动力和支点。

没有烦恼，智慧就不会提升；智慧若是不提升，烦恼也就无法解决。

【境界】

拥有"烦恼即菩提"这种高智思维的人，遇到烦恼就不再烦恼，因为看到的是智慧提升的契机。

试想，一个从来没有苦恼的人，会有智慧觉醒与提升吗？一个一直纠缠在苦恼中的人，会有智慧的升级吗？

再看看那些经历了几十年人生的人，若是他们已经很有智慧，那必定是在这个过程中经历了很多烦恼。若是经历几十年人生依然烦恼不堪，必定是没有开启智慧。

因此，向往智慧的人，遇到烦恼时就会感到欣喜，因为新的高级智慧即将诞生。

无二实性

【缘起】

六祖就薛简提出的问题继续进行开示。

【审心】

人们在日常生活中习惯了使用二分法，但却忘记了，这种概念只是人的主观认识的工具，并不是客观事物本身的属性——实性。

一旦错误地用主观概念代替客观属性，就会陷入主客观对立与分离的困局。

【真意】

六祖给弟子们讲说：明与无明，凡夫见二；智者了达，其性无二。无二之性，即是实性。

祖师说"凡夫见二"，智者懂得概念二分只是人为的，并非客观事物的真实景象，从而破除主观幻觉，直达客观实相。

【境界】

"凡夫见二"就是内心世界对立与烦恼的根源，也是现实生活中痛苦与冲突的内在动力。"智者见一"，超越了现象层次二分法的人，在自己的内心里完成了"统一"，也就消除了对立与烦恼的根源，消解了痛苦与冲突的动力，于是进入没有对立与冲突、没有烦恼与痛苦的心灵寂静的境界。

名之曰道

【缘起】

俗人讲理，只讲自己有理，只想对自己有利，故而脱离大道真相，产生了无道的各种愚痴和烦恼。

【审心】

人们想留住那些对自己好的，可总是事与愿违。

人们总是想去除那些对自己不好的，可也难以实现。

人们总是挑挑拣拣，无非就是在维护自己的道理，无非就是要让自己独享一切好处。

这样的贪心，只是心中的私念作怪，是不明道的时候自以为是的做法。

可是，这个世界上有人能够让一切都对自己好吗？

【真意】

六祖开示：处凡愚而不减，在贤圣而不增；住烦恼而不乱，居禅定而不寂。不断不常，不来不去，不在中间及其内外。不生不灭，性相如如，常住不迁，是谓道。

当众人都想为自己好时，彼此就成了天敌。

当我们认为别人愚蠢时，实际上是我们自己愚蠢。

当我们认为自己聪明时，实际上正处在愚蠢的状态。

只要我们使用利己的、自我的两极认识方法，就会制造对立与冲突。

只要我们理解了自己的愚蠢，只要我们知道了别人的道理，只要我们不再在自我对万事万人的评判中制造两极对立，就可能悟到背后的真相。

【境界】

大道就是万事万物和你主观之外的人独立于你的主观认识和情感喜好的客观力量与规律。明白了这一点，我们就会留意主观认识可能造成的错误。

人的主观认识无法改变客观力量与规律，只能顺应和臣服于它们。若是放弃了主观上所有与客观对立的念头，跟随客观规律，就是悟道之人，即是菩提自性。

只要我们放弃对万事万物的两极分别性判断，就能识得一切美好。只要我们愿意并能够为一切众生辩护，就能通达人心。只要我们时刻消除自我和自私的念头、判断与行动，就能走向自在空灵的自由境界。

不生不灭

【缘起】

六祖继续为薛简开示世间大道的真相。

【审心】

万事万物都在不断地变换着自己的存在形态，人的生死也是如此。

在肉眼可见的世界里，世间万物有生有死，包括人。可是，那只是形态的变化，而非真正的生，也非真正的死。可人从何处生，又向何处死呢？

我们总是对万事万物万人做出主观的价值判断，并因此产生相应的情绪与行动。

人的判断能反映客观事物的真相吗？当然不能，只是人的主观作业而已。

【真意】

本自无生，今亦不灭。一切善恶，都莫思量，自然得入清净心体，湛然常寂，妙用恒沙。

万事万物生生不息，俗人眼中所见或者心中所想之生灭，只是事物形

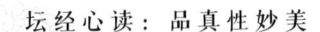

态的不同变化而已，生灭之说，也是从人的主观生出来的概念，并非客观事物本身的属性。

善恶之说，更是典型的人的主观价值判断，绝非哪一个事物本身能分出善恶。

我们喜欢的会死去，实则是转换成其他存在形态。我们厌恶的也会死去，实则是转换成了我们所不熟悉的样子。

看来，人的主观判断基本上都是徒劳的，客观事物和一切存在都不会因为人的主观喜好而改变。在这个过程中，真正改变的只有人的主观感觉，而非客观存在。

物理学有个基本定理：物质不灭，能量守恒，只是在不断地以不同的速度转换成不同的存在形式。

【境界】

觉悟了的人，能够将心中所有二分法的主观概念全部破除，没有了善恶的价值分别，因为上升到超越世俗善恶的"上善至善"的慈悲境界。

觉悟了的人，没有了个人喜好的偏见，因为懂得了那一切都是徒劳的。于是选择了接受、理解、欣赏、悦纳和最终的融合。

觉悟了的人，不再纠结于生死，因为智慧让人看破了生死：既无生也无死，只是在转换着存在的形式。于是超越了"乐生恶死"的世俗模式。

自然心中就没有了那么多对立的念头和因此而生出来的烦恼，心自然就会归于静寂，就能对接万事万物的规律，进而体验那份超越主观概念的美妙！

本品总评

这一品主要介绍了武则天派薛简问法，六祖称病拒绝上京，并为薛简开示烦恼与菩提的关系。薛简说：明喻智慧，暗喻烦恼。修道之人，倘不以智慧照破烦恼，无始生死，凭何出离？这种说法有没有错呢？

护法品第九

在般若品里,六祖曾说:当用大智慧,打破五蕴烦恼尘劳,如此修行,定成佛道。又说:若起邪迷,妄念颠倒,外善知识虽有教授,救不可得。若起正真般若观照,一刹那间,妄念俱灭。若识自性,一悟即至佛地。六祖亲自说过的这两段话,与薛简所问的,是不是一样的呢?是一样的。那么,为什么六祖说的就是对的,薛简用同样的道理来问六祖,就被否定了呢?只有一个答案:为了破执。

付嘱品第十

这一品中，大师交代后事，安排法务传承，将毕生所悟之精华，尽传于弟子和有缘众生。大师功高，预言身后之事，皆一一应验。大师所承顿教法门也成了中国文化之瑰宝。大师在涅槃前最后的时刻，嘱咐弟子们要好好修行，传承正法，并对身后事做出安排。是谓"付嘱品"。

本品主题

- 六祖大师交付后事，嘱托众徒。
- 六祖大师总结传法的纲领，传授传法的法门。

人间惑问

- 从明白禅宗的思想到传法，也需要一些方法吧？这些方法有没有一个核心纲领呢？
- 禅宗回答别人问题时的"一语双关"是为什么呢？那不把人绕晕了吗？
- 如何看到一个人的内心状态？通过正见和邪见，可以见证其内心吗？
- 世间的人们想问题，总在两极之中二选一，如何才能不落两边？这不二法门就是中间路线吗？
- 什么是一相三昧？什么是一行三昧？"三昧"分别是指什么？
- 什么是"正法眼藏"，里面藏着什么呢？

◎ 一会儿说"众生是佛",一会儿说"自性是佛",到底哪一个才是对的呢？

内容解读

【原文】

师一日唤门人法海、志诚、法达、神会、智常、智通、志彻、志道、法珍、法如等,曰:"汝等不同余人,吾灭度后,各为一方师。吾今教汝说法,不失本宗。先须举三科法门,动用三十六对,出没即离两边,说一切法,莫离自性。忽有人问汝法,出语尽双,皆取对法,来去相因。究竟二法尽除,更无去处。

"三科法门者,阴、界、入也。阴是五阴,色、受、想、行、识是也。入是十二入,外六尘:色、声、香、味、触、法;内六门:眼、耳、鼻、舌、身、意是也。界是十八界,六尘、六门、六识是也。自性能含万法,名含藏识。若起思量,即是转识。生六识,出六门,见六尘,如是一十八界,皆从自性起用。自性若邪,起十八邪;自性若正,起十八正。若恶用即众生用,善用即佛用。用由何等？由自性有。

"对法外境,无情五对:天与地对,日与月对,明与暗对,阴与阳对,水与火对,此是五对也。

"法相语言十二对:语与法对,有与无对,有色与无色对,有相与无相对,有漏与无漏对,色与空对,动与静对,清与浊对,凡与圣对,僧与俗对,老与少对,大与小对,此是十二对也。

"自性起用十九对:长与短对,邪与正对,痴与慧对,愚与智对,乱与定对,慈与毒对,戒与非对,直与曲对,实与虚对,险与平对,烦恼与菩提对,常与无常对,悲与害对,喜与嗔对,舍与悭对,进与退对,生与灭对,法身与色身对,化身与报身对,此是十九对也。"

师言:"此三十六对法,若解用,即道贯一切经法,出入即离两边。"

【释义】

有一天，惠能大师叫来门徒法海、志诚、法达、神会、智常、智通、志彻、志道、法珍、法如等人，对他们说："你们和其他人不一样，等到我圆寂以后，你们要各自成为一方的禅宗领袖。我现在教你们，怎样宣讲佛法才不偏离本教的宗旨。

"讲佛法时，先要举出三科法门，运用三十六相对法，这样就能自如地讲说，说一切法门都不要离开本性。假如有人突然向你提问，回答时要语义双关，都要用相对法，来和去互为因果，最终连来和去相对二法也要消泯，不执着于任何一面。

"所谓三科法门，就是指阴、界、入。阴是五阴，就是色、受、想、行、识。入指的是十二入，就是外六尘：色、声、香、味、触、法；内六门：眼、耳、鼻、舌、身、意。界是十八界，就是六尘、六门和六识的合称。自己的本性中能包含万种佛法，名叫含藏识。如果心中产生了思量，就是转识。这时就会生六识，出六门，见六尘，像这样的十八界，都是从自己的本性中产生和运用的。自己的本性如果邪恶，就会产生十八种邪见；自己的本性如果正派，就会产生十八种正见。如果用恶念那就是众生的行为，如果用善念那就是佛的行为。这种运用从何而来？是从自己的本性中来的。

"外界的相对，有无情五对：天与地相对，日与月相对，明与暗相对，阴与阳相对，水与火相对，这就是五对。

"现象语言有十二对：语与法对，有与无对，有色与无色对，有相与无相对，有漏与无漏对，色与空对，动与静对，清与浊对，凡与圣对，僧与俗对，老与少对，大与小对，这是十二对。

"从自己的本性发生作用的有十九对：长与短对，邪与正对，痴与慧对，愚与智对，乱与定对，慈与毒对，戒与非对，直与曲对，实与虚对，险与平对，烦恼与菩提对，常与无常对，悲与害对，喜与嗔对，舍与悭对，进与退对，生与灭对，法身与色身对，化身与报身对，这就是十九对。"

付嘱品第十

大师说："这三十六种相对的法则，如果会用，就能用其本质贯穿一切经法，就能自如运用，不生偏执。"

【导读】

- 嘱身后事：大师唤来座前十大弟子等人，嘱其在自己圆寂后各为一方禅宗领袖，并教他们如何传授佛法。

- 传法要旨：讲授佛法时，有几个要点：一是先讲三科法门，二是运用三十六相对法，三是一切法门不离自性。

- "相对法"：对于他人发问，回答时要用"相对法"，一语双关，来与去互为因果，最终去除来去二法，不执着于任何一面。

- 三科法门：指阴、界、入。"阴"即"五蕴"。"入"指"外六尘"和"内六门"，谓之"十二入"。"界"是"十八界"，也即六尘、六门和六识之合称。

- 自性生发：自性包含万种法，名叫"含藏识"。心中的思量，就是"转识"。此时就会生出"六识"，就能出"六门"，见"六尘"。合起来，就是"十八界"。

- 决自本性：本性若恶，就会生出十八种邪见；本性若善，就会生出十八种正见。若用邪念，即是众生；若用善念，即是佛。

- 授相对法：外界无情有"五对"：天与地相对，日与月相对，明与暗相对，阴与阳相对，水与火相对。现象语言有"十二对"：语与法对，有与无对，有色与无色对，有相与无相对，有漏与无漏对，色与空对，动与静对，清与浊对，凡与圣对，僧与俗对，老与少对，大与小对。自性起用"十九对"：长与短对，邪与正对，痴与慧对，愚与智对，乱与定对，慈与毒对，戒与非对，直与曲对，实与虚对，险与平对，烦恼与菩提对，常与无常对，悲与害对，喜与嗔对，舍与悭对，进与退对，生与灭对，法身与色身对，化身与报身对。

- 三十六对法：六祖说，若娴熟运用这"三十六对法"，就能道贯一切经法，出入不落两边，可行不二法门。

305

坛经心读：品真性妙美

【赏析】

师徒传承

六祖一生弘法，座前有十几位悟得真意的弟子。临近圆寂，大师将这些弟子召集起来，嘱其以后各为一方师，弘扬本宗教旨。至今尚能见到禅宗智慧在人间传播与弘扬，得益于我国自古以来的一项特殊的制度：师徒传承。

佛教这种师徒传承，相对于近代引进的西学教育，有其独到的科学性、有效性和优越性：

一是只有真正得到印证的祖师才可以传法。这一点至关重要，因为作为传法者，他所讲授的皆是正道。反观现代科学，虽然普及程度远胜过去，但传授者是否是正道，不得而知。再加上一些江湖人士出于各种动机，也收徒上课，对正法的传统构成了威胁与挑战。好在正者自正，邪者自邪。只是可怜了那些尚未悟得正道的信众，往往被没有资格传法的人所迷惑。

二是师徒传承这种方式，有足够的时间、与祖师的密切接触作为保障，徒弟既可以暴露自己的问题，让祖师教导，又可以在人生各个方面得到指教并开悟。反观以西学为主流的现代教育，学生上课，老师讲课，到时毕业。任何一个学生跟真正的导师的接触都是非常有限的。这是"生产线"式的教育，并非"导师制"的教育。也就是说，大部分学生和老师没有建立起相互负责的对应关系。这不能不说是现代教育的一大短板。这样的模式，会导致学生与老师（而非导师）的感情淡漠，老师对学生的责任感也会变得薄弱。

三是师徒传承，可以将导师真正的智慧传授给筛选出来的弟子，使他们得到真传，并能立足于社会去弘法布道。再看现代教育，大部分人学习还只是需要谋生的手段。这也无可厚非，但不能因此而废弃了文化的传承。

四是师徒传承可以帮助弟子全面成长。人不仅仅在利用知识谋生，知识本身就是生命的营养，最重要的是能帮助一个人身心健康成长，其他的都是后续。在师徒制这种模式中，师徒双方可以广泛接触，了解彼此，尤其是师父能全方位地掌握徒弟在每个阶段的心智状态，可以更好地因材施教。人的成长不在于掌握多少外部的科学知识，更重要的是如何了解自己。真正的生命成长，一定是内外的接通、内外的和谐和在此基础上对具体的超越，对抽象的总规律的把握与践行。尽管现代教育也有一些哲学知识的普及和道德课程的讲授，但离直接指导每个人的心智成长还差着十万八千里。

五是师徒传承有利于开宗立派。文化传承，既有继承，也有创新与发展。但前提是，必须形成有效的代际传递与积累。现代教育则基本上打破了这样的模式，宗门学派基本消失，本科生毕业各奔东西，跟老师几乎没有什么关系。研究生也要按照学制毕业，然后各奔前程。作为研究生导师，一次次从头开始，就像一个一年级的老师，教授的永远是一年级的学生。毕业了的学生又从较低的层次开始奋斗（更多是为了生计），智慧的传承也大多像断了线一样。等到导师终年，一棵大树倒下，撒出去的种子究竟有多少长成参天大树，未可知。由此可见，没有师徒制，哪里有系统的继承？哪里有长期传承？哪里会有不断发展？更为致命的是，因为没有这种制度，教育者沦为谋生者"生产车间"的一个工友，只是有份工作，教育的使命感如何体现？由此可见，这是一个将教育变成产业的时代，是一个让教育者变成生产工人的时代，是一个大师诞生土壤荒芜了的时代，是一个众人一起混饭吃的时代，是一个科学大行其道而文化沦为装饰品的时代。也许我们无法改变这个时代，也许我们无法改变这种模式，但我们可以改变自己，不管你是学生还是老师，不管你是领导还是百姓，不管你是谋生的俗众还是骗众的邪道，人生只有一次，如何选择才是关键。

亲授精髓

大师讲法几十年，必有独特的思维与讲授方法。大部分听众更关心大师所传授的内容，哪些可以帮我摆脱眼前的困惑与苦恼。至于大师智慧的内在生成机制,只有极具慧根的弟子才能领悟。中国有句教育名言:"授人以鱼,不如授人以渔。"六祖在圆寂之前,召集拟予重托的弟子,专门讲授自己传法的内在心法,可谓法中之法,精中之髓。对于那些追随大师并被耳提面命地教授多年的弟子来说,可谓追随师父过程中的殊胜时刻。教门传衣钵以示正统,但只是单传。六祖传心法以证正统,却可一教传多人。这样的方式,破除了禅宗初期以衣钵示正的局限,进一步体现了"无相法"和"以心印心"的法统。从"三科法门"的基础,到"万法自性起"的核心纲领,再到"三十六对"的相对法,落脚在一语双关、不落两边的"不二法门",最后达到去除一切的"无相""无念"之寂静神态。六祖慈悲,六祖大智,顶礼六祖!

【原文】

"自性动用,共人言语,外于相离相,内于空离空。若全著相,即长邪见;若全执空,即长无明。执空之人有谤经,直言不用文字。既云不用文字,人亦不合语言。只此语言,便是文字之相。又云:直道不立文字。即此'不立'两字,亦是文字。见人所说,便即谤他言著文字。汝等须知,自迷犹可,又谤佛经。不要谤经,罪障无数。

"若著相于外,而作法求真;或广立道场,说有无之过患;如是之人,累劫不可见性。但听依法修行,又莫百物不思,而于道性窒碍。若听说不修,令人反生邪念。但依法修行,无住相法施。汝等若悟,依此说,依此用,依此行,依此作,即不失本宗。

"若有人问汝义,问有将无对,问无将有对,问凡以圣对,问圣以凡对,二道相因,生中道义。如一问一对,余问一依此作,即不失理也。设有人问:何名为暗?答云:明是因,暗是缘,明没则暗,以明显暗,以暗显明,来去相因,成中道义。余问悉皆如此。汝等于后传法,依此转相教授,勿失宗旨。"

【释义】

（大师还说：）"用自己的本性和别人交谈时，对外要能面对表相而又离开表相，对内则面对空无又离开空无。如果完全执着于表相，就会增长邪见；如果完全执着于空无，就会增长无明。完全执着于空无的人就会诽谤佛经，甚至说一切皆空，不需要用文字。既然不需要用文字，人也就不应该使用语言了，因为这语言，就是文字的表相。这种人又说，直道不立文字。但这'不立'两个字，本身也是文字。看见别人有所论说，就诽谤他是执着于文字。你们要知道，这是自己迷惑且不说，还要诽谤佛经。不要诽谤佛经，那样犯的罪孽是不可计量的。

"如果执着于外在的表相，并以此来追求佛法的真谛；或者到处建立法坛道场，大谈有和无的对错与否，像这样的人，就是经历多少劫数也不会认识自己的佛性。要依照佛法修行，但不要对佛经及各种事物都不思考，以致佛道上遇到障碍。如果只听说教而不实践修行，那就会产生邪念，因此要依佛法修行，又不要滞留于事物的表相。你们如果觉悟了这一点，照这样来讲说佛法，照这样来修行，照这样来实践，就不会偏离本宗的宗旨。

"如果有人向你们请教佛法教义，他问有你就回答无，他问无你就回答有，他问凡你就回答圣，他问圣你就回答凡，相对的两个方面互为因果，就能从中产生出正确的见解。如果采用一问一答的形式，其余的问题以此类推，就不会违背真理。假设有人问什么叫暗，就回答：明是原因，暗是机缘。明没有了就出现了暗，是以明衬托出暗，以暗衬托出明，这样你来我去，互为因果，自然就使佛教的正确见解显现出来。其余的问答都以此类推。你们日后传授佛法，照此代代相授，不要偏离本宗之宗旨。"

【导读】

- 本性对人：接相离相，面空离空。
- 执相著空：小心执相著空的错误——执于表相，必生邪见；执于空无，必长无明。

- 执空之害：执着于空者，必谤佛经，因为佛经即是文字。这样的人还会以"直道不立文字"标榜自己的正统，实际上自己的"不立"两字也是文字。以绝对的虚空反对所有文字包括佛经，罪孽深重。
- 执相之害：若是执着于表相，还妄求佛法真谛，或者自以为是，大建道场，谈论众生知见，将永远无法悟得自己的佛性。要依佛法修行，又不能执着于佛经文字而不思经义，更不能只说不练，把智慧变成嘴上能耐。否则，就是自迷误人，罪孽深重。
- 互为因果：六祖进一步传授弘法布道的法门，当跟人一问一答时，别人问你一极，你就答另外一极，看起来相反或者对立的两极实际上是互为因果的，如此就可破掉单极之偏激和两极之对立，这样就可以让佛法正解显现出来。以此类推，代代相传，不离本宗宗旨。

【赏析】

自性面世：世间的一切都要按"接—转—化"的逻辑解说，也就是说，不管对方说什么你都要接过来，然后转到反面去，最终让正反相合，从而上升到单正单反均不能及的和合的境界。若是违背这一教法，就会落入俗道：要么直接跟对方观点对立，要么落入与对方的争辩，最终均无法达到破解和提升的目的。当然也有例外，祖师对于教徒，时常棒喝，将"接转化"融为一体，但此教法不适合一般信众。

破相破空：俗人大多执着于相，外道大多执着于空。

执着于相，必然难以悟得万相之本质，必然为万相所迷，并随万相而上下颠簸，随着万相变幻而疲于奔命。对于学习佛法的人来说，又容易多一项执着：执于佛法文字而不悟真意，执于尸样僵坐而无法平息内心之乱，等等。相，乃真之相，但不等同于真，只是很多人以相为真。透过表相看本质，这是基本的套路。相，也是领悟真的工具，要从相上走过去，而不是停留在相上，如同借船过河，过了河就要弃船而行，而不是背着船继续走路，更不是留在船上不上岸。看看现实中的俗众和修行者，又有谁能用这样的思维模式呢？又有谁能够悟得一切现象背后的规律呢？正是因为固守自己的观念和认识问题、判断问题的标准，又以肉眼感知的表相和耳听的片段信息作为判断整体的依据，怎么可能不苦恼？这正是生产苦恼的程序啊！

执着于空，多为外道，一般俗众尚难达到。外道者，没悟真性，处在过程中却又误以为是终点。但执着于空，危害更大，一是听起来是仿佛有道行，自迷惑人。二是活在"相与空"的纠缠中，执着于空也是一种高级的、难以自解的着相。可见，着相即是不空，着空即是着相。说来说去，还是脱离不了基于万法表相也包括"空"这样的文字相，是一种表面化思维，没有进入"无思无念""无我无他""无善无恶""无相无空"的真如境界。真如境界也就是世俗思维消失了，从两极对立上升到和合状态，一念正法接通着生命与万物：思己过，看人长；悔己罪，念人恩；无分别，大慈悲。如此这般，才能消除苦恼的根源，才能化解人世间的一切对立，才能破除内心的一切困惑与纠结，才能让自心平静安详。若以俗解俗，"空"是要空掉世俗成见（众生知见），透过世俗知见之端倪，进入真实的世界。如同听人说事论人，若是别人说什么就信什么，就近乎没有头脑。正确的做法应该是：听人说，只是端倪，不做结论，不跟着附和，而是分成两类处理：只是聊聊天的事，得过且过，嘻嘻哈哈就完事了，不必认真。若是正经事，也是自己避不过的事，就要深入了解，掌握全部的真相，再行判断不迟。当然，这一切的判断与结论，必须落在至善上善的慈悲境界上，而不能重新回到世俗的知见上，导致两极二选一和两极对立。

一一妙法：俗人日用二法而不觉，用中执一而拒二，是谓"二法"。弘法布道者若要开示俗众，就要随时站在其对面，对方执一，你就执二，帮其看到另外一面或者另外一极，解决其片面和成见的问题。对方执水，你就点火；对方火大，你就浇水。如此反复，可让对方从痴迷于"水火不容"转为领悟"水火既济"的和合境界，就能帮助对方破解对立，就能帮助对方实现统一和提升。此为"不二法门"，也是由二合一的妙法。

坛经心读：品真性妙美

【原文】

师于太极元年壬子，延和七月，命门人，往新州国恩寺建塔，仍令促工。次年夏末落成。

七月一日，集徒众曰："吾至八月，欲离世间。汝等有疑，早须相问，为汝破疑，令汝迷尽。吾若去后，无人教汝。"

法海等闻，悉皆涕泣；惟有神会，神情不动，亦无涕泣。

师云："神会小师，却得善不善等，毁誉不动，哀乐不生。余者不得，数年山中，竟修何道？汝今悲泣，为忧阿谁？若忧吾不知去处，吾自知去处。若吾不知去处，终不预报于汝。汝等悲泣，盖为不知吾去处；若知吾去处，即不合悲泣。法性本无生灭去来。汝等尽坐，吾与汝说一偈，名曰《真假动静偈》。汝等诵取此偈，与吾意同，依此修行，不失宗旨。"

众僧作礼，请师作偈，偈曰：

一切无有真，不以见于真；若见于真者，是见尽非真。
若能自有真，离假即心真；自心不离假，无真何处真。
有情即解动，无情即不动；若修不动行，同无情不动。
若觅真不动，动上有不动；不动是不动，无情无佛种。
能善分别相，第一义不动；但作如此见，即是真如用。
报诸学道人，努力须用意；莫于大乘门，却执生死智。
若言下相应，即共论佛义；若实不相应，合掌令欢喜。
此宗本无诤，诤即失道意；执逆诤法门，自性入生死。

时，徒众闻说偈已，普皆作礼，并体师意，各各摄心，依法修行，更不敢诤。

乃知大师不久住世，法海上座，再拜问曰："和尚入灭之后，衣法当付何人？"

师曰："吾于大梵寺说法，以至于今，抄录流行，目曰《法宝坛经》。汝等守护，递相传授，度诸群生。但依此说，是名正法。今为汝等说法，不付其衣。盖为汝等信根淳熟，决定无疑，堪任大事。然据先祖达摩大师，付授偈意，衣不合传。偈曰：吾本来兹土，传法救迷情；一华开五叶，结果自然成。"

师复曰："诸善知识，汝等各各净心，听吾说法。若欲成就种智，须达一相三昧，一行三昧。若于一切处而不住相，于彼相中不生憎爱，亦无取舍，不念利益成坏等事，安闲恬静，虚融澹泊，此名一相三昧。若于一切处，行住坐卧，纯一直心，不动道场，真成净土，此名一行三昧。若人具二三昧，如地有种，含藏长养，成熟其实。一相一行，亦复如是。我今说法，犹如时雨，普润大地。汝等佛性，譬诸种子，遇兹沾洽，悉皆发生。承吾旨者，决获菩提；依吾行者，定证妙果。听吾偈曰：

心地含诸种，普雨悉皆萌。
顿悟华情已，菩提果自成。"

师说偈已，曰："其法无二，其心亦然。其道清净，亦无诸相。汝等慎勿观静，及空其心，此心本净，无可取舍。各自努力，随缘好去。"

尔时徒众作礼而退。

【关键字词】

[太极元年壬子] 太极是唐睿宗的年号，太极元年是公元712年，那一年的农历纪年是壬子。

[延和七月] 延和也是唐睿宗的年号，公元712年五月以前，年号为太极，五月以后改号延和，故名延和七月。

[小师] 受了具足戒还没有满十年的僧人称小师，也是师父对弟子的称呼。

【释义】

在太极元年，岁在壬子，延和七月，大师让门徒们去新州的国恩寺建塔，并督促尽早完工。第二年夏末塔落成。

这年七月一日，大师召集门徒们说："我到了八月就要离开人世。你们要有什么疑难问题，趁早来问，我还能为你们解难答疑，消除你们的迷惑。我走了以后，再没有人教导你们了。"

法海等门徒听了，都哭起来。只有神会不动声色，也没有哭泣。

大师说："神会小师，只有你达到了无善无不善、毁誉不惊、哀乐俱不动心的境界，其他人都没有达到。你们在山里修行了好几年，到底修的是什么佛道？你们现在悲哀哭泣，是在为谁感到忧伤？如果担忧我不知何往，我自己知道我要到什么地方去。如果我不知道我去哪儿，也就不会预先告诉你们了。你们悲哀哭泣，是因为不知道我将去哪儿，如果知道我的去处，就不应该悲哀哭泣。佛法本来就讲究既没有生也没有死，既没有去也没有来。你们都坐下，我给你们念一首偈语，名叫《真假动静偈》。你们记诵这首偈语，就会和我心心相印，遵照它修行，就不会偏离本门的宗旨。"

众位僧人都向大师行礼，请求大师作偈语。这首偈语说：

> 一切无有真，不以见于真；若见于真者，是见尽非真。
> 若能自有真，离假即心真；自心不离假，无真何处真。
> 有情即解动，无情即不动；若修不动行，同无情不动。
> 若觅真不动，动上有不动；不动是不动，无情无佛种。
> 能善分别相，第一义不动；但作如此见，即是真如用。
> 报诸学道人，努力须用意；莫于大乘门，却执生死智。
> 若言下相应，即共论佛义；若实不相应，合掌令欢喜。
> 此宗本无诤，诤即失道意；执逆诤法门，自性入生死。

当时，众门徒听了偈语，都礼赞不已，体会到师父说的微言大义。各自都收摄浮躁的心情，依照佛法修行，再不敢争执了。

大家知道，大师不会久留世间，首座法海又向大师叩问："和尚圆寂以后，衣钵教法交付给什么人？"

大师说:"我从在大梵寺讲说佛法开始,一直到今天,讲说的内容被世人抄录流传,名叫《法宝坛经》。你们要谨遵这部经典,代代相传,度化众生。只要依据这部佛经修行,就是正确的佛法。我现在为你们讲说佛法,就不再传授袈裟了。因为你们的信仰根基已经很牢固,不再有任何动摇,可以担当弘法的大任。根据先祖达摩大师传授偈颂的意思,袈裟也不应该再传下去了。那首偈语说:吾本来兹土,传法救迷情。一华开五叶,结果自然成。"

大师又说:"各位善知识,你们要各自清净自己的心,听我讲说佛法。要想成就佛法,必须通达一相三昧、一行三昧。如果能够在任何处境下都不执着于表面现象,不对那种表面现象产生憎爱之情,也没有取此舍彼的倾向,不考虑利益得失等事情,总是安闲宁静,超然淡泊,这就叫一相三昧。如果能在一切情况下,无论行、住、坐、卧,都能保持一种纯洁正直的心境,那么你的心就是一个永恒的道场,是真正的净土世界,这就叫一行三昧。如果一个人具有这两种三昧,就像在土地中播下了种子,种子在地底发育,破土而出,继续生长,最后成熟结果。一相三昧和一行三昧的道理,也是如此。我现在讲说佛法,好像及时春雨,普遍润泽大地。你们的佛性就像种子,遇到了雨露滋养,都发芽生长。凡是继承我的宗旨的,必然会获得智慧;依照我的教导修行的,肯定能成就妙谛正果。听我再念一首偈语:

心地含诸种,普雨悉皆萌。
顿悟华情已,菩提果自成。"

大师念完了偈语,又说:"佛法没有二法,心也一样,它的本质是清净的,也没有各种表相。你们要谨慎,不要有意沉溺于静止和空无的境界,要知道,这颗心本来就是清净的,没有什么可取舍的。你们要各自努力上进,各随缘法,好自为之吧。"

当时众门徒听了以后,向大师行礼退下。

【导读】

- 督导建塔：大师在太极元年七月，让门徒们去新州的国恩寺建塔，并督促尽早完工。第二年夏末塔落成。
- 宣布圆寂：七月一日，大师宣布，自己八月就会圆寂，门徒若有疑问，趁早来问。
- 众徒哭泣：法海等门徒听后哭泣，唯有神会不动声色。
- 师赞神会：只有你达到了无善无不善、毁誉不惊、哀乐俱不动心的境界。
- 斥教众徒：我自知去处，故而相告。你们哭泣，是不知我的去处，还停留在生死来去的俗见上。
- 以偈解惑：我给你们念一首偈语，名叫《真假动静偈》，记诵这首偈语，就会和我心心相印，遵照它修行，就不会偏离本门的宗旨。
- 《真假动静偈》：

> 一切无有真，不以见于真；若见于真者，是见尽非真。
> 若能自有真，离假即心真；自心不离假，无真何处真。
> 有情即解动，无情即不动；若修不动行，同无情不动。
> 若觅真不动，动上有不动；不动是不动，无情无佛种。
> 能善分别相，第一义不动；但作如此见，即是真如用。
> 报诸学道人，努力须用意；莫于大乘门，却执生死智。
> 若言下相应，即共论佛义；若实不相应，合掌令欢喜。
> 此宗本无诤，诤即失道意；执逆诤法门，自性入生死。

- 众徒醒悟：听完六祖的《真假动静偈》，众徒醒悟，守心修行，不敢逆诤。
- 法海问传：知道大师不会久留世间，首座法海向大师叩问："和尚圆寂以后，衣钵教法将交付给什么人？"
- 六祖心传：六祖根据先祖达摩大师传授偈颂的要义和五祖弘忍大师的

嘱咐，不再传衣钵示正，对弟子说：因为你们已经信深心正，以《法宝坛经》传法即可。
- ❀ 授佛道法：首先要清净自心，通达一相三昧、一行三昧，可成佛道。
- ❀ 忠师必成：佛性是种，师言如雨，继承法旨，正果可成。
- ❀ 佛法不二：佛性自性，本自清净，不要愚昧地执着于静空。
- ❀ 众徒得旨：众门徒听了师父的嘱托，向师父行礼退下。

【赏析】

圆寂之考：大师修行功德圆满，自知何时去何处，故宣布八月圆寂。法海等门徒听后哭泣，唯有神会不动声色。于是，师赞神会：只有你达到了无善无不善、毁誉不惊、哀乐俱不动心的境界。又斥教众徒：我自知去处，故而相告。你们哭泣，是不知我的去处，还停留在生死来去的俗见上。

也许，大部分修行者只修今世，难修来世。故而法海等弟子，听到师父宣布圆寂的消息，悲痛不已，此为一解。师父用弟子的表态来开示弟子，这也是师父的教法，此为二解。法海等弟子听闻师父圆寂而悲痛，也属入境，只要事后不再著境，即是人佛两全，也是佛法真意，此为三解。神会表面上没有哭泣，心中多有悲痛，似乎比其他弟子多了一份功力。若是事后心如其表，当是功高一层，但缺了入境之妙。又有谁知道，这神会虽然当场未曾落泪，是否泪回自心，是否事后泪如雨下，未可知也，此为四解。

关键还是六祖去往何处。修行圆满者，跳出三界外，不在五行中，脱离生死轮回，无处不在，无所不有，不生不死，来无影，去无踪。这等圆满，也是弟子们难以体会的，故而俗道之痛，立现眼前。不过，经师父点化，众徒醒悟，也证明了这一心路历程吧！

以偈解惑：六祖给弟子们念了一首名叫《真假动静偈》的偈语，作为与师不分、法旨永在的纽带。

一切无有真，不以见于真；（**解**）站在真性看俗界，见到的只是假相。

若见于真者，是见尽非真。（**解**）若是俗界见到真，也就是全非真。

317

若能自有真，离假即心真；（**解**）若是领悟自性真，离假就是佛性。
自心不离假，无真何处真。（**解**）若是自迷不离假，外部怎能觅真。
有情即解动，无情即不动；（**解**）有情众生自能动，无情也非寂静；
若修不动行，同无情不动。（**解**）俗心若是修不动，自扮草木无功。
若觅真不动，动上有不动；（**解**）如能形动心不动，自是本性做主。
不动是不动，无情无佛种。（**解**）无情物固然不动，但是没有佛性。
能善分别相，第一义不动；（**解**）若能区分正邪相，方有悟道机缘。
若作如此见，即是真如用。（**解**）若是能够明白真，即能体悟佛功。
报诸学道人，努力须用意；（**解**）诸修习道法之人，必然努力信诚。
莫于大乘门，却执生死智。（**解**）你们已修大乘门，不可再迷生死。
若言下相应，即共论佛义；（**解**）说话彼此若投机，即可真议佛法。
若实不相应，合掌令欢喜。（**解**）若是彼此不相应，行礼让其欢喜。
此宗本无诤，诤即失道意；（**解**）本门并无俗争执，争执有违道性。
执逆诤法门，自性入生死。（**解**）如果固执去逆诤，自性生死轮回。

师父教徒弟，真是谆谆教诲啊！当时众门徒听了六祖的偈语后，都礼赞不已，体会了师父说的微言大义。

还问传承：从大师宣布未来圆寂的日子起，人们就开始关心他的衣钵传承。只是作为六祖的弟子，自然应该知道五祖传法衣钵的嘱托、后续出现的诸多争执和凶险。那么，问题就来了：作为六祖的首座弟子，法海为何还向大师叩问衣钵教法将交付何人呢？算了，还是不要妄加揣度，是也不是，不是也是。

六祖很耐心地回答了法海：一是讲经说法到今天，内容集录在《法宝坛经》中，你们要谨遵这部经典，依经修行，代代相传，度化众生。如此，就是正确的佛法。二是从达摩祖师到五祖，已经授意不再传授衣钵，你们信根稳固，可以担当弘法大任。

是啊，五祖已经意识到衣钵传承的弊病，故而嘱咐六祖传法不传衣，让人们的心从外在的衣钵转移到自心上，由外求法物转为内求自心。多么智慧啊！这也是以实际行动践行禅宗"以心印心"的独家法门。

成佛三昧：六祖大师又教育徒众如何成佛：一是要各自清净自己的心，二是认识上通达"一相三昧"，三是行动上"一行三昧"。如果能够在任何处境下，都不执着于表面现象，不对那种表面现象产生憎爱之情，也没有取此舍彼的倾向，不考虑利益得失，总是安闲宁静，超然淡泊，这就叫"一相三昧"。如果能在一切情况下，无论行、住、坐、卧都能保持一种纯洁正直的心境，那么你的心就是一个永恒的道场，是真正的净土世界，这就叫"一行三昧"。若是一个人具有这两种三昧，就像在土地中播下佛种，破土而出，必结善果。

六祖慈悲，弘法布道，种佛种，施天雨，唯愿众生丰收。

佛法清净：大师又提醒人们：佛法与心性都是清净的，不要乱往上堆东西。沉溺于静止与空无，又是俗心起念，又是净上添乱，毫无益处。随境起念，不论是非，只思真相。境有万千，人有万法，佛法唯一，正道一统。起念随境，境转念转，刻刻不沾，时时随走，当是自由心性，也是佛性真性。

【原文】

大师七月八日，忽谓门人曰："吾欲归新州，汝等速理舟楫。"

大众哀留甚坚。

师曰："诸佛出现，犹示涅槃，有来必去，理亦常然。吾此形骸，归必有所。"

众曰："师从此去，早晚可回？"

师曰："叶落归根，来时无口。"

又问曰："正法眼藏，传付何人？"

师曰："有道者得，无心者通。"

又问："后莫有难否？"

师曰："吾灭后五六年，当有一人来取吾首，听吾记曰：头上养亲，口里须餐；遇满之难，杨柳为官。"

又云："吾去七十年，有二菩萨，从东方来，一出家，一在家，同时兴化，建立吾宗，缔缉伽蓝，昌隆法嗣。"

问曰："未知从上佛祖应现已来，传授几代，愿垂开示。"

师云："古佛应世，已无数量，不可计也。今以七佛为始，过去庄严劫：毗婆尸佛、尸弃佛、毗舍浮佛，今贤劫：拘留孙佛、拘那含牟尼佛、迦叶佛、释迦文佛，是为七佛。以上七佛，今以释迦文佛首传。第一，摩诃迦叶尊者，第二，阿难尊者，第三，商那和修尊者，第四，优婆毱多尊者，第五，提多迦尊者，第六，弥遮迦尊者，第七，婆须蜜多尊者，第八，佛驮难提尊者，第九，伏驮蜜多尊者，第十，胁尊者，十一，富那夜奢尊者，十二，马鸣大士，十三，迦毗摩罗尊者，十四，龙树大士，十五，迦那提婆尊者，十六，罗睺罗多尊者，十七，僧伽难提尊者，十八，伽耶舍多尊者，十九，鸠摩罗多尊者，二十，阇耶多尊者，二十一，婆修盘头尊者，二十二，摩拏罗尊者，二十三，鹤勒那尊者，二十四，师子尊者，二十五，婆舍斯多尊者，二十六，不如蜜多尊者，二十七，般若多罗尊者，二十八，菩提达摩尊者，二十九，慧可大师，三十，僧璨大师，三十一，道信大师，三十二，弘忍大师，惠能是为三十三祖。从上诸祖，各有禀承。汝等向后，递代流传，毋令乖误。"

【关键字词】

[正法眼藏] 禅宗指全体佛法（正法）。朗照宇宙谓眼，包含万有谓藏。相传释迦牟尼以正法眼藏付与大弟子迦叶，是为禅宗初祖，这是佛教"以心传心"授法的开始。

[伽蓝] 梵语僧伽蓝摩之省略语，意为佛寺。

[庄严劫] 三世之三大劫中，过去之大劫，名庄严劫。

[贤劫] 现在之住劫，名为贤劫。现在之住劫二十增减中，有千佛出世，故名贤劫。

【释义】

七月八日,大师忽然对门徒们说:"我要回新州,你们赶快给我准备船只。"弟子们都苦苦哀求挽留。

大师说:"各代的佛出世,也都要显示涅槃,有来就有去,这是常理。我这一具形骸,也要回到应该去的所在了。"

众门徒问:"老师这一去,什么时候回来?"

大师说:"叶落归根,来时无口。"

徒众们又问:"大师的佛法,将传给谁?"

大师回答:"修得佛道的人会得到,修到不动心境界的人会通晓。"

众人又问:"大师圆寂后还会有劫难吗?"

大师回答:"我圆寂五六年以后,会有一个人来偷我的头。听惠能说预言:头上养亲,口里须餐;遇满之难,杨柳为官。"

大师又说:"我圆寂后七十年,会有两个菩萨,从东方来,一个出家,一个在家,同时兴起,光大我的宗门,大修庙宇伽蓝,使佛法昌盛兴隆。"

众门徒又问:"不知从最早的佛祖应世出现以来,到现在已经传了几代,请您指示。"

大师回答:"从远古以来,佛代代应世出现,已经多得不可胜数了。现在从七佛算起,在过去的庄严劫时,有毗婆尸佛、尸弃佛、毗舍浮佛,在现在的贤劫时有拘留孙佛、拘那含牟尼佛、迦叶佛、释迦文佛,这就是七佛。以上七佛,今以释迦文佛为首传。第一代是摩诃迦叶尊者,第二代是阿难尊者,第三代是商那和修尊者,第四代是优婆毱多尊者,第五代是提多迦尊者,第六代是弥遮迦尊者,第七代是婆须蜜多尊者,第八代是佛驮难提尊者,第九代是伏驮蜜多尊者,第十代是胁尊者,第十一代是富那夜奢尊者,第十二代是马鸣大士,第十三代是迦毗摩罗尊者,第十四代是龙树大士,第十五代是迦那提婆尊者,第十六代是罗睺罗多尊者,第十七代是僧迦难提尊者,第十八代是迦耶舍多尊者,第十九代是鸠摩罗多尊者,第二十代是阇耶多尊者,第二十一代是婆修盘头尊者,第二十二代是摩拏罗尊者，第二十三代是鹤勒那尊者，第二十四代是师子尊者，第二十五代是婆舍斯多尊者，第二十六代是不如蜜多尊者，第二十七代是般若多罗尊者，第二十八代是菩提达摩尊者，第二十九代是慧可大师，第三十代是僧璨大师，第三十一代是道信大师，第三十二代是弘忍大师，惠能是第三十三祖。以上各代祖师，各有师徒相承关系。你们往后也要代代相传，不要出差错和中断。"

【导读】

- 师回新州：七月八日，大师嘱咐门徒们备船，弟子们都苦苦哀求挽留。
- 六祖洒脱：各佛出世，都要涅槃，有来有去，这是常理。
- 问何时归：众徒盼师早点回来，六祖只说了一句"叶落归根，来时无口"。
- 佛法传谁：众徒又问佛法传谁的问题，六祖说，修得佛道的人得。
- 众问身后：众人问到大师身后事，大师预言有二，一是有人偷他的头，二是会有两个菩萨出世，光大宗门。
- 众问佛代：大师说，已经多得不可胜数。大师历数古代七佛、禅宗历代直至六祖三十三代。让众徒代代传承，不可中断。

【赏析】

　　有道者得：人们特别关心，六祖的法旨最后传授何人。这一问和"衣钵传何人"十分接近，只是变了一个说法。人们可能担心，若是没有明确的传人，传法会不会中断？法界会不会再起争端？实际上，六祖早已想明白这个事情了，将佛法看作衣钵，是俗众之迷。佛法在于自心领悟，无法从外部获得，要从自性觉悟上寻觅，方可获得。实际上，众生皆有佛性，佛法只是诸佛开示众生佛性的钥匙。若是只有钥匙，却找不到锁，或者找错了锁，钥匙和锁不匹配，钥匙没用，锁也不能开。这样一个简单的道理，为何众生难以彻底明白呢？原来，众生是拿着钥匙去开别人的锁，自家的锁却没打开，故而成为痴迷的流浪者，无家可归，有家难归，有家难进。

想想看，在现实中，有几个人遇到问题先问自己？若是别人对自己不好，又有几人认识到可能是咎由自取？人人张嘴说的都是自己正确的道理，有几个人敢于公开承认自己的错误，而不搪塞或者寻找客观理由？再好一点儿的，"捂着伤口看医生"，就是不让医生处理伤口，却还龇牙咧嘴地喊"大夫救我"。能够随时自我疗伤的人，已经是大修行者了。若是悟得大乘智慧，什么伤害，什么喜爱，什么怨恨，就都消失了，一切皆是佛，于是能成佛。

传了几代：六祖对弟子们说过，衣钵传到他那里是禅宗系统三十三代祖，在中国本土是六代祖。同时，也郑重交代和嘱托弟子们："从上诸祖，各有禀承。汝等向后，递代流传，毋令乖误。"六祖大师之后，禅宗分为五派，也就是常说的"一花五叶"，分别是法眼、云门、曹洞、沩仰、临济。据说，由于每派都各走各路，没有再合为一流，没有哪一支脉成为正统、具有绝对优势，也没有制定出代代相传的正规法统。所以五派不会公认一人为七祖。还有人说，五祖嘱咐六祖不要再传衣钵，可那"一花五叶"之后，只见枝叶的茂盛，却见不到树干的参天。是啊，没有了衣钵的争端，修法的氛围也变得自由开放，可禅宗的智慧大树呢？也有人开始调皮：当初就应该请求六祖预测七代、八代直至三十代、五十代祖的具体人选。也许，六祖早已超越了这些俗相；也许，冥冥之中已有安排；也许，真人不露相，心明自然知。哈哈，实际上，这都是俗人在说痴话，但却是对禅宗弘法兴盛的美好祝愿！笑话归笑话。实际上，禅宗传承宗谱记载得很清楚，至今已传全第四十七代。若是大部分人不知此情，倒是需要学禅修禅、弘法布道的长者们再花气力了。

【原文】

大师先天二年癸丑岁，八月初三日，于国恩寺斋罢，谓诸徒众曰："汝等各依位坐，吾与汝别。"

法海白言："和尚留何教法，令后代迷人得见佛性？"

师言："汝等谛听，后代迷人，若识众生，即是佛性。若不识众生，万劫觅佛难逢。吾今教汝识自心众生，见自心佛性。欲求见佛，但识众生，只为众生迷佛，非是佛迷众生。自性若悟，众生是佛；自性若迷，佛是众生。自性平等，众生是佛；自性邪险，佛是众生。汝等心若险曲，即佛在众生中；一念平直，即是众生成佛。我心自有佛，自佛是真佛，自若无佛心，何处求真佛？汝等自心是佛，更莫狐疑。外无一物而能建立，皆是本心生万种法。故经云：心生种种法生，心灭种种法灭。吾今留一偈，与汝等别，名《自性真佛偈》。后代之人识此偈意，自见本心，自成佛道。偈曰：

> 真如自性是真佛，邪见三毒是魔王。
> 邪迷之时魔在舍，正见之时佛在堂。
> 性中邪见三毒生，即是魔王来住舍。
> 正见自除三毒心，魔变成佛真无假。
> 法身报身及化身，三身本来是一身。
> 若向性中能自见，即是成佛菩提因。
> 本从化身生净性，净性常在化身中。
> 性使化身行正道，当来圆满真无穷。
> 淫性本是净性因，除淫即是净性身。
> 性中各自离五欲，见性刹那即是真。
> 今生若遇顿教门，忽遇自性见世尊。
> 若欲修行觅作佛，不知何处拟求真？
> 若能心中自见真，有真即是成佛因。
> 不见自性外觅佛，起心总是大痴人。
> 顿教法门已今留，救度世人须自修。
> 报汝当来学道者，不作此见大悠悠。"

师说偈已，告曰："汝等好住。吾灭度后，莫作世情悲泣雨泪，受人吊问，身着孝服，非吾弟子，亦非正法。但识自本心，见自本性，无动无静，无生无灭，无去无来，无是无非，无住无往。恐汝等心迷，

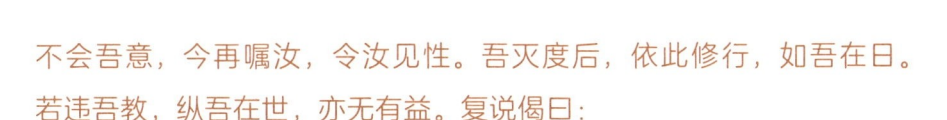

不会吾意，今再嘱汝，令汝见性。吾灭度后，依此修行，如吾在日。若违吾教，纵吾在世，亦无有益。复说偈曰：

　　兀兀不修善，腾腾不造恶。
　　寂寂断见闻，荡荡心无著。"

师说偈已，端坐至三更，忽谓门人曰："吾行矣！"奄然迁化。于时异香满室，白虹属地，林木变白，禽兽哀鸣。

【关键字词】

[先天二年]"先天"是唐玄宗年号，先天二年是公元713年（同年改元开元，故也是开元元年），这一年是癸丑年。

【释义】

先天二年，岁在癸丑，八月初三，大师在国恩寺吃完斋饭后，对各位徒弟说："你们各自依次序坐好，我要与你们永别了。"

法海说："和尚留下什么教法，让后代迷惑的人可以明白佛性呢？"

大师回答："你们仔细听着，后代的迷惑不悟之人，如果能够认识到众生是什么，就能明白佛性。如果不能认识到众生是什么，那么即使经历千万劫数，也难以寻觅到佛性。我现在就教你们认识自己心中的众生，明白自己心中的佛性。要想求得佛性，只有认识众生。因为是众生难以认识佛，不是佛不认识众生。自己的本性如果觉悟，众生就是佛；自己的本性如果迷惑，佛也是众生。自己的本性如果是公正平等的，众生就是佛；自己的本性如果是邪恶险诈的，佛也是众生。你们如果心存险诈曲折，即使已经成佛，也会立刻变成众生；如果有一个念头公平正直，在产生这个念头时，你就从众生变成了佛。我的心中本来有佛性，自己心中的佛才是真正的佛，自己如果没有佛心，又到哪里去求真正的佛呢？你们自己的心就是佛，对此不要再有丝毫怀疑。外界没有一件事物是真正能建立的，都是自己的本心产生千万种法相。所以经文上说：ّ心生种种法生，心灭种种法灭。'我现在留下一首偈语向你们告别，叫作《自性真佛偈》，后代的人若能懂得这首偈语的意思，自然就能认知自己的本心、成就佛道了。偈语是：

> 真如自性是真佛，邪见三毒是魔王。
> 邪迷之时魔在舍，正见之时佛在堂。
> 性中邪见三毒生，即是魔王来住舍。
> 正见自除三毒心，魔变成佛真无假。
> 法身报身及化身，三身本来是一身。
> 若向性中能自见，即是成佛菩提因。
> 本从化身生净性，净性常在化身中。
> 性使化身行正道，当来圆满真无穷。
> 淫性本是净性因，除淫即是净性身。
> 性中各自离五欲，见性刹那即是真。
> 今生若遇顿教门，忽遇自性见世尊。
> 若欲修行觅作佛，不知何处拟求真？
> 若能心中自见真，有真即是成佛因。
> 不见自性外觅佛，起心总是大痴人。
> 顿教法门已今留，救度世人须自修。
> 报汝当来学道者，不作此见大悠悠。"

大师念完偈语，告诉大家："你们好好珍重吧。我圆寂以后，不要像世俗常情那样悲哀哭泣、泪如雨下。如果接受别人的吊唁，身上披麻戴孝，那就不是我的徒弟，也不符合真正的佛法。只要认知自己的本心，发现自己的本性，那就达到了既无动也无静，既无生也无灭，既无去也无来，既无是也无非，既无住也无往。恐怕你们心中迷惑，不懂我的意思，现在我再次嘱咐你们，让你们认知自己的本性。我圆寂以后，照此修行，就像我在的时候一样。如果你们违背我的教诲，即使我还在世，那也没有益处。最后再说一首偈语：

> 兀兀不修善，腾腾不造恶。
>
> 寂寂断见闻，荡荡心无著。"

　　大师说完偈语，端坐到三更天，忽然对门人说："我走了！"然后奄然逝去。当时屋内忽然充满香气，有一道白虹从天上贯到地下，照得树林里一片洁白，满山的飞鸟和走兽都哀叫着为大师送行。

【导读】

- 六祖告别：先天二年八月初三，大师在国恩寺吃完斋饭，欲与众弟子告别。
- 法海终问：师父有什么教法，可让后代迷惑的人明白佛性呢？
- 大师回答：迷惑之人，能够认识众生，就能明白佛性。本性觉悟了，众生就是佛；本性迷惑，佛也是众生。本性若是公正平等的，众生就是佛；本性如果是邪恶险诈的，佛也是众生。你如果心存险诈曲折，即使已经成佛也会立刻变成众生；如果有一个念头公平正直，念起之时就从众生变成了佛。我的心中本来有佛性，自己心中的佛才是真正的佛，自己如果没有佛心，又到哪里去求真正的佛呢？自心产生千万种法相。
- 告别偈语：大师诵《自性真佛偈》，跟众徒告别。
- 六祖再嘱：自我珍重，后事佛办，再言本性。
- 最后偈语：兀兀不修善，腾腾不造恶。寂寂断见闻，荡荡心无著。
- 三更圆寂：大师说完偈语，端坐到三更天，忽然对门人说："我走了！"然后奄然逝去。
- 大坝异象：当时屋内忽然充满香气，一道白虹从天上贯到地下，照得树林里一片洁白，满山的飞鸟和走兽都哀叫着为大师送行。

【赏析】

　　法海终问：大师召集众徒，吃过斋饭后，与大家告别。此时此刻，首座弟子法海又提出一个问题：师父留何教法，能令后代迷人得见佛性呢？一般人多半会这样想。这都什么时候了，怎么还问问题？六祖讲得还不够明白吗？况且，法海是六祖的首座大弟子啊！实际上，师徒之心，非一般人能知。最伤心、最留恋师父的也是法海。弟子不愿让师父走啊，总想师父多留一会儿，总想再听师父开示，听不够啊！只要师父答应开示，就不会走！哪怕一分一秒也好，可怜天下师徒心！

众生即佛："后代迷人，若识众生，即是佛性。若不识众生，万劫觅佛难逢。自性若悟，众生是佛；自性若迷，佛是众生。自性平等，众生是佛；自性邪险，佛是众生。汝等心若险曲，即佛在众生中；一念平直，即是众生成佛。我心自有佛，自佛是真佛，自若无佛心，何处求真佛？汝等自心是佛，更莫狐疑。"

六祖这段话，将禅宗的核心思想又做了一次概括：一是自心觉即是佛，自心迷即是众生。二是心外无佛，自佛是真佛。三是一旦觉悟，就被万佛包围，那都是你自己觉悟的自心。

再看现实中，许多学佛的人只会口头念诵经文，只会顶礼膜拜，心却无法与祖师对接。心中有愿，身上无行。口中说着一套，心中想着一套，行动是另外一套。唯独不想祖师谨遵教诲，学佛要做佛！

告别偈语：六祖临终，又为众生留一偈语，名叫《自性真佛偈》。六祖说，后人若能识此偈意，自见本心，自成佛道。偈曰：

> 真如自性是真佛，邪见三毒是魔王。
> 邪迷之时魔在舍，正见之时佛在堂。
> 性中邪见三毒生，即是魔王来住舍。
> 正见自除三毒心，魔变成佛真无假。
> 法身报身及化身，三身本来是一身。
> 若向性中能自见，即是成佛菩提因。
> 本从化身生净性，净性常在化身中。
> 性使化身行正道，当来圆满真无穷。
> 淫性本是净性因，除淫即是净性身。
> 性中各自离五欲，见性刹那即是真。

> 今生若遇顿教门，忽遇自性见世尊。
> 若欲修行觅作佛，不知何处拟求真。
> 若能心中自见真，有真即是成佛因。
> 不见自性外觅佛，起心总是大痴人。
> 顿教法门已今留，救度世人须自修。
> 报汝当来学道者，不作此见大悠悠。

学到这里，不用再做解释了吧？仔细读几遍，平时多念，自性真佛就会显现。

圆寂天象：大师最后嘱托弟子们："汝等好住。吾灭度后，莫作世情悲泣雨泪，受人吊问，身着孝服，非吾弟子，亦非正法。但识自本心，见自本性，无动无静，无生无灭，无去无来，无是无非，无住无往。恐汝等心迷，不会吾意，今再嘱汝，令汝见性。吾灭度后，依此修行，如吾在日。若违吾教，纵吾在世，亦无有益。"为了劝说弟子们，大师又说一偈，算是六祖终偈：兀兀不修善，腾腾不造恶。寂寂断见闻，荡荡心无著。

祖师说完偈语，端坐至三更，对门人说："我走了！"其时，满室异香，白虹属地，林木变白，禽兽哀鸣。

一代祖师，历经坎坷，屡历风险，频现神迹，度人无数，留下宝典，泽被万世。顶礼祖师！顶礼祖师！顶礼祖师！

【原文】

十一月，广、韶、新三郡官僚，洎门人僧俗，争迎真身，莫决所之。乃焚香祷曰："香烟指处，师所归焉。"时香烟直贯曹溪。

十一月十三日，迁神龛并所传衣钵而回。

次年七月二十五日出龛，弟子方辩以香泥上之。门人忆念取首之记，遂先以铁叶漆布，固护师颈入塔。忽于塔内白光出现，直上冲天，三日始散。

韶州奏闻，奉敕立碑，纪师道行。

坛经心读：品真性妙美

　　师春秋七十有六，年二十四传衣，三十九祝发，说法利生，三十七载。得旨嗣法者，四十三人。悟道超凡者，莫知其数。达摩所传信衣，中宗赐磨衲宝钵，及方辩塑师真相，并道具等，永镇宝林道场。留传《坛经》，以显宗旨，兴隆三宝，普利群生者。

【关键字词】

[祝发] 剃发出家。

【释义】

　　十一月，广州、韶州、新州三郡的官员僚属，以及门徒和僧俗两界的许多人，争着要把大师的真身迎回本地，难以决定。于是大家焚香祈祷说："香烟飘动指向的地方，就是大师愿意归去的所在。"当时香烟直接指向曹溪方向。

　　十一月十三日，把装有大师遗体的神龛和大师留下的衣钵等物迁回曹溪。

　　第二年七月二十五日，把大师遗体从神龛中请出，弟子方辩用香泥涂抹。门徒们想起大师曾有头颅将被偷走的预言，就先用铁做的叶片和油漆了的布，把大师的头颅包裹好，再送入佛塔。当时塔内忽然有白光出现，从塔内直接冲到天上，过了三天才消失。

　　韶州的地方官向朝廷上表奏闻，接到圣旨为大师立碑，以纪念大师的生平道行。

　　大师在世七十六年，二十四岁时得到弘忍大师传授衣钵，三十九岁时正式落发出家，宣讲佛法、普度众生，一共三十七年。得到大师真传并继承下来的弟子，一共四十三人。受大师影响而领悟佛道、解脱生死的人，不计其数。达摩大师留传下来的袈裟，唐中宗赏赐的磨衲袈裟和水晶钵盂，以及方辩大师塑造的大师像，还有大师用过的法物等，是宝林寺道场的镇塔之宝。大师留下《坛经》，以彰显顿教的根本宗旨。这都是让佛、法、僧三宝永远兴隆，使众生永远受益的伟大贡献。

付嘱品第十

【顶礼】

香飘曹溪：十一月，众僧俗争迎六祖真身。众人真诚迎奉，如何选择呢？最后决定焚香定向："香烟指处，师所归焉。"结果，香烟直贯曹溪。十一月十三日迁神龛，并将大师所传衣钵送回曹溪。

铁叶护颈：次年七月二十五日出龛，弟子方辩以香泥上之。门人忆起六祖生前说到有人会来取他的头颅，于是以铁叶漆布固护师颈后入塔。忽于塔内出现白光，直上冲天，三日始散。韶州官吏向朝廷奏请，奉诏为祖师立碑，以纪念祖师的道行。

大师简史：六祖在世七十六年，二十四岁时得到弘忍大师传授衣钵，三十九岁时正式落发出家，宣讲佛法、普度众生，一共三十七年。得到大师真传并继承下来的弟子，一共四十三人。受大师影响而领悟佛道、解脱生死的人，不计其数。达摩大师留传下来的袈裟，唐中宗赏赐的磨衲袈裟和水晶钵盂，以及方辩大师塑造的大师像，还有大师用过的法物等，都是宝林寺道场的镇塔之宝。大师留下《坛经》，以彰显顿教的根本宗旨。这都是让佛、法、僧三宝永远兴隆，使众生永远、受益的伟大贡献。

经典名言

❈ 吾今教汝说法，不失本宗。先须举三科法门，动用三十六对，出没即离两边，说一切法，莫离自性。忽有人问汝法，出语尽双，皆取对法，来去相因。究竟二法尽除，更无去处。

❈ 三科法门者，阴、界、入也。阴是五阴，色、受、想、行、识是也。入是十二入，外六尘：色、声、香、味、触、法；内六门：眼、耳、鼻、舌、身、意是也。界是十八界，六尘、六门、六识是也。

❈ 自性能含万法，名含藏识。

❈ 若起思量，即是转识。生六识，出六门，见六尘，如是一十八界，皆从自性起用。

- 自性若邪，起十八邪；自性若正，起十八正。若恶用即众生用，善用即佛用。用由何等？由自性有。

- 对法外境，无情五对：天与地对，日与月对，明与暗对，阴与阳对，水与火对，此是五对也。

- 法相语言十二对：语与法对，有与无对，有色与无色对，有相与无相对，有漏与无漏对，色与空对，动与静对，清与浊对，凡与圣对，僧与俗对，老与少对，大与小对，此是十二对也。

- 自性起用十九对：长与短对，邪与正对，痴与慧对，愚与智对，乱与定对，慈与毒对，戒与非对，直与曲对，实与虚对，险与平对，烦恼与菩提对，常与无常对，悲与害对，喜与嗔对，舍与悭对，进与退对，生与灭对，法身与色身对，化身与报身对，此是十九对也。

- 此三十六对法，若解用，即道贯一切经法，出入即离两边。

- 自性动用，共人言语，外于相离相，内于空离空。

- 若全著相，即长邪见；若全执空，即长无明。

- 执空之人有谤经，直言不用文字。既云不用文字，人亦不合语言。只此语言，便是文字之相。

- 又云：直道不立文字。即此"不立"两字，亦是文字。

- 若著相于外，而作法求真；或广立道场，说有无之过患；如是之人，累劫不可见性。

- 若有人问汝义，问有将无对，问无将有对，问凡以圣对，问圣以凡对，二道相因，生中道义。如一问一对，余问一依此作，即不失理也。

- 何名为暗？答云：明是因，暗是缘，明没则暗，以明显暗，以暗显明，来去相因，成中道义。余问悉皆如此。

- 师云："神会小师，却得善不善等，毁誉不动，哀乐不生。余者不得，数年山中，竟修何道？汝今悲泣，为忧阿谁？"

- 若忧吾不知去处，吾自知去处。若吾不知去处，终不预报于汝。

付嘱品第十

◎ 汝等悲泣,盖为不知吾去处;若知吾去处,即不合悲泣。法性本无生灭去来。

◎ 偈曰《真假动静偈》:

> 一切无有真,不以见于真;若见于真者,是见尽非真。
> 若能自有真,离假即心真;自心不离假,无真何处真。
> 有情即解动,无情即不动;若修不动行,同无情不动。
> 若觅真不动,动上有不动;不动是不动,无情无佛种。
> 能善分别相,第一义不动;但作如此见,即是真如用。
> 报诸学道人,努力须用意;莫于大乘门,却执生死智。
> 若言下相应,即共论佛义;若实不相应,合掌令欢喜。
> 此宗本无诤,诤即失道意;执逆诤法门,自性入生死。

◎ 师曰:"吾于大梵寺说法,以至于今,抄录流行,目曰《法宝坛经》。汝等守护,递相传授,度诸群生。但依此说,是名正法。"

◎ 今为汝等说法,不付其衣。

◎ 偈曰:吾本来兹土,传法救迷情;一华开五叶,结果自然成。

◎ 若欲成就种智,须达一相三昧,一行三昧。

◎ 若于一切处而不住相,于彼相中不生憎爱,亦无取舍,不念利益成坏等事,安闲恬静,虚融澹泊,此名一相三昧。

◎ 若于一切处,行住坐卧,纯一直心,不动道场,真成净土,此名一行三昧。

◎ 我今说法,犹如时雨,普润大地。汝等佛性,譬诸种子,遇兹沾洽,悉皆发生。承吾旨者,决获菩提;依吾行者,定证妙果。

◎ 偈曰:

> 心地含诸种,普雨悉皆萌。
> 顿悟华情已,菩提果自成。

坛经心读：品真性妙美

- 师曰：其法无二，其心亦然。其道清净，亦无诸相。
- 汝等慎勿观静，及空其心，此心本净，无可取舍。各自努力，随缘好去。
- 问曰："正法眼藏，传付何人？"师曰："有道者得，无心者通。"
- 汝等谛听，后代迷人，若识众生，即是佛性。若不识众生，万劫觅佛难逢。
- 吾今教汝识自心众生，见自心佛性。欲求见佛，但识众生，只为众生迷佛，非是佛迷众生。
- 自性若悟，众生是佛；自性若迷，佛是众生。
- 自性平等，众生是佛；自性邪险，佛是众生。
- 汝等心若险曲，即佛在众生中；一念平直，即是众生成佛。
- 我心自有佛，自佛是真佛，自若无佛心，何处求真佛？
- 外无一物而能建立，皆是本心生万种法。
- 《自性真佛偈》：

> 真如自性是真佛，邪见三毒是魔王。
> 邪迷之时魔在舍，正见之时佛在堂。
> 性中邪见三毒生，即是魔王来住舍。
> 正见自除三毒心，魔变成佛真无假。
> 法身报身及化身，三身本来是一身。
> 若向性中能自见，即是成佛菩提因。
> 本从化身生净性，净性常在化身中。
> 性使化身行正道，当来圆满真无穷。
> 淫性本是净性因，除淫即是净性身。
> 性中各自离五欲，见性刹那即是真。
> 今生若遇顿教门，忽遇自性见世尊。
> 若欲修行觅作佛，不知何处拟求真？
> 若能心中自见真，有真即是成佛因。

不见自性外觅佛，起心总是大痴人。

顿教法门已今留，救度世人须自修。

报汝当来学道者，不作此见大悠悠。

❀ 吾灭度后，莫作世情悲泣雨泪，受人吊问，身着孝服，非吾弟子，亦非正法。但识自本心，见自本性，无动无静，无生无灭，无去无来，无是无非，无住无往。恐汝等心迷，不会吾意，今再嘱汝，令汝见性。吾灭度后，依此修行，如吾在日。若违吾教，纵吾在世，亦无有益。

核心理论

传法要旨

【缘起】

本品是六祖圆寂前，对禅宗思想与传法的精炼与总结。

【审心】

大部分人，可能都以为自己不会涉及传法之事，因为传法都是祖师们的事。

但许多人此生必然涉及与祖师传法类似的事，比如给部下训话，教育学生，指导孩子，等等。

祖师传法，可以给我们什么样的启示呢？

【真意】

六祖这样叮嘱：吾今教汝说法，不失本宗。先须举三科法门，动用三十六对，出没即离两边，说一切法，莫离自性。忽有人问汝法，出语尽双，皆取对法，来去相因。究竟二法尽除，更无去处。

祖师叮嘱弟子，讲授佛法时有这样几个要点：一是先讲三科法门，二是运用三十六相对法，三是一切法门不离自性。

先讲"三科法门"：三科法门者，阴、界、入也。阴是五阴，色、受、想、行、识是也。入是十二入，外六尘指色、声、香、味、触、法；内六门指眼、耳、鼻、舌、身、意。界是十八界，六尘、六门、六识是也。这"三科法门"是生命与世界的交通渠道，也是心与外界的通道。明白人与世界的通道，就能知道心性的作用原理。

再讲"三十六相对法"：外界无情有"五对"：天与地相对，日与月相对，明与暗相对，阴与阳相对，水与火相对。现象语言有"十二对"：语与法对，有与无对，有色与无色对，有相与无相对，有漏与无漏对，色与空对，动与静对，清与浊对，凡与圣对，僧与俗对，老与少对，大与小对。自性起用"十九对"：长与短对，邪与正对，痴与慧对，愚与智对，乱与定对，慈与毒对，戒与非对，直与曲对，实与虚对，险与平对，烦恼与菩提对，常与无常对，悲与害对，喜与嗔对，舍与悭对，进与退对，生与灭对，法身与色身对，化身与报身对。这"三十六相对法"是对治世间心迷的最精简的方法，不管对方启用其中任何一方，都有另一方对治，这也是六祖在传法过程中一直使用的方法。

当然，这一切法门都最终落脚在自性上，也就是说，前面讲心与世界的通道，再讲心迷时落入"二"的状态与对治的方法，根本目的和核心都在于是否离自性，都是为了最终明心见性。

【境界】

六祖传给弟子们半生传法的心得与经验总结，也是祖师最宝贵的财富之一。

六祖传法的三个要点，也给我们红尘中人一些重要的启示：

首先，遇事先要寻找原因，不要只是就事论事。

其次，针对已经产生的问题，用其反面对治，不要只站一边，用另一边来平衡它。站在相对法的一边，也是为了消除另外一边的偏见。

最终，要引导到自性的方向与根源上来，这是落脚点。若是没有落脚点，就变成了纯粹语言的论辩，就不是开启自性了。

我们若是能够领悟这个法门，就能在生活中处处运用：比如，听到别人跟你说一个观点，你可以问他的信息来源。若是他的信息来源值得质疑或者应被否定，那他的观点不攻自破，也就不必再去攻击。再比如，别人告诉你一个很开心或者很生气的事，你可以在询问信息来源后，告诉他关于此事的来自不同信息源的另一个不同性质的信息。于是，两种信息渠道、两种不同性质的互相冲突的信息就会被混在一起，他依赖自己的渠道获取信息所产生的欣喜，就会变成冷静，恼怒就会变成释然。若是再深入一层，你可以帮他分析他自己内在认知模式的缺陷和由此导致的危害，他的内心就会自动涌出许多经历过的事，也许就能了解自心的运作方式，进而明白和觉悟。

对别人如此，对自己也如此。我们可以借助这样思维模式来观察自己、调整自己、提升自己，直至彻底觉悟。

三昧智慧

【缘起】

"三昧"是佛学中一个重要概念，也是修行的一个重要境界。六祖为弟子们开示"一相三昧"和"一行三昧"的智慧。

【审心】

在红尘中生活的人，多半会事事着相，因为着相而生出相应的爱憎情绪。这我们经常能感受到吧！

我们对生活中的人和事，总有取舍或选择，当然，会选择对自己好的，远离对自己不好的。可是，我们并不知道这些人和事背后的真相，所以选择在很多时候都是错的呀！

正因为有了上述这些心理活动，我们无法做到安闲恬静和虚融淡泊，而是常常处在焦急、焦虑和烦躁不安的状态。这样的生活当然很煎熬！

不修行的人，又有几个会在一切地方、一切事上，不管行走坐卧，只留一个直心，凡事凡人都不能摇动自心呢？若是时时、处处、事事都会心烦意乱，生活真的就很没意思了！

【真意】

六祖给弟子们讲述了"一相三昧"和"一行三昧"的智慧：

于一切处而不着相，于彼相中不生憎爱，亦无取舍，不念利益成坏等事，安闲恬静，虚融澹泊，此名一相三昧。

若于一切处，行住坐卧，纯一直心，不动道场，真成净土，此名一行三昧。

【境界】

若能修得"一相三昧"和"一行三昧"的智慧，人就能处处、事事、时时不再着相，也不会再产生两极化的情绪，也就能让自心安闲恬静，身心安舒，这是多么幸福的人生啊！

"三昧智慧"是修行觉悟的一个境界，也是十分美好的人生境界！

真假动静

【缘起】

这也是六祖在运用禅宗智慧，解读红尘中的种种错误，给出对治的方法。

【审心】

我们是不是很容易信以为真？会有人想一切都是假的吗？会有人想过真的都在心里吗？

烦躁令人苦恼，打坐可以不动，但这种不动，又与那些不会自己动的石头、树木有何区别？若是修得如同枯木顽石，此生还能成佛吗？

我们似乎能分辨善恶，但能够分清自己心中的正邪吗？你是在正念驱动下还是在邪念驱动下？你认为的正，是真的正吗？

如果你修行学佛，追求大乘智慧，你还怕死吗？你还求长生吗？

遇到与你意见不同的人，你是跟他们争论，还是知趣转移话题，让大家都欢喜呢？

你和同门师兄弟会互相争执吗？你们会争名夺利吗？若是如此，你还是修行者吗？你的修行有什么希望吗？

【真意】

一切无有真，不以见于真；若见于真者，是见尽非真。

若能自有真，离假即心真；自心不离假，无真何处真。

有情即解动，无情即不动；若修不动行，同无情不动。

若觅真不动，动上有不动；不动是不动，无情无佛种。

能善分别相，第一义不动；但作如此见，即是真如用。

报诸学道人，努力须用意；莫于大乘门，却执生死智。

若言下相应，即共论佛义；若实不相应，合掌令欢喜。

此宗本无诤，诤即失道意；执逆诤法门，自性入生死。

【境界】

在临终时刻，六祖依然在谆谆教导弟子们如何看待世界，如何修行自己，如何对待红尘中、同门中各种各样的人。

修好自己，就要用正道法门，避免误入邪道、外道。

对待周围的人，也要运用修行的准则，做个有修养的人，避免无谓的争执和矛盾。

是啊，修行就是要让自己内心快乐，要让遇到的各种各样的人都快乐啊！

众生即佛

【缘起】

我们都是众生，我们在修佛，可众生与佛的关系，我们还难以搞清楚。于是，六祖为大家开示。

【审心】

众生是众生，佛是佛，怎么会"众生是佛"呢？

众生若是佛，世间还会有那么多问题吗？

这又是祖师说的，这个道理到底怎么理解呢？

【真意】

修行者刚开始都是一般的众生，众生能够修成佛吗？

对此疑问，六祖为众信众开示：

本性觉悟了，众生就是佛；

本性迷惑了，佛也是众生。

本性若是公正平等的，众生就是佛；

本性如果是邪恶险诈的，佛也是众生。

你如果心存险诈曲折，即使已经成佛，也会立刻变成众生；

如果有一个念头公平正直，念起之时，就从众生变成了佛。

我的心中本来有佛性，自己心中的佛才是真正的佛。

自己如果没有佛心，又到哪里去求真正的佛呢？

> 真如自性是真佛，邪见三毒是魔王。
> 邪迷之时魔在舍，正见之时佛在堂。
> 性中邪见三毒生，即是魔王来住舍。
> 正见自除三毒心，魔变成佛真无假。
> 法身报身及化身，三身本来是一身。
> 若向性中能自见，即是成佛菩提因。
> 本从化身生净性，净性常在化身中。
> 性使化身行正道，当来圆满真无穷。
> 淫性本是净性因，除淫即是净性身。
> 性中各自离五欲，见性刹那即是真。
> 今生若遇顿教门，忽遇自性见世尊。

若欲修行觅作佛，不知何处拟求真？

若能心中自见真，有真即是成佛因。

不见自性外觅佛，起心总是大痴人。

顿教法门已今留，救度世人须自修。

报汝当来学道者，不作此见大悠悠。

【境界】

通过祖师的开示，我们终于明白：

佛不是神灵，是人修行好了、觉悟了而呈现出的那种美妙的生命状态。

因此，普通人通过修行是可以成佛的！

通过怎样的修行才能成佛呢？六祖告诉我们：是觉悟还是迷惑，是公正慈悲还是阴险狡诈，这是衡量俗人与佛的关键指标！

看来，是俗人还是成佛，只在一念间：善与恶、正与邪、公与私、爱与恨，等等。心中由纯正至善之念主宰时，你就是佛！若是心中出现邪念，你就是俗人！

也许，不少人此生已经来回折腾了无数遍，有时善良，有时邪恶，有时爱，有时恨，有时正直，有时阴险，等等。为何会来回折腾呢？成佛的人也是这样的吗？

成佛的人当然不会像俗人那样来回折腾，因为他们心中只有一个善念而且永恒不变。这就是功夫！

为何成佛的人信念那般坚定？我们俗人为什么很难达到他们的境界呢？

成佛的人，爱得没有条件，爱得有智慧，爱得不要回报，爱得没有了恨，也就是达到了真爱的高度。你能做到吗？

一般的人，爱得有条件，个人认为值得爱的才去爱；爱得没有智慧，只是按照自己的想法和习惯去做，无法真正深入对方的内心；俗人的爱是要回报的。你看，说到这里，终于露出了马脚，原来这爱中掺杂着很多见不得人的私心，丑恶终于现出原形。到了此时此刻，你还以为自己心中的爱是真的吗？

至此，我们也就清楚了，之所以很多人没有成佛，是因为心被邪恶的力量主宰着，而且这种邪恶力量极具危险性，因为它被我们自己保护着——我们要么认为那样也有道理；要么认为责任不在自己；要么认为许多人都这样，不用太苛求自己；要么根本不知道这样做，会给生命带来多么巨大的危害；要么不知道如何解除这种邪恶力量的武装；要么不能坚持，时断时续……

当然，有的人会说，我就是这样，怎么办呢？我也不懂该如何去做啊！

实际上，我们生来就什么都会做吗？大部分事情不都是后天学的吗？修行也是。发弘愿、皈依、拜师、做功课、请教、忏悔改过、破解邪恶的内在程序、创造正义萌发的条件。如此这般，成佛指日可待。

至此，我们应该知道自己为什么是众生而不是佛了吧？

若是真正懂得了，离成佛也就不远了！

本品总评

这一品，主要是说六祖在涅槃前对门人弟子的嘱咐，也是对后人的嘱咐，以及六祖暗示后人的几个预言偈语。

六祖强调：法无定法，不要把"三十六对法"学成死法。对此，六祖可谓苦口婆心、不厌其烦、诲人不倦，唯一目的就是为众徒和有缘的修行者与俗众破除执着。乱与定，邪与正等三十六对，都是境相上的各种对立两边，就是边见，边见就是邪见。六祖开示学人，要明白这相互对立的两边，来去相因，不著任何一边，才是中道，而中道也不立，才是无所住，才是清净自性本体。正如六祖所说：究竟二法尽除，更无去处。六祖大师又讲了成佛的"两种三昧",也就是"一相三昧"与"一行三昧"。六祖开示弟子自心众生与佛性的关系:"若识众生,即是佛性。若不识众生,万劫觅佛难逢。"这里的众生,指的就是自心众生,而自心众生就是习气,就是无明,就是烦恼,概括地说就是贪嗔痴"三毒"。达摩祖师说:若能返照,了了见贪嗔痴性即是佛性,贪嗔痴外更无别有佛性。经云:诸佛从本来,常处于三毒,长养于白法,而成于世尊。又说:诸佛以无明为父,贪爱为母。由此可知,贪嗔痴"三毒"之性,也就是各种无明烦恼与习气,也就是佛性。所以,禅宗很多大德开示学人的时候都在讲,要在起心动念处下手。这里的起心动念,就是贪、嗔、痴"三毒"生起之时,让你在起心动念处下手,就是要你用智慧觉察观照你所生出的各种邪念,邪来正度。这样,你的贪嗔痴"三毒"就会在当下转为三聚净戒(三聚净戒是总括大乘菩萨一切戒律的三个分类,即摄律仪戒、摄善法戒、摄众生戒),你才能真正体会到烦恼即菩提、众生即佛的道理!

《坛经》偈颂集锦

一

【出处】行由品第一
【名称】无相偈
【求法者】五祖门徒
【神秀偈语】

> 身是菩提树,
> 心如明镜台。
> 时时勤拂拭,
> 勿使惹尘埃。

【惠能对偈】

> 菩提本无树,
> 明镜亦非台。
> 本来无一物,
> 何处惹尘埃。

【五祖弘忍偈语】

> 有情来下种,
> 因地果还生。
> 无情既无种,
> 无性亦无生。

二

【**出处**】般若品第二

【**名称**】无相颂

【**求法者**】韦使君请益。在家出家,但依此修。

【**六祖偈语**】

说通及心通,如日处虚空。
唯传见性法,出世破邪宗。
法即无顿渐,迷悟有迟疾。
只此见性门,愚人不可悉。
说即虽万般,合理还归一。
烦恼暗宅中,常须生慧日。
邪来烦恼至,正来烦恼除。
邪正俱不用,清净至无余。
菩提本自性,起心即是妄。
净心在妄中,但正无三障。
世人若修道,一切尽不妨。
常自见己过,与道即相当。
色类自有道,各不相妨恼。
离道别觅道,终身不见道。
波波度一生,到头还自懊。
欲得见真道,行正即是道。
自若无道心,暗行不见道。
若真修道人,不见世间过。
若见他人非,自非却是左。
他非我不非,我非自有过。
但自却非心,打除烦恼破。

憎爱不关心，长伸两脚卧。
欲拟化他人，自须有方便。
勿令彼有疑，即是自性现。
佛法在世间，不离世间觉。
离世觅菩提，恰如求兔角。
正见名出世，邪见名世间。
邪正尽打却，菩提性宛然。
此颂是顿教，亦名大法船。
迷闻经累劫，悟则刹那间。

三

【出处】疑问品第三

【名称】无相颂

【求法者】韦使君请益：在家如何修行？

【六祖偈语】

心平何劳持戒？行直何用修禅？
恩则孝养父母，义则上下相怜。
让则尊卑和睦，忍则众恶无喧。
若能钻木取火，淤泥定生红莲。
苦口的是良药，逆耳必是忠言。
改过必生智慧，护短心内非贤。
日用常行饶益，成道非由施钱。
菩提只向心觅，何劳向外求玄？
听说依此修行，天堂只在目前。

四

【出处】忏悔品第六
【名称】无相颂
【求法者】大众
【六祖偈语】

迷人修福不修道，只言修福便是道。
布施供养福无边，心中三恶元来造。
拟将修福欲灭罪，后世得福罪还在。
但向心中除罪缘，各自性中真忏悔。
忽悟大乘真忏悔，除邪行正即无罪。
学道常于自性观，即与诸佛同一类。
吾祖唯传此顿法，普愿见性同一体。
若欲当来觅法身，离诸法相心中洗。
努力自见莫悠悠，后念忽绝一世休。
若悟大乘得见性，虔恭合掌至心求。

五

【出处】机缘品第七
【名称】即心即佛偈
【求法者】法海
【六祖偈语】

即心名慧，即佛乃定。
定慧等持，意中清净。
悟此法门，由汝习性。
用本无生，双修是正。

坛经心读：品真性妙美

【法海偈赞】

> 即心元是佛，不悟而自屈。
> 我知定慧因，双修离诸物。

六

【出处】 机缘品第七
【名称】 诵经不知经义
【求法者】 法达
【六祖偈语】

> 汝今名法达，勤诵未休歇。
> 空诵但循声，明心号菩萨。
> 汝今有缘故，吾今为汝说。
> 但信佛无言，莲花从口发。

【六祖偈语】

> 心迷法华转，心悟转法华。
> 诵经久不明，与义作仇家。
> 无念念即正，有念念成邪。
> 有无俱不计，长御白牛车。

【法达偈赞】

> 经诵三千部，曹溪一句亡。
> 未明出世旨，宁歇累生狂？
> 羊鹿牛权设，初中后善扬。
> 谁知火宅内，元是法中王。

七

【**出处**】机缘品第七

【**名称**】三身四智偈

【**求法者**】智通

【**六祖三身偈语**】

自性具三身，发明成四智。

不离见闻缘，超然登佛地。

吾今为汝说，谛信永无迷。

莫学驰求者，终日说菩提。

【**六祖大师四智偈语**】

大圆镜智性清净，平等性智心无病。

妙观察智见非功，成所作智同圆镜。

五八六七果因转，但用名言无实性。

若于转处不留情，繁兴永处那伽定。

【**智通偈赞**】

三身元我体，四智本心明。

身智融无碍，应物任随形。

起修皆妄动，守住匪真精。

妙旨因师晓，终亡染污名。

八

【**出处**】机缘品第七

【**名称**】无端起知见，著相求菩提

坛经心读：品真性妙美

【求法者】 智常

【六祖偈语】

> 不见一法存无见，大似浮云遮日面。
> 不知一法守空知，还如太虚生闪电。
> 此之知见瞥然兴，错认何曾解方便？
> 汝当一念自知非，自己灵光常显现。

【智常偈赞】

> 无端起知见，著相求菩提。
> 情存一念悟，宁越昔时迷。
> 自性觉源体，随照枉迁流。
> 不入祖师室，茫然趣两头。

九

【出处】 机缘品第七

【名称】 诵经不解义，外道让心迷

【求法者】 志道

【六祖偈语】

> 无上大涅槃，圆明常寂照。
> 凡愚谓之死，外道执为断。
> 诸求二乘人，目以为无作。
> 尽属情所计，六十二见本。
> 妄立虚假名，何为真实义？
> 惟有过量人，通达无取舍。
> 以知五蕴法，及以蕴中我。

《坛经》偈颂集锦

　　　　外现众色象，一一音声相。
　　　　平等如梦幻，不起凡圣见。
　　　　不作涅槃解，二边三际断。
　　　　常应诸根用，而不起用想。
　　　　分别一切法，不起分别想。
　　　　劫火烧海底，风鼓山相击。
　　　　真常寂灭乐，涅槃相如是。
　　　　吾今强言说，令汝舍邪见。
　　　　汝勿随言解，许汝知少分。

十

【出处】机缘品第七
【名称】一切无相偈
【求法者】一僧（佚名）
【卧轮偈语】

　　　　卧轮有伎俩，能断百思想。
　　　　对境心不起，菩提日日长。

【六祖对偈】

　　　　惠能没伎俩，不断百思想。
　　　　对境心数起，菩提作么长？

十一

【出处】顿渐品第八
【名称】真戒定慧偈

坛经心读：品真性妙美

【求法者】志诚
【六祖偈语】

> 心地无非自性戒，
> 心地无痴自性慧，
> 心地无乱自性定，
> 不增不减自金刚，
> 身去身来本三昧。

【志诚偈赞】

> 五蕴幻身，幻何究竟？
> 回趣真如，法还不净。

十二

【出处】付嘱品第十
【名称】真假动静偈
【求法者】门人法海、志诚、法达、神会、智常、智通、志彻、志道、法珍等
【六祖偈语】

> 一切无有真，不以见于真；
> 若见于真者，是见尽非真。
> 若能自有真，离假即心真；
> 自心不离假，无真何处真。
> 有情即解动，无情即不动；
> 若修不动行，同无情不动。
> 若觅真不动，动上有不动；

不动是不动，无情无佛种。
能善分别相，第一义不动；
但作如此见，即是真如用。
报诸学道人，努力须用意；
莫于大乘门，却执生死智。
若言下相应，即共论佛义；
若实不相应，合掌令欢喜。
此宗本无诤，诤即失道意；
执逆诤法门，自性入生死。

十三

【出处】付嘱品第十
【名称】六祖说达摩祖师偈
【求法者】门人法海、志诚、法达、神会、智常、智通、志彻、志道、法珍等
【六祖偈语】

吾本来兹土，
传法救迷情；
一华开五叶，
结果自然成。

十四

【出处】付嘱品第十
【名称】无
【求法者】门人法海、志诚、法达、神会、智常、智通、志彻、志道、法

珍等

【六祖偈语】

> 心地含诸种,
> 普雨悉皆萌。
> 顿悟华情已,
> 菩提果自成。

十五

【出处】付嘱品第十
【名称】自性真佛偈
【求法者】门人法海、志诚、法达、神会、智常、智通、志彻、志道、法珍等
【六祖偈语】

> 真如自性是真佛,邪见三毒是魔王。
> 邪迷之时魔在舍,正见之时佛在堂。
> 性中邪见三毒生,即是魔王来住舍。
> 正见自除三毒心,魔变成佛真无假。
> 法身报身及化身,三身本来是一身。
> 若向性中能自见,即是成佛菩提因。
> 本从化身生净性,净性常在化身中。
> 性使化身行正道,当来圆满真无穷。
> 淫性本是净性因,除淫即是净性身。
> 性中各自离五欲,见性刹那即是真。
> 今生若遇顿教门,忽遇自性见世尊。
> 若欲修行觅作佛,不知何处拟求真?

若能心中自见真，有真即是成佛因。
不见自性外觅佛，起心总是大痴人。
顿教法门已今留，救度世人须自修。
报汝当来学道者，不作此见大悠悠。

十六

【出处】付嘱品第十

【名称】临终偈

【求法者】门人法海、志诚、法达、神会、智常、智通、志彻、志道、法珍等

【六祖偈语】

兀兀不修善，腾腾不造恶。
寂寂断见闻，荡荡心无著。